O PAÍS DOS PRIVILÉGIOS

BRUNO CARAZZA

O país dos privilégios

Volume I: Os novos e velhos donos do poder

Companhia Das Letras

Grafia atualizada segundo o Acordo Ortográfico da Língua Portuguesa de 1990, que entrou em vigor no Brasil em 2009.

Capa
Felipe Sabatini e Nina Farkas/ Gabinete Gráfico

Preparação
Cacilda Guerra

Checagem
Érico Melo

Gráficos
Bruno Algarve

Índice
Luciano Marchiori

Revisão
Clara Diament
Jane Pessoa

Dados Internacionais de Catalogação na Publicação (CIP)
(Câmara Brasileira do Livro, SP, Brasil)

Carazza, Bruno
O país dos privilégios : Volume I : Os novos e velhos donos do poder / Bruno Carazza. — 1ª ed. —São Paulo : Companhia das Letras, 2024. — (O país dos privilégios)

Bibliografia.
ISBN 978-85-359-3740-4

1. Advogados — Brasil 2. Brasil — Política e governo 3. Desigualdade — Brasil 4. Militares — Brasil 5. Ministério público — Brasil 6. O Estado 7. Poder executivo — Brasil 8. Poder legislativo - Brasil I. Título. II. Série.

24-198273 CDD-320.981

Índice para catálogo sistemático:
1. Brasil : Política 320.981

Cibele Maria Dias — Bibliotecária — CRB-8/9427

EDITORA SCHWARCZ S.A.
Rua Bandeira Paulista, 702, cj. 32
04532-002 — São Paulo — SP
Telefone: (11) 3707-3500
www.companhiadasletras.com.br
www.blogdacompanhia.com.br
facebook.com/companhiadasletras
instagram.com/companhiadasletras
twitter.com/cialetras

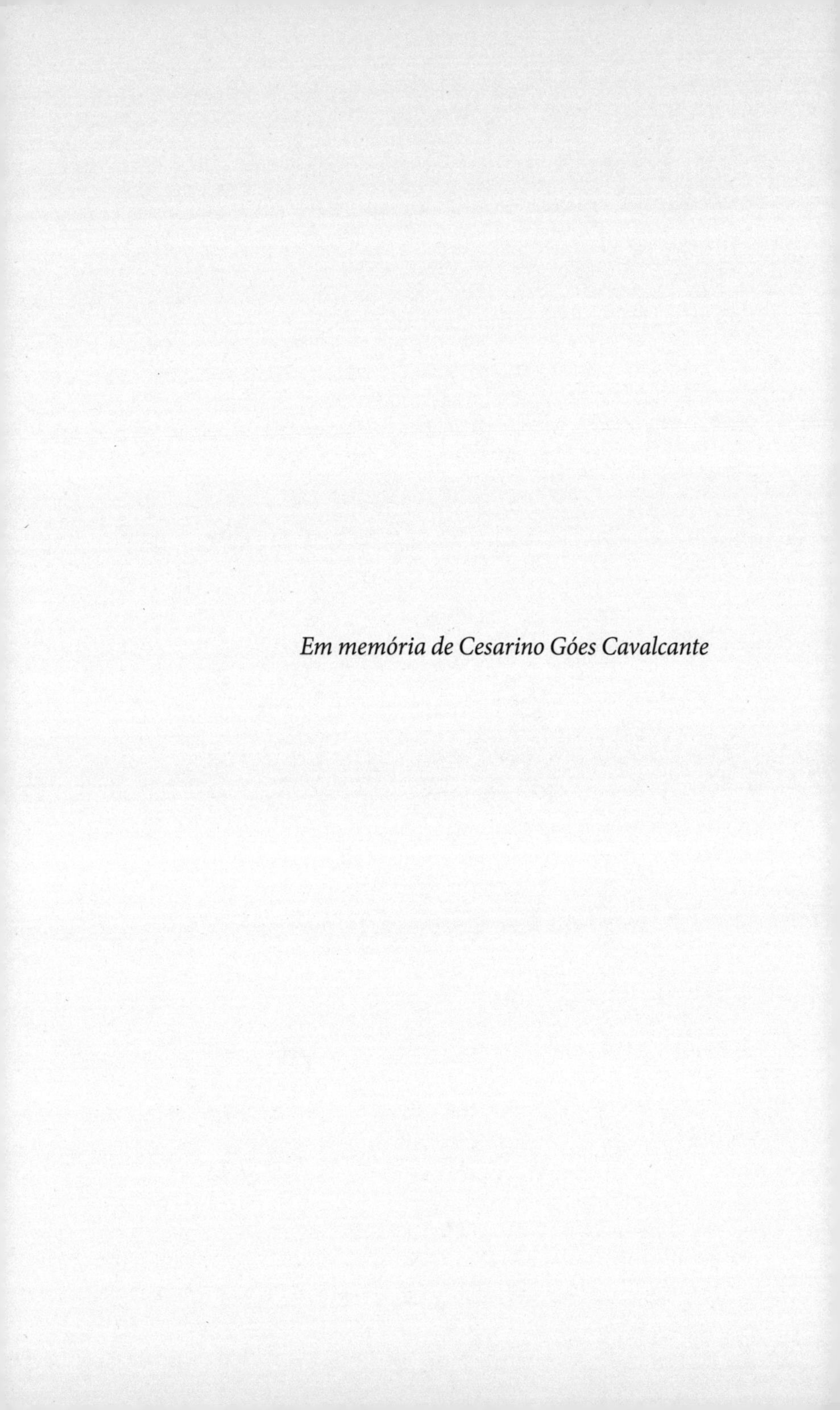

Em memória de Cesarino Góes Cavalcante

Sumário

Introdução

Por trás das mais nobres intenções podem se esconder transações bilionárias.

Em 2017, o governo de Minas Gerais lançou o Plano de Regularização de Créditos Tributários, um programa de renegociação das dívidas contraídas por pessoas físicas e jurídicas junto ao fisco estadual. Conhecidas nacionalmente como "Refis" (sigla de Programa de Recuperação Fiscal), iniciativas como essa oferecem descontos, isenções de multas e juros, bem como condições especiais de parcelamento para os contribuintes colocarem em dia suas obrigações fiscais em atraso.

Em meio a dezenas de artigos regulamentando o benefício, um dispositivo pouco usual estava previsto no art. 42 da lei estadual nº 22 549/2017.[1] De acordo com seu texto, obras de arte e objetos históricos poderiam ser dados em pagamento para quitar débitos tributários. O objetivo seria preservar o patrimônio cultural, mantendo junto ao público mineiro quadros, esculturas e documentos de grande valor que poderiam eventualmente ser vendidos para outras regiões ou países por seus proprietários endividados.

Para quem conhece o meio empresarial e as colunas sociais em Minas, não foi difícil desconfiar de que se tratava de uma norma encomendada. Seu principal favorecido tinha nome, sobrenome e endereço: Bernardo de Mello Paz, "mecenas" do Instituto Inhotim, museu a céu aberto instalado em Brumadinho (MG).

Dono de um conglomerado empresarial de mineradoras e siderúrgicas, o Grupo Itaminas, Bernardo Paz construiu a cinquenta quilômetros de Belo Horizonte um complexo de arte contemporânea de renome internacional, feito notável num país que investe tão pouco em cultura.

O problema é que, paralelamente à construção do Inhotim e à formação de seu acervo, as empresas de Bernardo Paz acumularam ao longo de décadas um passivo bilionário em tributos não recolhidos aos cofres da União, estados e municípios. Diante de uma situação financeira cada vez mais grave, veio a calhar a aprovação da lei que o autorizava a utilizar suas obras de arte como pagamento de suas dívidas fiscais.

É óbvio que, na exposição de motivos do projeto de lei encaminhado pelo então governador Fernando Pimentel à Assembleia Legislativa de Minas Gerais,[2] não consta que a medida foi concebida especialmente para Bernardo Paz. Para todos os fins, vale o dogma de que as normas são gerais e abstratas. Mas o criador do Instituto Inhotim foi o primeiro a bater às portas do governo mineiro para ter direito ao benefício.

Logo após a aprovação e a publicação da lei, o empresário apresentou uma proposta com vinte obras do acervo do museu para quitar impostos em atraso que chegavam a 471,6 milhões de reais em 2017. É bom destacar também que, graças às benesses do Refis do governador Pimentel, o abatimento de multas e juros já havia levado à redução desse montante para 111,7 milhões.

Entre os trabalhos expostos no Instituto Inhotim que foram oferecidos por Bernardo Paz para pagamento do débito remanescente estavam *Celacanto provoca maremoto*, conjunto de pinturas de Adriana Varejão que emulam a azulejaria portuguesa, a instalação *Desvio para o vermelho*, de Cildo Meireles, a escultura em concreto e vigas de aço *Beam Drop Inhotim*, do norte-americano Chris Burden, e *Sonic Pavilion*, espaço concebido em torno de um orifício de 202 metros de profundidade, preenchido por um conjunto de microfones, que permite captar os sons que vêm das profundezas da Terra, criado pelo californiano Doug Aitken.

As obras foram submetidas à avaliação independente que concluiu que o conjunto valeria 439,6 milhões de reais — valor superior ao resíduo da dívida, portanto. Mas as condições do acordo revelam que o negócio seria muito mais vantajoso para Bernardo Paz do que para o contribuinte mineiro, que em última instância era seu credor.

Além de abater a dívida do empresário, o governo de Minas Gerais aceitou uma cláusula que o proibia de colocar à venda no mercado as obras de arte recebidas como pagamento. Ou seja, sob o pretexto de manter em Minas parte do patrimônio artístico exposto em Inhotim, os representantes do estado teriam concordado em imobilizar um ativo que poderia render centenas de milhões de reais se levado a leilão — é bom lembrar que já àquela época Minas se encontrava à beira de um colapso fiscal.

Outra restrição do acordo estabelecia que, além de não poder vender as obras, o estado de Minas deveria cedê-las em comodato (ou seja, de graça) para ficarem expostas... no Instituto Inhotim! Isso significa que Bernardo Paz conseguiria a proeza de quitar uma dívida multimilionária repassando para o governo vinte obras de sua propriedade que nunca poderiam ser vendidas e, além disso, continuariam expostas em seu próprio centro cultural.

Tendo recebido mais de 220 mil visitantes no ano de 2022, o Instituto Inhotim é um colosso que combina museu de arte contemporânea e jardim botânico, com 23 galerias e nove conjuntos paisagísticos distribuídos numa área de 140 hectares. Seu acervo conta com 1862 obras, de 280 artistas provenientes de 43 países.[3] Reconhecido nacional e internacionalmente, o instituto se tornou uma das principais atrações turísticas de Minas Gerais, movimentando de forma considerável a economia local.

A possibilidade de que Bernardo Paz transferisse parte considerável de seu acervo para outra instituição cultural brasileira ou estrangeira deve ter assombrado as autoridades mineiras. Ao ameaçar fechar as portas do Inhotim, Bernardo Paz pressionou o estado de Minas Gerais a ponto de fazer as autoridades aceitarem as duras condições da proposta de abatimento e dação em pagamento das obras de arte por sua dívida tributária de centenas de milhões de reais.

O acordo foi firmado com a Advocacia-Geral do estado em 2018, mas acabou contestado pelo Ministério Público de Minas Gerais;[4] em outubro de 2020, a Justiça negou sua homologação. De acordo com o desembargador Elias Camilo Sobrinho, relator do caso na 3ª Câmara Cível do Tribunal de Justiça de Minas Gerais, era

> flagrante a demonstração de ausência de qualquer vantagem ao estado de Minas Gerais na formalização do acordo, uma vez que estará o referido ente público renunciando a mais de ¾ da dívida tributária existente em desfavor do Grupo Itaminas, bem como recebendo o montante residual [...] em obras de arte que não poderá dispor [...] por estarem "encravadas" no Museu do Inhotim.[5]

Com a negativa da Justiça de dar validade à tentativa de liquidar sua dívida tributária com a entrega de obras que continuariam expostas gratuitamente em seu próprio centro cultural, Bernardo Paz foi obrigado a voltar à mesa de negociações com o fisco para equacionar seu passivo. Àquela altura, mesmo com a adesão ao Refis mineiro, seu grupo empresarial ainda acumulava 200 milhões de reais em débitos atrasados junto ao estado de Minas Gerais, além de mais 1,7 bilhão de reais de débitos inscritos na Dívida Ativa da União e junto ao Fundo de Garantia do Tempo de Serviço (FGTS).

Em abril de 2021, trinta empresas do grupo Itaminas, além do próprio Bernardo Paz, como pessoa física, firmaram com a Procuradoria-Geral da Fazenda Nacional um entendimento que parcelava a dívida bilionária com o governo federal em 120 meses, mediante pagamentos de um percentual sobre sua receita líquida, e dava bens do grupo como garantia.[6] Pouco mais de dois meses depois, Bernardo Paz celebrou um novo acordo com o governo de Minas, parcelando a maior parte do débito em doze vezes e as multas e juros em sessenta parcelas, oferecendo 30% do faturamento bruto do grupo como garantia.[7]

Nos dois casos, a possibilidade de fechamento do centro cultural foi o mote que justificou tanto o estado de Minas quanto o governo federal a chegarem a um entendimento com o mecenas mineiro. Segundo o procurador da Fazenda Nacional João Grognet, responsável pela renegociação da dívida de 1,7 bilhão de reais, se o acordo não fosse firmado "havia a possibilidade de o museu ir a leilão e ser adquirido por outra pessoa que quisesse dar destino diverso ao local".[8]

Além de defender a cultura, advogados públicos do estado de Minas Gerais e procuradores da Fazenda Nacional tinham um interesse pessoal no acerto de contas realizado com as empresas de Bernardo Paz. Graças a uma mudança legislativa efetuada em 2015, advogados públicos que trabalham na União, estados e municípios recebem uma percentagem do valor das causas vitoriosas na Justiça e dos acordos extrajudiciais que celebram com devedores fiscais. Os chamados honorários de sucumbência turbinam os já elevados salários desses servidores públicos — e não foi diferente no ajuste feito com Paz e seu endividado conglomerado industrial.

Os acordos de redução e parcelamento das dívidas tributárias das empresas do patrono do Instituto Inhotim, portanto, foram um bom negócio para todos os celebrantes, exceto para os maiores interessados, que não tiveram assento nas negociações: os contribuintes que pagam seus impostos em dia e a população carente de serviços públicos de qualidade.

As tentativas de Bernardo Paz de se livrar do passivo fiscal de suas empresas usando como justificativa a importância cultural e turística do Inhotim não são algo novo ou raro em nossa história. São antes um exemplo de estratégia muito comum da elite empresarial brasileira. Sustentados por argumentos meritórios como a geração de empregos, o estímulo ao desenvolvimento nacional e até a promoção artística, benefícios das mais variadas naturezas são concedidos com frequência a grupos particulares no país, contando com a complacência, interessada ou não, de servidores públicos.

Esses ajustes firmados entre grandes empresários bem relacionados com a classe política e altas autoridades públicas trazem grandes lucros privados, para poucos indivíduos, enquanto o restante da população carrega o ônus dessas transações.

É uma história que começa muito antes de os portugueses aportarem no Brasil.

O jurista Raymundo Faoro, no clássico *Os donos do poder: Formação do patronato político brasileiro*, demonstrou como os ecos do patrimonialismo português ressoavam no Brasil de forma "persistente, obstinadamente persistente".[9] Sua obra foi lançada em 1958, mas durante sua leitura é impossível não fazer paralelos com o funcionamento do Estado brasileiro hoje, mais de seis décadas depois.

Faoro inicia seu resgate histórico para descrever a "formação do patronato político brasileiro" remontando à ascensão ao trono de d. João I, primeiro monarca português da Casa de Avis, em 1385. Foi naquele momento que o reino embarcou na grande aventura de expansão territorial a partir do Atlântico, começando pela conquista do Norte da África.

Utilizando um conceito formulado por Max Weber, Faoro classifica como "capitalismo politicamente orientado" a estratégia, inaugurada por d. João I e seguida por todos os monarcas que o sucederam nos séculos posteriores, de se lançarem ao mar em busca de novos negócios. A prática consistia na distribuição de monopólios régios, cartas de exclusividade e concessões de atividades à elite portuguesa para torná-la sócia do trono em seus empreendimentos náuticos e comerciais. À medida que estendia seus domínios marítimos em direção à África e à Ásia, o Estado português foi criando uma rede de fidalgos e funcionários enviados aos novos territórios para representar os interesses do reino nos entrepostos e, mais tarde, nas colônias.

Após aportar no Brasil em 1500, os portugueses implantaram por aqui esse mesmo sistema extrativista. Ao rei cabiam a concessão de privilégios para a exploração de negócios na nova colônia e a distribuição dos produtos locais nos mercados europeus, garantindo para a Coroa parte dos lucros, além da cobrança de impostos e taxas. Esse modelo se manteve por séculos, embora fosse adaptado toda vez que o contexto econômico se alterava e novas oportunidades de negócios surgiam. "O polo imantado pelo pau-brasil será o mesmo do açúcar, do ouro e do café", lembra Faoro,[10] e essa sistemática também vale para o tráfico e a comercialização de escravizados, prática secular portuguesa que teve sua escala ampliada com o ciclo do açúcar no Nordeste brasileiro e depois na exploração aurífera em Minas Gerais e com a produção de café no Vale do Paraíba.

Essa associação entre a casa real e a classe de empreendedores, porém, não se dava sem intermediários. Com a afluência de riquezas provenientes das colônias para Portugal, começa a gravitar ao redor da corte uma comunidade aristocrática que, de maneira progressiva, foi assumindo responsabilidades em temas militares, fiscais, de regulação e provimento de justiça. Recrutados entre as mais notáveis famílias do reino, esses nobres passaram a ocupar os principais postos de comando do Exército e os cargos públicos mais relevantes. Na terminologia de Faoro, esse grupo, por não possuir interesses econômicos comuns, não constituía necessariamente uma "classe", no sentido marxista do termo; por se assentar sobre o poder político, o jurista prefere denominar essa camada social de "estamento".

Com o passar do tempo, íntimos dos monarcas a ponto de influenciar suas decisões, os membros do estamento se tornaram protagonistas dos destinos do Estado português.

> Junto ao rei, livremente recrutada, uma comunidade — patronato, parceria, oligarquia, como quer que a denomine a censura pública — manda, governa, dirige, orienta, determinando, não apenas formalmente, o curso da economia e as expressões da sociedade, sociedade tolhida, impedida, amordaçada.[11]

Ao longo da detalhada descrição da evolução política e econômica de Portugal e do Brasil, Faoro vai apresentando evidências, extraídas de dados e de cronistas de cada época, de como nossa sociedade foi se estruturando a partir de suas raízes ibéricas: de um lado, a classe política dirigente; de outro, o empresariado; e, fazendo a conexão entre elas, o estamento aristocrático — alguns séculos depois, sendo substituído por uma elite burocrática de servidores públicos graduados.

Anos antes dos primeiros trabalhos dos economistas Gordon Tullock[12] e Anne Krueger,[13] precursores da teoria da escolha pública, ou do artigo seminal de George Stigler que inaugurou a pesquisa sobre a teoria econômica da regulação na Escola de Chicago,[14] Raymundo Faoro descrevia em detalhes — ainda que sem o ferramental matemático, mas com uma profunda pesquisa histórica

— como os empresários buscam extrair renda de decisões políticas e como as autoridades públicas se deixam capturar por representantes do setor privado em troca de dinheiro, regalias ou ainda mais poder. Décadas antes de Daron Acemoglu e James Robinson identificarem que o "extrativismo" institucional explica por que as nações fracassam,[15] Faoro chamava de "patrimonialismo" a causa do atraso luso-brasileiro — no fundo, são apenas terminologias diferentes para o mesmo problema social, econômico e político.

Ao longo de centenas de páginas de análise de períodos históricos que se sucedem, o futuro ocupante da cadeira nº 6 da Academia Brasileira de Letras e presidente da Ordem dos Advogados do Brasil no período de 1977 a 1979 centra suas críticas na forma como esse sistema patrimonialista limitou as possibilidades de desenvolvimento econômico e social de Portugal e como, mais tarde, faria o mesmo no Brasil. De um lado, forma-se um Estado inchado, em que as prioridades do estamento aristocrático/burocrático se distanciam das necessidades dos súditos/povo. No reverso da moeda, incentivada e protegida pelo Estado, a classe empresarial prefere investir nas relações com o poder em vez de buscar eficiência e produtividade.

Na visão de Faoro, a opulência gerada pelo comércio ultramarino alimentou a formação de uma camada aristocrática alojada na corte e depois enviada para tomar conta dos negócios reais na colônia. O fluxo de riquezas obtidas com mercadorias como açúcar, algodão e tabaco, assim como ouro e diamantes, levou à instalação no Brasil de todo um aparato de autoridades políticas e militares, magistrados e burocratas. "Daí irradia uma multidão de funcionários, atraindo os reinóis ociosos: deputados das juntas, intendentes, tesoureiros, oficiais, escrivães, meirinhos", descreve o jurista. Depois de sustentar todo esse corpo de funcionários, "o leite ordenhado da colônia chegava diluído e aguado aos reais beiços, com provável déficit antes da explosão açucareira e aurífera".[16]

A vinda da corte portuguesa para o Brasil em 1808 transplantou para a colônia a mesma estrutura e os mesmos vícios existentes na metrópole — situação que não mudou com a Independência. Pelo contrário: recuperando um artigo de José Bonifácio de Andrada e Silva publicado em 1830, Faoro destaca:

> A monarquia portuguesa, depois de 736 anos de existência, possuía dezesseis marqueses, 26 condes, oito viscondes e quatro barões, enquanto a brasileira, nos primeiros oito anos de vida, não se contentava com menos de 28 marqueses, oito condes, dezesseis viscondes e 21 barões.[17]

Esse estamento aristocrático, que se aninha ao redor do rei em Lisboa e no Rio de Janeiro durante o domínio português, começa a dar lugar a outro grupo ainda mais influente ao longo do século XIX. O empoderamento da magistratura e das demais carreiras jurídicas, a criação de um corpo diplomático e de uma estrutura militar profissionalizada e, já no início do século XX, o fortalecimento de instituições econômicas como o Banco do Brasil marcam a emergência do estamento burocrático, que se torna ainda mais poderoso na condução do país após a proclamação da República.

Tanto o estamento aristocrático quanto, mais tarde, a elite burocrática do Estado brasileiro tomam as rédeas do planejamento e do controle dos instrumentos fiscais, cambiais, creditícios e alfandegários com o propósito de estimular a atividade econômica. Tornam-se, assim, peças-chave nas estratégias empresariais desde os tempos coloniais. Analisando a economia nacional na primeira metade do século XX, Faoro constata como o Estado brasileiro herdou a lógica de funcionamento do mercantilismo português de cinco séculos atrás: "O Estado organiza o comércio, incrementa a indústria, assegura a apropriação da terra, estabiliza preços, determina salários, tudo para o enriquecimento da nação e o proveito do grupo que a dirige".[18] É o velho "capitalismo politicamente orientado" que surgiu com d. João I, no final do século XIV.

A dependência da classe empresarial luso-brasileira em relação aos favores providos pelo Estado, com seus monopólios, reservas de mercado, exclusividades de comercialização e, mais tarde, regimes cambiais favorecidos e subsídios tributários, produz, na visão de Faoro, uma burguesia pouco dinâmica. Comentando a política econômica sob o comando de d. Pedro II, no momento em que Irineu Evangelista de Sousa, o visconde de Mauá, protagoniza o primeiro esforço de industrialização no país, Raymundo Faoro destaca uma realidade muito semelhante à do Brasil do século XXI. "Sobre todos, o Tesouro vela e provê, pródigo em concessões garantidas, em proteções alfandegárias, em emissões, em patentes bancárias, socorrendo, na hora das crises, as fortunas desfalcadas", argumenta. "Nesse sistema, com o Estado presente na atividade econômica, pai da prosperidade geral, a política dá as mãos ao dinheiro, como outrora."[19]

Utilizando uma feliz metáfora, o jurista compara o empresário português (e brasileiro) a uma "árvore, submetida ao oxigênio viciado de estufa", sendo essa a política econômica do governo. Acostumado a sobreviver sob o amparo estatal, sem se expor a um regime de livre concorrência, o empresariado local "produz sempre os mesmos frutos, cada vez mais pecos, sem polpa, amarelos".[20]

Fechando um arco que vai de d. João I, rei de Portugal na virada do século XV, a Getúlio Vargas, presidente do Brasil na década de 1930, Faoro conclui sua viagem de quase seis séculos pela nossa história destacando como o patrimonialismo foi se amoldando às transformações políticas do período. De colônia a sede do reino, depois passando pela Independência, pelo Império e chegando à República, o condicionamento de nossa elite empresarial aos favores concedidos pelo Estado persiste até hoje, com nosso desenvolvimento econômico politicamente orientado "resistindo, galhardamente, inviolavelmente, à repetição, em fase progressiva, da experiência capitalista"[21] em nome de seus vários privilégios.

Privilegium. "Lei privada", em latim.

A Constituição brasileira, utilizando um preceito surgido na Declaração dos Direitos do Homem e do Cidadão (1789) e reproduzido na Declaração Universal dos Direitos Humanos (1948), estabelece que todos são iguais perante a lei, sem distinção de qualquer natureza.[22]

O mesmo texto constitucional, ao tratar da administração pública, prescreve que a ação do Estado deve se pautar, entre outros princípios, pela impessoalidade — ou seja, sem favorecimentos na concepção e na implementação de políticas públicas.[23] Da mesma forma, a Justiça é representada há séculos pela imagem de uma mulher vendada, em sinal de que suas decisões não devem levar em conta quem pleiteia o direito, mas tão somente sopesar — por isso a balança é outro símbolo que a acompanha — os argumentos trazidos pelas partes.

Também a teoria geral do direito propõe, entre as características das normas, a generalidade (não possuir destinatário específico) e a abstração (não ser criada visando atender a casos concretos, mas a hipóteses que podem vir ou não a ocorrer). A teoria econômica, por sua vez, recomenda políticas horizontais e universais e preconiza que incentivos, se tiverem alvos determinados, devem ser criteriosos e muito bem avaliados.

Na prática, essas determinações de não discriminação, impessoalidade, generalidade, abstração e universalidade não costumam ter a devida atenção no dia a dia dos poderes Executivo, Legislativo e Judiciário no Brasil.

Um episódio pitoresco que ilustra como o poder político e econômico distorce os marcos jurídicos e econômicos no país foi contado pelo jornalista Fernando Morais. Na biografia *Chatô: O rei do Brasil*, ele narra como, em meados do século passado, o magnata da mídia Assis Chateaubriand se valia de seu império de comunicações para pressionar, achacar e chantagear políticos e empresários a fim de obter as mais variadas vantagens, de benefícios tributários para a compra de papel de imprensa e equipamentos de rádio e TV a doações de obras de arte que formaram o acervo do Museu de Arte de São Paulo (Masp), fundado por ele em 1947.[24]

Embora ainda formalmente casado com Maria Henriqueta Barroso do Amaral, o dono dos Diários Associados teve uma filha com a atriz argentina Cora Acuña em 1934. Declaradamente avesso às responsabilidades da paternidade (segundo Morais, Chateaubriand dizia que "Aníbal só chegou até o norte da Europa com sua tropa de elefantes porque não tinha uma prole agarrada à barra de seu paletó"), ele a princípio não reconheceu a filha — tanto que a menina ganhou o nome de Teresa Acuña; na certidão de nascimento, além da ausência do sobrenome do pai, o campo referente à paternidade ficou em branco.

Mas "a vida é real e de viés", e com o tempo Assis Chateaubriand foi se afeiçoando à garota. Como o relacionamento com a atriz argentina era o pior possível, a disputa pela guarda da filha acabou chegando aos tribunais. A legislação da época, contudo, era bastante clara: "O pátrio poder será exercido por quem primeiro reconheceu o filho, salvo destituição nos casos previstos em lei".[25] Portanto, a norma assegurava à mãe o direito sobre a menina, já que o dono do maior conglomerado de mídia da época só reconheceu a filha em cartório alguns anos depois de seu nascimento.

Cada vez mais apegado sentimentalmente a Teresa e, por outro lado, vendo que Cora Acuña não cedia às pressões e se mostrava aguerrida na disputa judicial — certa de que o direito brasileiro estava a seu favor —, Chatô partiu para a pressão política. "Se a lei é contra mim, então, meus senhores, vamos ter que mudar a lei", teria dito a amigos.

Após meses de uma intensa campanha difamatória contra o governo de Getúlio Vargas, obteve afinal seu troféu: a edição, pelo presidente da República, do decreto-lei nº 5213/1943, a partir do qual ficava determinado que: "O filho natural, enquanto menor, ficará sob o poder do progenitor que o reconheceu, e, se ambos o reconheceram, sob o do pai, salvo se o juiz decidir doutro modo, no interesse do menor".[26]

Tão escancarada foi a manobra de Chateaubriand em forçar a alteração da lei para atender única e exclusivamente a seu interesse pessoal que essa norma ficou conhecida à época como "Lei Teresoca", numa referência à maneira carinhosa como Chatô tratava a filha. E até hoje é um dos melhores exemplos de como as regras, jurídicas ou econômicas, podem ser gerais e abstratas em termos formais, mas, na prática, costumam ter destinatários certos — e poderosos.

São verdadeiras "leis privadas" — os famosos privilégios que constituem o objeto deste livro.

Como descrito de forma minuciosa por Raymundo Faoro — e exemplificado tanto pelo caso da lei alterada por um capricho do poderoso Assis Chateaubriand quanto, mais recentemente, pela previsão de uso de obras de arte para pagamento de débitos tributários, feita sob medida para o criador do Instituto Inhotim —, ao longo da história brasileira uma extensa rede de privilégios foi sendo criada para proteger ou beneficiar determinados grupos.

Setores econômicos, categorias profissionais e segmentos sociais recebem tratamento especial do Estado brasileiro, em nome de objetivos nobres como o desenvolvimento nacional, a redução das desigualdades, a geração de empregos ou o avanço tecnológico. Por trás desse verniz meritório, entretanto, se escondem interesses venais, centrados no lucro individual, e não no ganho coletivo.

A natureza desses privilégios é extensa e envolve isenções tributárias e benefícios fiscais, créditos subsidiados em bancos oficiais, garantias estatais de empréstimos, políticas públicas direcionadas, reservas de mercado e regulações que limitam a concorrência. Também entram na conta inúmeras gratuidades e imunidades, tratamentos legislativos especiais, decisões judiciais enviesadas, acesso facilitado a serviços públicos, destinação de fatias expressivas do orçamento público e fixação de salários acima do mercado e não condizentes com a produtividade, entre muitos outros instrumentos. Essas benesses em geral favorecem alguns em detrimento de muitos, criando benefícios concentrados em poucos, cujos custos são cobrados de forma difusa de toda a sociedade.

O propósito deste livro é demonstrar como o Estado brasileiro, por meio de decisões tomadas pelos três poderes, alimenta um círculo vicioso de desigualdade e ineficiência, concedendo toda sorte de privilégios, de forma discricionária e sem critérios, a grupos selecionados, com um elevado custo social.

Seguindo a trilha indicada por Raymundo Faoro, a proposta é expor, no Brasil de hoje, como os velhos e os novos donos do poder continuam explorando um sistema político e econômico que conduz à concentração de renda e à desigualdade social.

Ao longo dos capítulos serão apresentados casos concretos de privilégios criados e distribuídos a empresas dos mais variados setores, a servidores públicos civis e militares, a corporações como cartórios e entidades profissionais, além de igrejas, políticos e grupos sociais de alta renda.

Como são variados os canais pelos quais os privilégios são gerados e distribuídos, o leitor será convidado a conhecer os meandros do processo legislativo, onde brotam "jabutis" criados para distribuir milhões a grandes empresas; os métodos pelos quais juízes e promotores públicos se lançam numa competição para ver quem ocupa o topo da pirâmide de vencimentos no setor público;

e como o sistema tributário alimenta bilionários que pagam poucos impostos.

Entender esse processo é fundamental, pois, por mais bem-intencionada que seja, cada lei votada no Congresso Nacional, nas assembleias estaduais ou nas câmaras municipais pode contemplar interesses privados escondidos em incisos e alíneas obscuros. Em todo programa inserido nos orçamentos propostos a cada ano pelo presidente, por governadores e prefeitos pode haver a destinação de recursos para um grupo em especial. E sempre que um juiz proclama uma sentença pode estar concedendo de forma indevida uma vantagem que vai se perpetuar por décadas.

Com base em dados e em estudos acadêmicos, serão apresentadas evidências de como determinadas políticas públicas, regimes tributários especiais e perdões de dívidas fiscais têm um impacto gigantesco sobre o Tesouro Nacional. Este livro também se propõe a demonstrar como proteções comerciais e blindagens contra concorrentes nos fazem comprar e contratar bens e serviços mais caros e de pior qualidade.

A conta desses favores é saldada por todos nós, pagadores de impostos e consumidores. E há ainda um preço difícil de ser quantificado, mas bastante visível ao nosso redor: as vantagens concedidas a uma minoria privilegiada resultam em menos recursos disponíveis para o provimento de serviços públicos para a imensa massa pobre e desamparada da população. Os privilégios, portanto, alimentam a máquina de produção e manutenção de desigualdade econômica e social que é o Estado brasileiro.

É preciso alertar, logo de saída, que esses privilégios não são necessariamente obtidos por meio de pagamentos ilícitos ou outras formas de corrupção. Com origem em normas legislativas, decisões do Poder Executivo ou sentenças judiciais executadas segundo o devido processo legal, não há, a princípio, qualquer vício ou irregularidade em sua concessão. Pelo contrário: por mais díspares que sejam, esses favores em geral são bem-intencionados, criados inclusive para corrigir distorções do mercado ou reparar os danos causados pelo mau funcionamento do Estado brasileiro. Assim, não raro sua aprovação é até louvada pela imprensa, por formadores de opinião e por parcelas relevantes da sociedade.

Porém, o cumprimento de todos os ritos legais e, pelo menos em tese, a ausência de pagamentos escusos não são garantias de que sejam legítimos. Nas páginas a seguir, vamos explicitar como a atuação de lobbies e a cooptação de agentes públicos influenciam o processo de tomada de decisões. Do outro lado do balcão, autoridades governamentais, parlamentares e juízes tomam decisões buscando ganhos pessoais ou desprezando estudos rigorosos e recomendações técnicas. O resultado final é a transferência indevida de renda para grupos privados e a manutenção de distorções no mercado.

Outro ponto que é preciso destacar de antemão: o objetivo deste trabalho não é condenar publicamente aqueles que desfrutam dos privilégios aqui retratados. Seres humanos se movem por incentivos, e o fato de o arcabouço legal, judicial ou administrativo oferecer a determinados indivíduos vantagens especiais não disponíveis aos demais cidadãos não necessariamente significa falha de caráter ou ausência de escrúpulos. Mesmo quando se cita pelo nome algum beneficiário ou defensor de um privilégio, a intenção é apenas ilustrar as situações descritas. A pretensão maior, aqui, é denunciar a distribuição de benesses, e não as pessoas ou empresas que usufruem delas, sobretudo se são obtidas de modo lícito.

Pretende-se, pelo contrário, convidar cada leitor a refletir sobre seus próprios privilégios a fim de (sempre vale ser otimista) questionar o sistema que multiplica esse tipo de benesses e as distribui de forma ineficiente. Parto do meu próprio exemplo. Por muito tempo considerei como naturais e até merecidos certos privilégios que me foram concedidos ao longo da vida e que até hoje me favorecem.

Da educação superior gratuita em universidade pública ao Regime Especial Unificado de Arrecadação de Tributos e Contribuições devidos pelas Microempresas e Empresas de Pequeno Porte (Simples Nacional), a que tenho direito por prestar serviços como pessoa jurídica, passando pelos salários elevados de que desfrutei por quase vinte anos numa carreira da elite do serviço público, não há como negar que recebo um tratamento privilegiado do Estado. Por piores que sejam os serviços públicos prestados e mesmo que parte considerável dos tributos que pago seja mal-empregada e até desviada por políticos corruptos, não considero justas as inúmeras isenções e deduções presentes na minha declaração de Imposto de Renda — pois elas não estão acessíveis à imensa maioria da população brasileira, cuja renda é inferior à minha.

Não será pelo fato de eu próprio me beneficiar de muitos dos privilégios descritos neste livro que deixarei de questionar sua existência e as distorções econômicas e sociais que eles provocam. Assim, convido você também a lê-lo com uma postura desarmada, ciente de que teremos discordâncias. Aliás, um dos principais objetivos deste trabalho é justamente fomentar o debate sobre as escolhas feitas pelo Estado brasileiro.

Em virtude da imensa variedade de privilégios criados e distribuídos pelo Estado no Brasil, esta obra está estruturada em três volumes. Como as tramas da classe política já foram explicitadas em meu livro *Dinheiro, eleições e poder: As engrenagens do sistema político brasileiro*, lançado em 2018, desta vez o foco será deslocado, usando a expressão de Faoro, para o "estamento burocrático" e os grupos empresariais e sociais de renda mais alta que também comandam o país.

Assim, neste primeiro volume trataremos da elite do funcionalismo. De magistrados e membros do Ministério Público a militares e integrantes das carreiras mais prestigiadas do Executivo e do Legislativo, demonstraremos como o poder decisório e a capacidade de pressão são utilizados pelas corporações do serviço público para obter rendimentos muito superiores aos dos demais servidores e de profissões equivalentes no setor privado. Enquanto penduricalhos são adicionados aos contracheques com muita criatividade e sem qualquer constrangimento, o teto salarial do setor público deixou de ser um limite contra absurdos para ser uma meta a ser ultrapassada por uma minoria poderosa. Nesse grupo se incluem também políticos e titulares de cartórios, que, apesar de não serem servidores públicos em sua definição mais estrita, contam com vantagens superespeciais por prestarem serviços à população, quer estejam no palanque ou atrás de um balcão.

No segundo volume cobriremos os privilégios empresariais. Instituídas sob a justificativa de promover o desenvolvimento nacional, medidas como políticas industriais, incentivos tributários, reservas de mercado e subsídios creditícios protegem empresas locais contra a concorrência externa e procuram compensá-las pelo "custo Brasil". Na maioria das vezes, esses instrumentos geram ineficiência, baixo estímulo à inovação, perda de competitividade e reduzidos ganhos de produtividade, enquanto engordam as contas bancárias dos empresários e executivos que usufruem desses benefícios. Exemplos reais darão concretude a temas explorados pelas literaturas da economia e da ciência política, como o *rent seeking*, a lógica da ação coletiva, a captura de agentes públicos, as portas giratórias de dirigentes de agências reguladoras entre os setores público e privado e as ações dos lobbies, numa descrição do funcionamento atual do patrimonialismo brasileiro, como proposto por Faoro.

Por fim, o último volume abordará uma categoria difusa de privilegiados, aqueles que costumamos chamar de "classe alta". Apesar de ser controversa a delimitação de quem está incluído nessa categoria — a definição das fronteiras entre classes baixa, média e alta varia entre institutos e pesquisadores, assim como há diferentes enfoques sobre renda e riqueza —, o Estado provê uma série de mecanismos que sustentam a vergonhosa desigualdade econômica e social brasileira. Isenções e deduções fiscais, tributação mais branda sobre a renda e o patrimônio, imunidades e gratuidades, distorções orçamentárias e de políticas públicas, acesso privilegiado ao Poder Judiciário e outras vantagens ampliam o fosso quase intransponível que separa os dois extremos de nossa sociedade. Fechando a trilogia, vamos discutir como é difícil no Brasil "colocar o pobre no Orçamento e o rico no Imposto de Renda".

Nos três volumes, procuramos explicar como esses tratamentos diferenciados ofertados pelo Estado são produzidos, apresentando uma espécie de "arqueologia" de sua tramitação no Legislativo, Executivo ou Judiciário, identificando seus defensores e as manobras utilizadas para instituir os privilégios. E, sempre que possível, buscaremos avaliar, por meio de dados e estudos acadêmicos, o custo fiscal ou social imposto a toda a sociedade, que em geral arca com as consequências dessas formas excludentes de atuação governamental.

A atualidade dos debates propostos aqui pode ser comprovada pelo fato de os temas escolhidos tangenciarem discussões presentes na ordem do dia da política e da economia brasileiras nas últimas décadas: as reformas administrativa e tributária, mudanças no sistema de previdência e mercado de trabalho, regulação, Orçamento e políticas públicas, sem falar no funcionamento das instituições vinculadas aos poderes Executivo, Legislativo e Judiciário.

No caso específico deste primeiro volume, analisar a situação do funcionalismo público brasileiro sob a ótica dos privilégios proporciona uma abordagem mais racional das propostas de reforma administrativa em discussão no Congresso Nacional. Entre os defensores de um Estado mínimo e aqueles que atacam qualquer medida para racionalizar o quadro de servidores como se fosse uma tentativa de precarização do Estado, é possível qualificar melhor o debate.

Para tanto, o primeiro passo é identificar as carreiras que recebem salários desproporcionais à realidade do país e do próprio serviço público. Nas últimas décadas, criou-se uma casta de servidores dos poderes Judiciário, Legislativo e Executivo cujos rendimentos se descolaram da realidade da população brasileira. A questão, no entanto, não se restringe à última linha de seus contracheques. Por trás de vencimentos de muitas dezenas de milhares de reais ao mês, há todo um sistema que envolve estabilidade no emprego, carreiras curtas e com progressões automáticas e ausência de avaliações de desempenho ou de incentivos à produtividade.

Em todas essas carreiras existem, é óbvio, exemplos a serem louvados de servidores capacitados, comprometidos e inovadores. Na minha trajetória de mais de duas décadas no serviço público, tive o privilégio de conhecer técnicos do Banco Central do Brasil responsáveis pela criação do Pix e gestores governamentais que participaram da concepção do programa Bolsa Família. No âmbito do combate à corrupção, acompanhei o trabalho de servidores da Controladoria-Geral da União (CGU), do Tribunal de Contas da União (TCU) e da Polícia Federal que rastrearam contas e coletaram indícios de desvios de recursos públicos de milhões de reais. No âmbito judicial, conheço promotores de Justiça que varam noites em tribunais do júri defendendo a condenação de assassinos e juízes que louvam com responsabilidade e dedicação a toga que envergam.

Não podemos, contudo, tomar os casos mais notáveis para justificar um tratamento benéfico a toda uma categoria. Na maior parte dos órgãos e cargos mais poderosos da República, o regime que combina altos salários, avaliações de desempenho meramente formais e uma proteção corporativista contra demissões gera uma maioria de servidores acomodada e mais comprometida em manter seus benefícios do que nas entregas que oferece à sociedade.

Pela lente dos privilégios, portanto, pode-se discutir o sistema de seleção de quadros, por meio dos concursos públicos, remuneração e avaliação de desempenho, além de incentivos para a boa aplicação de recursos do Estado e a prevenção da corrupção. Estendendo a discussão para outros grupos vinculados à estrutura estatal, como militares, políticos e titulares de cartórios, podemos refletir também sobre outros institutos que impactam o bom funcionamento das instituições públicas e privadas, como o sistema previdenciário, o foro privilegiado, as emendas orçamentárias, os cargos em comissão, a burocracia e a regulação de concessões de serviços públicos.

Nas próximas páginas, veremos que muito do atraso de nosso país advém da estratégia que cada grupo social desenvolve para conseguir extrair do Estado — logo, da sociedade como um todo — benefícios privados. No dia a dia dos gabinetes e tribunais, uma minoria poderosa e muito bem organizada se mobiliza para criar benesses ou para matar na raiz qualquer tentativa de corte de seus benefícios. Do outro lado, reside uma imensa maioria silenciosa e desarticulada que paga a conta.

É hora de repensar o país dos privilégios.

1. Privilegiados de toga: Magistrados

Em 16 de outubro de 2014, o então presidente do Tribunal de Justiça de São Paulo, desembargador José Renato Nalini, participou da bancada de entrevistados do *Jornal da Cultura*. A certa altura do programa, o apresentador leu uma pergunta enviada por um telespectador, que gostaria de saber a opinião do magistrado sobre o auxílio-moradia de 4300 reais, benefício que acabara de ser concedido a todos os juízes do país pelo Supremo Tribunal Federal (STF).

A resposta de Nalini choca pela naturalidade com que ele encarava os privilégios de sua categoria:

> Esse auxílio-moradia, na verdade ele disfarça um aumento do subsídio, que está defasado há muito tempo. Aparentemente o juiz brasileiro ganha bem, mas ele tem 27% de desconto no Imposto de Renda, ele tem que pagar plano de saúde, ele tem que comprar terno e não dá pra ir toda hora a Miami comprar terno... porque cada dia da semana ele tem que usar um terno diferente, uma camisa razoável, um sapato decente; ele tem que ter um carro. Espera-se que a Justiça, que personifica uma expressão da soberania, esteja apresentável.

E há muito tempo não há o reajuste do subsídio, então o auxílio-moradia foi um disfarce para aumentar um pouquinho, e até para fazer com que o juiz fique um pouco mais animado, não tenha tanta depressão, tanta síndrome de pânico, tanto AVC etc. Então a população precisa entender isso. No momento em que eles perceberem o que um juiz trabalha, eles verão que não é a remuneração do juiz que vai fazer falta. Se a Justiça funcionar, vale a pena pagar bem o juiz.[1]

O trecho da entrevista de Nalini logo viralizou e se tornou símbolo das regalias criadas pela e para a magistratura. Causaram indignação a forma como o desembargador se valeu de obrigações e despesas comuns ao cidadão brasileiro de classe média (o pagamento do Imposto de Renda e de plano de saúde) e a maneira pela qual recorreu a um parâmetro completamente fora da realidade (a compra de ternos em Miami) para justificar o aditivo salarial. A associação do incremento remuneratório à prevenção de transtornos de saúde como depressão, síndrome de pânico e AVC também demonstrava uma falta de sensibilidade social impressionante; afinal, se juízes cujos vencimentos básicos ultrapassavam então os 25 mil reais mensais precisavam de um pagamento extra de 4300 reais para cuidar de sua saúde mental, o que dizer do trabalhador brasileiro comum, que àquela época tinha um rendimento médio de 2962 reais, de acordo com o Instituto Brasileiro de Geografia e Estatística (IBGE), e uma jornada e condições de trabalho muito mais extenuantes do que as de um magistrado?[2]

Declarações como essa, desconectadas da conjuntura social do país, acabam afetando a imagem que a população tem dos juízes em geral. Em pesquisa encomendada pela Associação dos Magistrados Brasileiros (AMB) à Fundação Getulio Vargas (FGV) e ao Instituto de Pesquisas Sociais, Políticas e Econômicas (Ipespe) para captar as percepções da sociedade sobre o Judiciário, em dezembro de 2019, foi identificado que, embora 83% dos entrevistados considerassem esse poder "importante" ou "muito importante" para a democracia e 52% confiassem nessa instituição (índice superior aos 34% obtidos pela Presidência da República e aos 19% pelo Congresso Nacional), a maioria esmagadora dos participantes do levantamento (89%) concordava com a afirmação de que "os altos salários do Judiciário são incompatíveis com a realidade brasileira".[3]

Casos como o do desembargador Nalini não são isolados. Ainda que a Constituição brasileira[4] estabeleça, desde 1998, que o teto remuneratório no serviço público seja o valor mensal do subsídio dos ministros do STF (44 008,52 reais no momento em que este livro foi escrito),[5] são recorrentes as notícias na imprensa dando conta de membros da magistratura recebendo valores bem superiores a esse limite, não raro superando a casa das centenas de milhares de reais.

As artimanhas pelas quais juízes, desembargadores e ministros de todo o país conseguem burlar o teto e obter rendimentos que distorcem seu senso de realidade demonstram como essa classe de servidores públicos exerce seu poder para criar privilégios inacessíveis a outras carreiras do funcionalismo — e ainda mais ao cidadão comum.

Nos últimos anos, o Conselho Nacional de Justiça (CNJ), órgão instituído pela emenda constitucional nº 45/2004 para controlar a atuação administrativa e financeira do Poder Judiciário, tem realizado um trabalho notável para aumentar a transparência dos contracheques dos magistrados brasileiros. Apesar de alguns tribunais ainda resistirem a informar os valores recebidos por seus integrantes, e mesmo diante dos problemas gerados pela falta de uniformização sobre a classificação dos pagamentos, desde dezembro de 2017 é possível consultar num só local os pagamentos individuais de todos os juízes e desembargadores do país — e ter um panorama geral das grandes distorções que beneficiam essa categoria.

Tomando como base o painel de remunerações divulgado pelo CNJ,[6] e eliminando os magistrados que receberam pagamentos apenas em alguns meses do ano (numa evidência de que podem ter se aposentado ou terem sido recém-aprovados no concurso de ingresso à carreira), verificou-se, individualmente, o valor recebido por cada integrante dos tribunais brasileiros, levando em consideração seus subsídios e todos os adicionais — auxílio-alimentação, indenização de despesas de saúde, indenizações de férias, gratificações e benefícios de diversas naturezas, assim como deduções do Imposto de Renda, contribuição previdenciária, "abate-teto", entre outras. A partir desse levantamento foi possível estimar que 93% dos juízes, desembargadores e ministros de tribunais superiores brasileiros tiveram um rendimento médio mensal superior aos subsídios dos ministros do STF no ano de 2023 — já contabilizados todos os descontos legais.

O fato de quase todos os juízes terem ganhado mais do que os integrantes da mais alta corte do país deveria ser, por si só, motivo de assombro, dada a desproporcionalidade. Como vemos no gráfico 1, na maioria dos tribunais, do juiz em início de carreira atuando na comarca mais distante ao desembargador mais antigo, a quase totalidade de seus membros consegue auferir rendimentos mais altos do que os onze ministros que deliberam sobre as grandes questões constitucionais no STF. E o grau de distorção pode ser ainda maior, dado que muitos tribunais não forneceram ao CNJ os dados de suas folhas de pagamento referentes a todos os meses de 2023.[7]

Em 2023, o rendimento médio líquido dos onze ministros do STF foi de 31 472,95 reais por mês, valor que leva em conta o vencimento básico (chamado de subsídio, que era de 39 293,32 reais ao mês até março, e depois foi reajustado para 41 650,92), a gratificação natalina e o adicional de férias, bem como os descontos de contribuição previdenciária e Imposto de Renda retido na fonte.[8]

Utilizando a mesma métrica, as planilhas do CNJ revelam dados assombrosos: ao longo de 2023, pelo menos 1002 magistrados brasileiros, na ativa ou aposentados, receberam um valor líquido (já descontados o Imposto de Renda e a Previdência Social) superior a

GRÁFICO 1
PERCENTUAL DE MAGISTRADOS QUE RECEBERAM MAIS DO QUE OS MINISTROS DO STF EM 2023 — POR TRIBUNAL

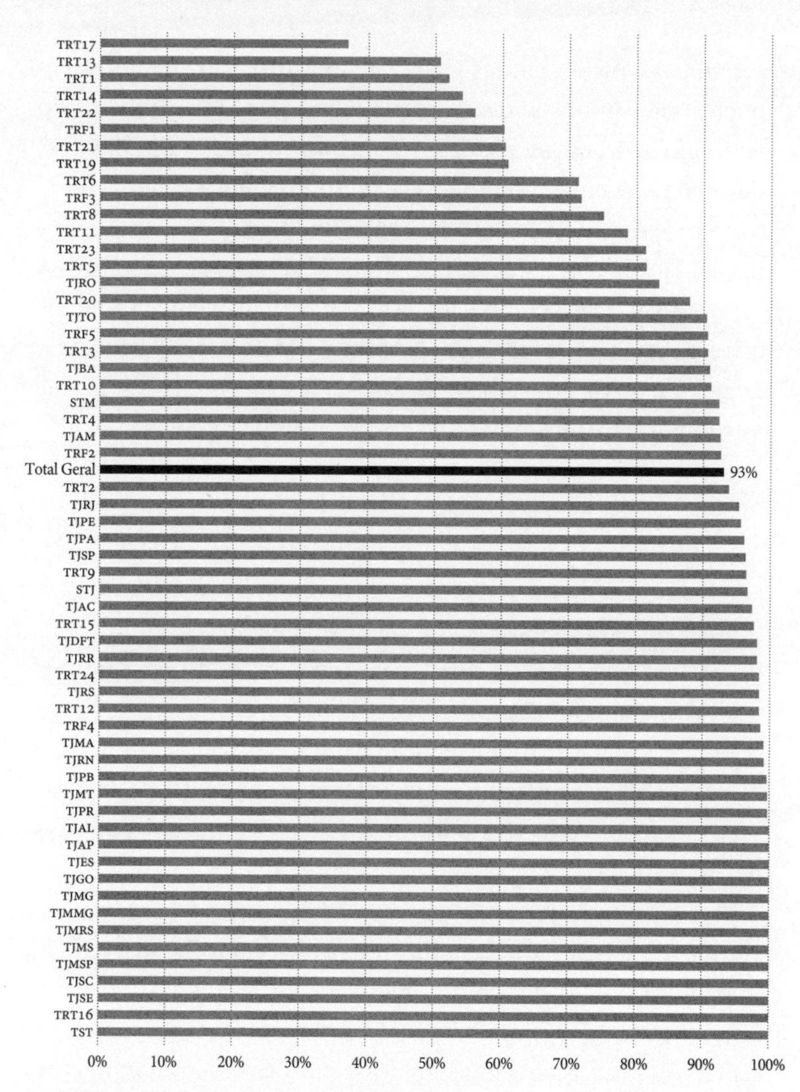

FONTE: Elaboração do autor a partir de dados do Conselho Nacional de Justiça (CNJ). Foram considerados apenas os magistrados que receberam pelo menos seis pagamentos mensais no ano de 2023, e levou-se em conta o rendimento líquido total (subsídio, indenizações, direitos pessoais e eventuais, descontados o imposto de renda retido na fonte, as contribuições previdenciárias, "abate-teto" e outras deduções).

1 milhão de reais no acumulado do ano. Isso significa que a sua renda mensal, livre de qualquer abatimento, foi de mais de 83 mil reais por mês.

Qual seria a explicação para tamanha inversão de valores, em que os mais importantes na escala hierárquica (os ministros do Supremo) recebem menos do que a maioria de seus "subordinados", que não possuem o mesmo nível de responsabilidade, numa realidade paralela em que o teto acabou virando piso, e servidores públicos se tornam milionários pelo simples exercício de seu trabalho?

A resposta está num daqueles termos tipicamente brasileiros que escondem graves absurdos sob o manto de expressão figurativa, de sentido quase brincalhão. No caso da Justiça, os salários de seus integrantes são inflados pelos famosos "penduricalhos".

A Constituição Federal reconhece a importância de um Judiciário independente ao atribuir a seus membros três garantias fundamentais: a vitaliciedade, a inamovibilidade e a irredutibilidade de subsídios.[9] A ideia é proteger os julgadores de perseguições políticas, como ameaças de perda do cargo, transferências para comarcas distantes ou até a redução arbitrária de seus rendimentos. Livres dessas intimidações, os juízes teriam condições de analisar seus processos com tranquilidade e autonomia, embasando suas decisões apenas nos fatos e nos ditames do direito.

Além dessas prerrogativas, a Lei Orgânica da Magistratura Nacional (Loman, para os íntimos), aprovada em 1979, atribuiu aos integrantes do Judiciário um conjunto de vantagens adicionadas a seus vencimentos básicos, tais como salário-família, verbas de representação, gratificações por acúmulo de funções em outros ramos da Justiça ou ajudas de custo por servir em comarcas de difícil acesso.[10]

Com o passar do tempo, porém, um intrincado mecanismo que combina legislações federais e estaduais, decisões judiciais e deliberações administrativas entrou em funcionamento para ampliar as benesses conferidas aos magistrados. Por esses meios, adicionais, auxílios, bonificações e outros pagamentos criados sob os mais diferentes pretextos passaram a turbinar os contracheques de juízes, desembargadores e ministros Brasil afora. Ao salário básico, em termos técnicos chamado de subsídio, foram sendo acrescidos benefícios extras — e daí surgiu a expressão "penduricalhos".

Muitas dessas bonificações atribuídas aos magistrados têm origem em legislações estaduais, onde o escrutínio da imprensa e da sociedade civil tende a ser menor. São inúmeros os casos de vantagens criadas em desrespeito aos limites constitucionais, mas que levam anos ou até décadas para serem contestadas e cassadas pelo CNJ ou pelo STF. Nesse ínterim, as contas bancárias dos juízes vão sendo engordadas indevidamente, à custa de todos os contribuintes brasileiros.

Os exemplos são inúmeros. Vejamos o caso de uma lei mato-grossense de 1985, que estabeleceu que os magistrados, ao se aposentar, teriam todas as vantagens auferidas na ativa incorporadas a seus proventos, assim como todos os benefícios posteriores concedidos aos juízes em atividade.[11] Graças a essa regra, magistrados aposentados, bem como seus pensionistas, receberam ajuda de custo para moradia por anos a fio. O benefício só foi cassado em 2021, quando o ministro Ricardo Lewandowski, em decisão liminar, suspendeu os pagamentos; o plenário do STF ratificou a decisão em 2022.[12]

Na Paraíba, a legislação foi ainda mais benevolente. Em 1980, a Assembleia Legislativa determinou que as viúvas de desembargadores — assim como as dos governadores e deputados estaduais — receberiam, além da pensão a que tinham direito, um complemento equivalente à metade do subsídio do desembargador da ativa.[13] Quatro anos depois, o legislador foi ainda mais generoso, estendendo o pagamento extra de 50% também para as esposas dos juízes e seus dependentes.[14] Ou seja, para não deixar companheiras e descendentes de políticos e magistrados desamparados, a lei garantiu a eles uma pensão equivalente a 150% de seus rendimentos na ativa — e tudo, é claro, bancado pelo pagador de impostos paraibano.

A generosidade das pensões na Paraíba perdurou até o final de 2021, quando o plenário do STF concluiu, nos termos do voto da ministra Rosa Weber, que essa legislação descumpria preceitos fundamentais da Constituição, e por isso o penduricalho das viúvas e dependentes de juízes, desembargadores, ex-governadores e ex-deputados paraibanos deveria ser extinto. Os ministros concordaram, porém, que, apesar da inconstitucionalidade declarada, os efeitos da decisão só valeriam a partir da publicação do acórdão. Assim, nenhum centavo dos pagamentos obtidos de forma indevida pelos herdeiros dos juízes e políticos paraibanos durante mais de quatro décadas precisou ser devolvido aos cofres públicos.[15]

Em muitas situações, contudo, os magistrados não precisam esperar a aposentadoria, ou mesmo a morte, para fazer jus a benesses variadas. No Rio de Janeiro, o então governador Sérgio Cabral sancionou a lei estadual nº 5535/2009, que dispõe sobre "os fatos funcionais" da magistratura fluminense. Trata-se de uma espécie de regulamento geral da carreira dos juízes locais, estabelecendo diretrizes aplicáveis desde a realização do concurso público até a aposentadoria. E como não poderia deixar de ser, essa legislação trouxe embutidos vários tratamentos privilegiados para os togados.

Houve, por exemplo, o estabelecimento de uma indenização no valor de um terço do subsídio para o exercício cumulativo de funções em outro órgão, assim como um extra de um sexto do salário para o mero auxílio a um colega. Também foram constituídas verbas adicionais de 3% a 15% pelo exercício de funções diretivas, pagas mesmo quando o juiz dirige a si próprio numa comarca de vara única. A legislação concedeu ainda ao Tribunal de Justiça o poder de estabelecer, sem precisar recorrer à Assembleia Legislativa, o valor de adicionais previstos na Loman, como os auxílios destinados a saúde, moradia, pré-escola e alimentação, além de diversas gratificações.[16]

Uma consulta à página do Tribunal de Justiça do Rio de Janeiro revelava os valores desses benefícios no início de 2023.[17] O auxílio-creche, por exemplo, destina-se a reembolsar as mensalidades pagas com a educação infantil dos filhos ou enteados dos magistrados de seis meses até sete anos de idade. Atingido esse limite, entra em cena o auxílio-educação, que cobre os gastos com mensalidades em instituições públicas e privadas dos dependentes legais dos juízes até os 24 anos de idade, bem como cursos de pós-graduação do próprio magistrado. O valor de cada um dos auxílios era de 1555,44 reais mensais por dependente, limitado a três benefícios por servidor. Havia ainda um auxílio-alimentação de 1620 reais mensais, e os dados do painel de remuneração do CNJ ainda indicavam o pagamento de indenização de transporte para os magistrados do Rio de Janeiro de até 1538,32 reais mensais.

Em Alagoas, recentemente o Tribunal de Justiça baixou uma resolução estipulando que o auxílio-alimentação de seus membros seria de 10% do salário inicial do juiz;[18] um "ticket" de mais de 3 mil reais mensais para custear o almoço dos meritíssimos.

Já em Minas Gerais, onde os juízes recebiam em 2024 subsídio de 34052,95 e a remuneração básica dos desembargadores era de 39717,69 reais,[19] a legislação estadual concede aos magistrados o pagamento de um auxílio-saúde mensal de 10% desses valores. Ciosa da necessidade de atualização dos doutores da lei mineiros, a mesma legislação criou o "auxílio-aperfeiçoamento profissional", que permite aos magistrados ganhar até metade de seu salário mensal em um ano (algo entre 17 mil e 19850 reais) para a aquisição de livros jurídicos, digitais e material de informática.[20] O auxílio-livro do Judiciário mineiro, porém, foi declarado inconstitucional pelo STF em julho de 2023 e não chegou a ser pago.[21]

Como cada unidade da federação brasileira tem a prerrogativa de regular, por meio de lei própria, a carreira da magistratura em seu nível de jurisdição, juízes e magistrados costumam contar com a generosidade de deputados estaduais e governadores para exercer sua criatividade e criar ou expandir penduricalhos salariais. Mesmo que esses benefícios sejam contestados junto ao CNJ ou ao STF, as ações demoram anos para serem julgadas. Como "tempo é dinheiro", a inércia do Judiciário conta muito a favor dos integrantes de sua própria corporação.

Em 7 de janeiro de 2022 tomaram posse no Tribunal de Justiça de São Paulo os desembargadores escolhidos para compor o Conselho Superior da Magistratura paulista, assim como os novos presidente e vice-presidente do Poder Judiciário estadual para o biênio 2022-3.[22]

Infectado pelo vírus da covid-19, o recém-eleito vice-presidente, Guilherme Gonçalves Strenger, gravou previamente seu discurso de posse, para transmissão em vídeo no momento da solenidade. Na fala direcionada a todos os magistrados paulistas, o desembargador firmou o compromisso de defender os interesses corporativos de seus pares, em mais uma evidência de como atribuições regimentais se confundem com atuação sindical no Judiciário brasileiro:

> É chegado o tempo de inovar e buscar soluções para o aprimoramento e fortalecimento do nosso Poder Judiciário, garantindo a todos os magistrados o cumprimento dos seus direitos. Como já proclamei outras vezes, durante toda a minha trajetória questões relacionadas às condições de trabalho, à remuneração dos magistrados, à valorização da carreira e à defesa da instituição sempre foram o móvel de minhas preocupações e proposições, e desses princípios, valores, ideais e deveres jamais me afastarei. Dedicarei especial atenção e

terei os olhos voltados a todos os magistrados, tanto de primeiro como de segundo grau, a fim de aferir suas reais necessidades e contribuir para que sejam superadas suas dificuldades e propondo correções e melhorias nas condições de trabalho.

Na visão de Strenger, a pandemia teria agravado a sobrecarga de trabalho dos magistrados, elevando a níveis dramáticos o estresse e a pressão psicológica no exercício de suas funções:

> Não podemos ignorar o período delicado e desafiador ora vivenciado, em que muitos colegas se encontram desestimulados e sem perspectivas na carreira, ante a significativa defasagem remuneratória, o excessivo volume de serviço, a escassez de servidores e as insuficientes condições de trabalho. [...] De outro lado, a sobrecarga de serviço é cada vez mais alta, chegando a limites insuportáveis, sobretudo agora, em tempos de pandemia, a ponto de comprometer nossa saúde física e mental.[23]

É bem verdade que a natureza das funções impõe grande responsabilidade sobre os ombros dos magistrados — muitas vezes, suas decisões repercutem na vida ou na morte dos jurisdicionados. É inegável, ainda, o imenso volume de processos no Judiciário brasileiro: de acordo com o relatório *Justiça em números*, ao final de 2022 havia 81 421 968 casos pendentes, representando uma média de 4494,2 processos para cada um dos 18 117 magistrados na ativa, todos eles demandando análises, despachos, audiências e sentenças.[24]

A ideia de que juízes cumprem suas atribuições sob condições adversas, aliás, sempre justificou a criação de benefícios legais como forma de compensação a esse alegado sofrimento. Um dos exemplos mais eloquentes está previsto na Loman e concede aos magistrados o direito a sessenta dias de férias anuais[25] — o dobro do previsto pela Consolidação das Leis do Trabalho (CLT) para os empregados do setor privado e que também consta no Regime Jurídico Único dos demais servidores públicos.

A possibilidade de juízes tirarem dois meses de férias é, por si só, bastante questionável, uma vez que não existe comprovação científica de que seu labor é mais extenuante do que as condições de trabalho vividas por professores de escolas públicas, enfermeiros que trabalham em regime de plantão em prontos-socorros ou policiais que combatem o crime em áreas dominadas por milicianos ou traficantes.

Mas o argumento da necessidade de descanso anual duplicado para garantir a integridade física e mental dos doutores da lei cai por terra diante da contradição de que boa parte deles opta por não gozar os sessenta dias. A maioria dos magistrados brasileiros decide converter parte dos dias extras de férias a que tem direito em pecúnia — afinal, descanso é muito bom, mas o dinheiro é ainda melhor.

O próprio desembargador Guilherme Gonçalves Strenger, que em seu discurso de posse como vice-presidente do Tribunal de Justiça de São Paulo se mostrou muito preocupado com a insuportável pressão sofrida pelos colegas de profissão, apenas no período entre setembro de 2017 e janeiro de 2024 embolsou nada menos do que 649 427,23 reais referentes somente ao pagamento de férias não usufruídas, segundo os dados do Portal da Transparência do CNJ. Considerando seus vencimentos básicos atuais (37 589,95 reais), esse adicional representa pelo menos 17,3 meses de férias acumulados ao longo dos anos e transformados em dinheiro pelo magistrado.[26]

O desembargador Strenger, entretanto, está longe de ser exceção. A prática de vender parte dos sessenta dias de férias se disseminou no Judiciário brasileiro a partir de uma resolução baixada em 2019 pelo ministro Dias Toffoli, à época ocupando o cargo de presidente do CNJ. A norma ratificou uma conduta realizada havia tempos em alguns tribunais do país, tornando legal a conversão de até vinte dias de férias em dinheiro por ano.[27] O mesmo painel do CNJ informa que pelo menos 12 001 juízes e desembargadores brasileiros venderam parte de suas férias dobradas no ano de 2022, o que custou 772 536 703,76 reais aos cofres públicos — representando em média 64 372,69 reais para cada juiz contemplado (valores livres do imposto de renda e não sujeitos ao teto). Se o trabalho dos juízes fosse tão estressante quanto a categoria alardeia, não haveria tantos dispensando o agrado legal e convertendo-o em espécie.

A verdade é que as férias em dobro dos magistrados brasileiros se tornaram um penduricalho que se multiplica em diversas outras fontes de rendimentos: elas geram o direito a receber também em dobro o abono constitucional de um terço de férias, permitem que vinte dias sejam convertidos em pecúnia e ainda, graças ao entendimento de que têm natureza de indenização (e não de salário), não sofrem desconto do imposto de renda e estão fora do limite imposto pelo teto remuneratório do funcionalismo público.

Antes fossem só essas as vantagens. Em 2021, após determinação do TCU para que os diversos ramos do Poder Judiciário brasileiro padronizassem as rubricas de pagamento de seus órgãos,[28] o secretário-geral do CNJ baixou uma portaria convocando representantes dos tribunais superiores e dos respectivos conselhos de Justiça para apresentar uma terminologia unificada para a folha de pagamento de seus tribunais.[29]

Após quase três meses de trabalho, a comissão apresentou uma nomenclatura compilada para os "direitos", "eventos funcionais" e "obrigações tributárias" relacionados aos contracheques dos magistrados.[30] No léxico criado para padronização, há 68 termos radicais e 139 expressões sufixas.[31] Embora nem todas essas rubricas representem espécies de pagamentos (há também tópicos criados para designar abatimentos, como imposto de renda, faltas não justificadas e ressarcimentos), nos deparamos com um verdadeiro glossário de penduricalhos vigentes no Poder Judiciário brasileiro.

Para ficar em apenas algumas expressões utilizadas para designar adicionais aos vencimentos de magistrados e também servidores da Justiça, podemos citar os seguintes: abonos (de permanência e pecuniário), adicional de férias, ajuda de custo, assistência pré-escolar, assistência-saúde, auxílios (bolsa de estudos, funeral, moradia, reclusão, alimentação, natalidade e transporte), benefício especial, gratificação (de atividade externa, por exercício acumulativo de jurisdição, eleitoral, especial de localidade e natalina), indenização, parcela autônoma de equivalência, passivos, proventos, reembolso, representação de magistrado, ressarcimento, serviço extraordinário, substituição, vantagem e vantagem pessoal nominalmente identificada.

Há ainda benefícios decorrentes de decisões administrativas e judiciais que geram pagamentos de diferenças relativas a exercícios anteriores, responsáveis por pagamentos esporádicos que às vezes chegam a centenas de milhares de reais e com frequência ocupam as manchetes dos jornais. Em julho de 2020, por exemplo, quando o país estava aterrorizado pelo avanço da pandemia do coronavírus e seus impactos sobre a saúde, o emprego e a renda das pessoas, a *Folha de S.Paulo* noticiava: "Mais de 8 mil juízes receberam acima de 100 mil reais ao menos uma vez desde 2017".[32]

Dados do Portal da Transparência do CNJ dão a exata medida de como os magistrados brasileiros aproveitaram a pandemia para expandir o recebimento de vantagens. No gráfico 2, observa-se que, após se reduzir em 2019 em função da extinção do auxílio-moradia em dezembro de 2018, o pagamento de direitos pessoais, indenizações e benefícios eventuais pelos tribunais do país passou de pouco menos de 5,7 bilhões de reais em 2019 para praticamente 8,2 bilhões em 2023, já descontado o efeito da inflação no período.

Analisando por rubrica as razões dessa expansão no pagamento de vantagens a juízes, desembargadores e ministros, constata-se que, entre 2018 e 2023, o pagamento de auxílio-alimentação subiu 9,3% acima da inflação e as gratificações por exercício cumulativo de cargos foram elevadas em 17,2%. Numa escala muito maior, os

GRÁFICO 2
TOTAL DE INDENIZAÇÕES E DIREITOS PESSOAIS E EVENTUAIS PAGOS A MAGISTRADOS ATIVOS E INATIVOS ACIMA DO TETO DO FUNCIONALISMO ENTRE 2018 E 2023

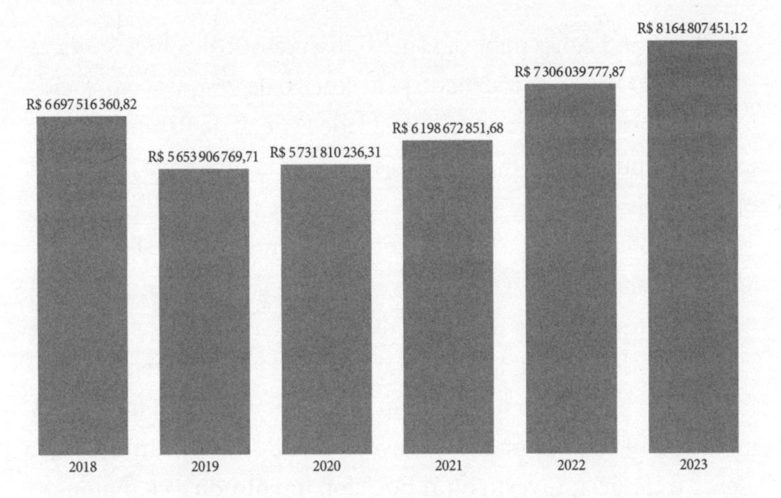

FONTE: Elaboração do autor a partir de dados do Conselho Nacional de Justiça. Valores corrigidos pelo IPCA até janeiro de 2024 e já descontada a retenção por teto constitucional ("abate-teto").

pagamentos retroativos se expandiram em 39,4%, as indenizações por férias não gozadas foram impulsionadas em 61,8% e o auxílio-saúde teve um incremento impressionante de 193,4% no período.

Mas o que chama a atenção são as parcelas variadas, criadas em cada tribunal sob diferentes denominações e que são agregadas no portal do CNJ sob os termos guarda-chuva de "outras" e "outros". Nesses quesitos, os "outros direitos eventuais" foram turbinados em 108,3%, as "outras indenizações" cresceram 273,4%, e as "outras despesas pessoais" dos magistrados se expandiram em 317,2%. Juntas, essas três rubricas agregadas sob denominações genéricas consumiram quase 8,4 bilhões de reais no período de seis anos.

E assim, de penduricalho em penduricalho, nosso sistema de Justiça vai pesando cada vez mais para a sociedade brasileira.

Uma newsletter publicada pelo Observatório de Elites Políticas e Sociais do Brasil, coordenado pelo Núcleo de Pesquisa em Sociologia Política Brasileira da Universidade Federal do Paraná (UFPR), expôs em números o tamanho das distorções do Poder Judiciário brasileiro.

O professor Luciano Da Ros, hoje na Universidade Federal de Santa Catarina (UFSC), pesquisa a atuação do sistema de Justiça nacional desde sua graduação em ciências jurídicas e sociais na Universidade Federal do Rio Grande do Sul (UFRGS), tendo aprofundado seu trabalho no mestrado em ciência política na mesma instituição e no doutorado na Universidade de Illinois em Chicago. Nessa trajetória, investigou o posicionamento do STF diante de conflitos envolvendo os poderes Executivo e Legislativo, analisou o exercício do controle de constitucionalidade das medidas provisórias e, mesmo antes da Operação Lava Jato, já estava atento às respostas judiciais no combate à corrupção no Brasil.

Num texto encaminhado aos associados do Observatório das Elites em julho de 2015, Da Ros se propôs a comparar o custo do Poder Judiciário no Brasil numa perspectiva internacional. Utilizando dados do CNJ de 2014, o pesquisador calculou que as despesas de todos os ramos de nossa Justiça giravam em torno de 1,3% do PIB brasileiro, valor muito superior ao de seus congêneres na Alemanha (0,32% do PIB), Portugal (0,28%), Itália (0,19%), Inglaterra e Estados Unidos (0,14% cada). Mesmo levados em consideração as taxas de câmbio e o número de habitantes de cada um desses países, o custo per capita do sistema judiciário brasileiro ainda era, disparado, muito mais alto do que o de nações mais desenvolvidas.

Mais recentemente, num relatório elaborado em conjunto pela Secretaria do Tesouro Nacional, pela Secretaria do Orçamento Federal e pelo Instituto Brasileiro de Geografia e Estatística (IBGE) e publicado em janeiro de 2024, foram encontrados números similares. As despesas anuais com os tribunais de Justiça passaram a representar 1,6% do PIB brasileiro, valor muito superior à média dos países emergentes (0,5% do PIB) e das economias mais avançadas (0,3% do PIB).[33]

Por ser um serviço muito intensivo em mão de obra, o grosso das despesas do sistema judicial se concentra no pagamento de pessoal — e isso vale tanto para o Brasil (89% do total) quanto para os países europeus pesquisados (em que em média 70% do orçamento é destinado a salários). No caso brasileiro, segundo Da Ros, isso se deve não apenas à remuneração dos magistrados como também ao elevado número de assessores e demais funcionários que dão suporte à sua atuação — servidores administrativos, estagiários, secretárias, ascensoristas, seguranças, motoristas e afins.[34]

Aprofundando a pesquisa ao lado de seu colega Matthew Taylor, brasilianista da Universidade Americana, em Washington, DC, o professor Luciano Da Ros acrescentou mais um elemento a seu diagnóstico. Considerando-se apenas os vencimentos básicos — sem levar em conta qualquer auxílio, adicional ou penduricalho —, os magistrados brasileiros recebem muito mais do que seus pares europeus ou norte-americanos em termos comparativos com a renda média de cada um desses países. Em números concretos: um juiz federal brasileiro em início de carreira tinha um contracheque equivalente a 11,3 vezes o PIB per capita local, enquanto seus colegas na Itália começavam a vida laboral recebendo apenas o dobro do PIB per capita italiano. Quando se olha para o magistrado no último nível da carreira, a mesma relação no Brasil é de 13,9 vezes a renda média nacional, enquanto na Itália um juiz em seu auge ganha 6,7 vezes a mais do que o PIB per capita em seu país.

A análise dos custos, porém, foi apenas o ponto de partida da pesquisa de Da Ros e Taylor. Seu objetivo principal era investigar por que um Poder Judiciário com acesso a orçamentos tão generosos, com um corpo de juízes tão bem remunerados e assessorados por um contingente tão expressivo de servidores não consegue dar vazão ao volume de casos submetidos à sua análise todos os anos.

Na visão dos pesquisadores, mesmo com a Reforma do Judiciário (2004), com as constantes mudanças no Código de Processo Civil (CPC) (que culminaram em sua completa revisão em 2015) e com a criação de novos instrumentos processuais que reforçaram o papel do STF na imposição de sua jurisprudência em todos os tribunais, não foi possível fazer frente à crescente demanda por provimento judicial no Brasil e, assim, reduzir o estoque de ações pendentes e o tempo de espera por uma sentença.

O estudo de Da Ros e Taylor reconhece que os magistrados brasileiros apresentam um índice elevado de produtividade numa perspectiva internacional — resultado obtido graças, também, ao grande número de auxiliares à disposição dos juízes no exercício de suas atividades-fim, como a elaboração de minutas de despachos e decisões. No entanto, o Poder Judiciário, como um todo, é incapaz de atender a contento às demandas da sociedade.

E uma das explicações apresentadas pelos autores para essa ineficiência de nosso sistema judicial está na extrema atomização da tomada de decisões, em que os milhares de juízes brasileiros decidem independentemente do entendimento de seus pares e dos órgãos superiores, como os Tribunais de Justiça, o Superior Tribunal de Justiça (STJ) e o STF. Trata-se de algo já incorporado no imaginário popular, como nas expressões "cada cabeça, uma sentença" ou, de modo bem menos lisonjeiro, "alguns juízes pensam que são deuses, enquanto os demais têm certeza".

O problema da incapacidade do Poder Judiciário de lidar com o estoque de ações dificilmente chega à agenda de reforma dos operadores do direito brasileiro — concluem os pesquisadores.[35] A saída preferencial buscada pelas associações de representação dos interesses dos magistrados, em geral, é a instituição de novos benefícios para compensar o volume de processos que se acumulam nos escaninhos dos gabinetes, varas e fóruns do país.

É preciso ser justo, todavia. Existem magistrados que reconhecem os privilégios de sua categoria e a inadequação de muitos dos pleitos defendidos por suas entidades de classe diante da severa realidade social e econômica brasileira. Mas são raras as situações nas quais aqueles que discordam elevam sua voz contra o corporativismo.

Uma louvável exceção ocorreu no final de 2020, quando a então presidente do Conselho Superior da Justiça do Trabalho (CSJT), ministra Maria Cristina Peduzzi, indeferiu um pedido da Associação dos Magistrados da Justiça do Trabalho da 15ª Região (Amatra XV). De acordo com a entidade, o Tribunal Superior do Trabalho (TST) havia reduzido de maneira significativa suas despesas com custeio (água, energia elétrica, combustível, serviços de limpeza e manutenção de prédios, entre outras) em virtude da adoção do trabalho remoto durante a pandemia. Na visão dos membros da associação, essas sobras do Orçamento deveriam ser utilizadas para o pagamento de passivos salariais aos magistrados, em vez de serem devolvidas à União.

Em sua decisão, a ministra destacou as necessidades vividas naquele momento pela população mais vulnerável do país, comparando-as com o conforto usufruído pelos juízes trabalhistas. Além de questionar no âmbito jurídico a tese defendida pela Amatra XV, a presidente do CSJT destacou que os recursos economizados pela Justiça do Trabalho naquele ano deveriam ser restituídos à União para reforçar os pagamentos do auxílio emergencial criado pelo governo federal para minimizar os graves impactos sociais causados pela pandemia de covid-19.

A dura chamada à realidade promovida pela então presidente do CSJT não comoveu o "sindicato" de magistrados da Justiça do Trabalho. Tão logo foi negado seu pedido, a Amatra XV recorreu ao CNJ, onde obteve uma liminar no apagar das luzes daquele exercício financeiro, concedida pelo então conselheiro e juiz de direito Mário Guerreiro. Por uma série de questões operacionais, contudo, os associados não conseguiram liberar os recursos para o pagamento de seus penduricalhos. Ao tentar bloquear o Orçamento de 2021 para os mesmos fins, o novo relator do caso, conselheiro Richard Pae Kim, restaurou a decisão da ministra Maria Cristina Peduzzi, reforçando sua posição contrária ao corporativismo.[36]

Tanto a crítica pública à falta de noção social das associações representativas dos juízes quanto a própria decisão jurisdicional em si são um evento raro quando se trata de posicionamentos proferidos pelo CNJ, órgão criado para exercer o controle sobre a gestão administrativa e a atuação dos magistrados pela emenda constitucional nº 45/2004, também conhecida como "Reforma do Judiciário".[37]

As suspeitas de que o CNJ, em vez de fiscalizar, acaba por proteger as autoridades vinculadas ao sistema judicial brasileiro têm origem no próprio desenho institucional da entidade. De seus quinze membros, dois terços (nove) são representantes do próprio Judiciário, enquanto os outros vêm do Ministério Público (dois) e da classe dos advogados (dois indicados pelo Conselho Federal da Ordem dos Advogados do Brasil [OAB]), e dois são cidadãos apontados, respectivamente, pela Câmara dos Deputados e pelo Senado Federal.[38] Com uma participação majoritária de magistrados no órgão criado para realizar o controle desse Poder, não é difícil imaginar para que lado pendem suas decisões.

Para reforçar esse sentimento, existem evidências de que o CNJ e o Conselho Nacional do Ministério Público (CNMP) falham ao desempenhar o esperado papel de incrementar a transparência e exigir a responsabilização de seus membros. Com o objetivo de avaliar o funcionamento das duas instituições em seus primeiros quinze anos de atuação, os pesquisadores Fábio Kerche (Fundação Casa de Rui Barbosa), Vanessa Elias de Oliveira (Universidade Federal do ABC) e Cláudio Gonçalves Couto (FGV) analisaram os processos administrativos disciplinares abertos contra magistrados, promotores e procuradores e concluíram que as punições são raras, demoradas e em geral brandas, o que sugere uma baixa efetividade da *accountability* que deveria ser promovida por esses órgãos de controle.[39]

Além de ter a mão leve no controle da atividade dos togados, o CNJ e o CNMP também são generosos na concessão dos penduricalhos, tendo nos últimos anos chancelado elevações nos valores de auxílio-alimentação e de saúde e do adicional por acúmulo de processos, o reembolso de licenças não usufruídas e a venda de parte das férias, como vimos.

Em outras palavras, boa parte das benesses remuneratórias concedidas à magistratura nos últimos tempos tem a contribuição decisiva justamente dos órgãos criados para moralizar a gestão no sistema judicial brasileiro e a atuação das autoridades judiciárias.

Prova disso é que, meses depois, o conselheiro Pae Kim foi levado a rever sua posição diante de uma decisão do plenário do próprio CNJ determinando o pagamento dos atrasados, com correção monetária. Em março de 2022, a associação de juízes do Trabalho informou ao magistrado que o Tribunal Regional do Trabalho da 15ª Região havia realizado todos os valores devidos a seus associados, utilizando "restos a pagar" do orçamento de 2021, ano do auge da pandemia no Brasil.[40]

Sem uma atuação institucional firme contra as corporações, atitudes individuais de quem se opõe aos privilégios, como a postura da ministra Peduzzi e do conselheiro Pae Kim contra o pleito corporativista de usar a economia extra do Orçamento para pagar questionáveis atrasados salariais, apesar de louváveis, infelizmente são insuficientes para mudar as absurdas distorções do Poder Judiciário.

Em frente ao prédio do STF, em Brasília, repousa a escultura *A Justiça*, de Alfredo Ceschiatti. "Repousa", aliás, é uma boa palavra para descrever a obra do artista belo-horizontino, que optou por representar a deusa da Justiça confortavelmente sentada na Praça dos Três Poderes. Mas esse não é seu único detalhe simbólico.

Através dos séculos, a deusa romana Iustitia aparece em pinturas e esculturas com três componentes praticamente inseparáveis: a venda nos olhos (destacando a impessoalidade), a balança (fazendo referência à isonomia no tratamento das partes) e a espada (realçando a força para impor o direito sobre todos).

A escultura que simboliza o Judiciário brasileiro, porém, não possui balança — como se por lá não fosse necessário contrabalancear argumentos, sopesar direitos, medir consequências e equilibrar a teoria e a prática.

Há quem justifique a falta do instrumento afirmando que nossa Justiça foi retratada após ter exercido seu dever; logo, a balança já teria sido usada, e, uma vez proferida a decisão, bastaria ter no colo a espada, para ser utilizada caso não a cumprissem. Ora, se fosse assim, não seria melhor que a Justiça brasileira estivesse de olhos bem abertos para fiscalizar a aplicação de seus mandamentos?

Ceschiatti, um dos artistas indicados por Oscar Niemeyer para ornamentar a nova capital, esculpiu *A Justiça* em 1961 num bloco monolítico de granito de 3,3 metros de altura e com linhas elegantes e pautadas pela economia — característica que há bastante tempo passa longe do Poder Judiciário brasileiro, dados seus rendimentos descolados da realidade social e fiscal do país.

Com a exceção solitária do ministro Edson Fachin, no final de 2020 o plenário do Supremo considerou inconstitucional a parte das emendas constitucionais nºs 41/2003 e 47/2005 que estabelecia que os juízes estaduais deveriam ter seus vencimentos limitados ao subteto de 90,25% do que ganham os integrantes do STF.[41]

O STF se valeu de princípios abstratos, como a isonomia e a unidade da prestação judicial, para atropelar normas criadas para manter as contas públicas em dia e evitar distorções. Depois dessa decisão, juízes de todo o país, até os recém-aprovados em concurso, foram definitivamente liberados para ganhar o mesmo que um membro da Suprema Corte, bastando para tal a aprovação de uma lei estadual ou federal.

As ações diretas de inconstitucionalidade (ADIs) julgadas pelo STF foram movidas, respectivamente, pela AMB[42] e pela Associação Nacional dos Magistrados Estaduais (Anamages), além do Partido Trabalhista Brasileiro (PTB) e da Associação dos Delegados de Polícia do Brasil.[43]

A Constituição de 1988 se tornou uma das mais progressistas do mundo ao permitir que não apenas entidades políticas (como os chefes do Executivo, do Legislativo e do Ministério Público, além dos partidos políticos), mas até confederações sindicais e entidades de classe pudessem provocar o STF para, como guardião da interpretação constitucional, decidir se uma lei, em abstrato, fere ou não a Carta Magna do país.

Como acontece com frequência por aqui, avanços logo se transformaram em abusos. Ao permitir que entidades privadas pudessem propor as ações constitucionais, o controle abstrato das normas se tornou fonte concreta de benesses. Não é à toa que, de outubro de 1988 a fevereiro de 2024, com 276 ações, a AMB figura como o segundo grupo privado que mais mobilizou o Supremo em relação à constitucionalidade de leis estaduais ou federais — atrás apenas do Conselho Federal da Ordem dos Advogados do Brasil

(659 processos). A Anamages, por sua vez, propôs outras 62 ações constitucionais.[44] Na maioria desses processos está a defesa de interesses corporativos dos integrantes de suas carreiras, e não a busca pelo aprimoramento de nosso sistema constitucional.

No porto de Ringkøbing, cidade com menos de 10 mil almas no centro da Dinamarca, se encontra a escultura de um homem negro esquálido carregando nos ombros uma mulher branca bastante obesa. A mulher tem os olhos fechados e carrega nas mãos uma balança desequilibrada. É desnecessário dizer a quem ela faz alusão.

Feita de bronze, com 3,5 metros de altura, *Survival of the Fattest* [Sobrevivência do mais gordo] é uma obra dos artistas dinamarqueses Jens Galschiøt e Lars Calmar, inaugurada em 2002. Em sua base, há a seguinte inscrição: "Estou sentada nas costas de um homem. Ele está afundando sob o fardo. Eu faria qualquer coisa para ajudá-lo. Menos descer de suas costas".

Nada mais exemplificativo sobre o sistema judicial brasileiro, em que magistrados se tornam milionários mediante a criação, para si próprios, de benefícios variados. O problema é que eles não estão sozinhos.

2. Privilegiados do parquet:[1] Membros do Ministério Público

A agenda do dia previa um encontro burocrático e protocolar da Câmara dos Procuradores de Justiça do Ministério Público de Minas Gerais. Naquele 12 de agosto de 2019, a quinta reunião extraordinária do órgão tinha como item único da pauta a aprovação de sua proposta orçamentária para o exercício seguinte.[2]

Composta do procurador-geral de Justiça, do corregedor-geral, dos dez procuradores mais antigos e de dez outros eleitos entre os trezentos membros da carreira, a Câmara de Procuradores de Justiça é a cúpula decisória do Ministério Público mineiro.[3]

Os trabalhos transcorriam normalmente, com o então procurador-geral de Justiça, Antônio Sérgio Tonet, expondo as previsões de arrecadação e as despesas esperadas em cada uma das categorias, como folha de pagamento, novos concursos e contratações de assessores, assim como investimentos em equipamentos. Também foram explicadas as condições financeiras para o ano, mencionando-se a orientação do STF de não expandir o teto remuneratório, as restrições da Lei de Responsabilidade Fiscal e os contingenciamentos esperados, dada a difícil situação fiscal do estado. Foi quando pediu a palavra o procurador Leonardo Azeredo dos Santos:

> Aproveitando o ensejo, dr. Tonet, dentro do Orçamento não há nenhuma perspectiva, nenhum sonho da administração de incrementar qualquer tipo de vantagem que aumente a nossa remuneração? Um plantão ou qualquer coisa que aumente a remuneração, visto que todos nós aqui... aqui tem gente beirando trinta anos de carreira que já vai perder todo tipo de atrasado, e vamos passar o ano que vem a receber o salário verdadeiro nosso. E todo mundo já verificou que é um salário relativamente baixo, sobretudo para quem tem mulher e filho, não é? Porque quando a gente não tem mulher e filho, o dinheiro sobra. Quanto mais filho, então... Vossa excelência tem dois filhos, tem que pagar pensão; tem colega aqui que tem três filhos, tem que pagar pensão à ex-mulher, tem uma porção de coisas... Aí como é que o cara vai viver com 24 mil reais? O que é que de fato nós vamos fazer para melhorar a nossa remuneração?

A referência do procurador a atrasados e plantões que aumentem a remuneração e a comparação com o salário básico da carreira, então na casa de 24 mil reais líquidos (ou seja, já descontados o imposto de renda, a contribuição previdenciária e outras retenções eventuais), expõem como os membros do Ministério Público incorporaram a seu padrão de vida os elevados valores dos penduricalhos. A perspectiva de ficar sem os adicionais preocupava:

> Ou nós vamos ficar quietos? Eu não sei se vou receber a mais, se vai ter algum recálculo dos atrasados que possa me salvar, salvar a minha pele. Eu, de qualquer forma, já estou abaixando meu padrão de vida bruscamente, mas eu vou sobreviver. E não é porque eu sou perdulário não, é para manter o meu patrimônio. O patrimônio que eu conquistei ao longo de 28 anos de carreira. Eu sou perdulário porque

eu pago 4500 reais de condomínio e IPTU por mês. Porque eu, ao longo da carreira, eu quis ter mais condição. Eu infelizmente não tenho origem humilde. Eu não sou acostumado com tanta limitação.

O membro do Ministério Público mineiro quis deixar claro, porém, que sua queixa não se limitava apenas à sua situação financeira particular. O nível remuneratório sem os adicionais, na sua opinião, afetava até a atratividade da carreira na promotoria, a ponto de sugerir que não apareceriam candidatos ao cargo devido ao "miserê" de um subsídio de "apenas" 24 mil reais mensais:

> Eu quero saber se nós, ano que vem, vamos continuar nessa situação, ou se vossa excelência já planeja alguma coisa dentro da sua criatividade para melhorar a nossa situação. Ou se nós vamos ficar nesse miserê aí, ainda sob ameaça de não termos aumento, o Supremo [não] aumentar nosso salário e nós não podermos receber. Promotor... quem é que vai querer ser promotor? Nós não vamos ter aumento mais, porque o Estado vai dizer que nós não vamos ter aumento. Quem vai querer ser promotor? Para que concurso, não vai [ser necessário] fazer mais concurso nenhum!

Nesse ponto o procurador Azeredo dos Santos começa a se alterar, elevando o tom da voz:

> Eu sinceramente, o senhor me desculpe o desabafo, mas olha... eu já estou fazendo a minha parte. Eu estou deixando de gastar 20 mil reais de cartão de crédito e estou passando a gastar 8 [mil reais], para poder viver com os meus 24 mil. [...] Alguma coisa tem que ser feita. Eu aproveito o ensejo de falar de Orçamento para lembrar que algo tem que ser feito. Eu não sei se vou ter o meu recálculo de atrasado. Mas nós vamos ficar deste jeito? Nós vamos abaixar mais a crista? Vamos virar pedinte, quase? Alguém vai chegar e dizer: "Olha,

que exagero seu, você não sabe o que é um pedinte". Mas será que estou pedindo muito, para o cargo que eu ocupo? Será que o meu cargo não merece eu ter uma remuneração que possa pagar o colégio dos meus filhos, por exemplo? Eu só tenho um, mas quem tem três? Vai viver com vinte e poucos mil reais?

Diante de tantas restrições impostas pela legislação, como a Lei de Responsabilidade Fiscal e o teto de gastos, e pela postura do STF naquele ano de não autorizar um reajuste em seus próprios rendimentos — o que provocaria um efeito cascata sobre toda a estrutura do Judiciário e do Ministério Público —, o procurador reforçou seu pedido ao procurador-geral de Justiça mineiro:

> O senhor me desculpe, mas eu espero que o senhor exerça a sua criatividade para aumentar... Eu não sei se o senhor previu alguma coisa aqui para melhorar... Alguma coisa de plantão, alguma coisa de adicional, algum auxílio... eu não sei o que o senhor fez. O senhor me desculpe, eu torço que o senhor exerça a sua criatividade, para nos ajudar no ano que vem...[4]

O áudio com o "desabafo" do procurador mineiro alcançou repercussão nacional após ser divulgado numa reportagem da Rádio Itatiaia, de Belo Horizonte.[5] A indignação provocada pelas queixas, desconectadas por completo da realidade social brasileira, incentivou a apresentação de denúncias na Ouvidoria do Ministério Público estadual e levou à abertura de um procedimento administrativo na Corregedoria do órgão.

Apesar da condenação pública e dos dissabores de ter que se defender de um processo disciplinar aberto contra seu comportamento, os temores do procurador não se materializaram. De acordo com dados do Portal da Transparência do Ministério Público mineiro, desde a fatídica reunião sobre a proposta orçamentária do órgão, em agosto de 2019, até dezembro de 2024, seus rendimentos nunca chegaram nem perto do tão temido "miserê" de 24 mil reais. Nesse período, a remuneração média do revoltado membro da instituição foi bem superior ao subsídio dos ministros do STF: 43 637,98 reais mensais líquidos.[6]

A mágica do recebimento acima do teto não foi produzida pela "criatividade" do procurador-geral de Justiça mineiro, mas pela existência de verbas indenizatórias como o auxílio-alimentação mensal de 1500 reais, um auxílio-saúde que variou de 1997,93 a 3546,22 reais por mês, indenizações decorrentes da "venda" de férias e outras remunerações temporárias ou eventuais.

O procurador Azeredo dos Santos também foi contemplado com polpudos pagamentos de atrasados salariais, cuja possibilidade de extinção era uma das maiores apreensões presentes em sua fala. De outubro de 2020 a dezembro de 2023, o procurador do miserê recebeu 140 432,40 reais a título de "diferença da URV"[7] e, no mesmo período, caíram em sua conta mais 172 804,29 reais referentes a atrasados da Parcela Autônoma de Equivalência, um benefício que remonta à década de 1990 e que, embora extinto, ainda rende pagamentos retroativos aos membros do Ministério Público. Também houve um depósito de 120 mil reais em um processo administrativo que alega a irredutibilidade de subsídios dos magistrados prevista na Constituição. Todos esses valores já estão livres do recolhimento de imposto de renda e outras deduções.

Com o recebimento de atrasados, diferenças de correção monetária de passivos salariais, conversão pecuniária de dias de férias, generosos benefícios alimentícios e de saúde e outros penduricalhos, imagina-se que os temores do procurador tenham sido aplacados. Do ponto de vista disciplinar, o máximo que o procurador ganhou foi uma advertência,[8] a mais branda das punições cabíveis a um membro do Ministério Público mineiro — as demais são censura, disponibilidade compulsória, remoção compulsória e exoneração.[9]

É importante destacar que não se está aqui julgando ou criticando a competência ou o caráter do procurador Leonardo Azeredo dos Santos. Como seu desabafo ganhou repercussão na mídia à época, tomou-se o seu caso apenas para ilustrar o padrão de rendimentos dos procuradores e promotores, bem como seu modo de pressão sobre seus superiores por novas gratificações e pagamentos retroativos. Até porque ele não está sozinho. Em maio de 2023, ganhou notoriedade o desabafo da procuradora do Ministério Público de Goiás, Carla Fleury de Souza, que, ao reclamar da baixa remuneração de seu cargo (ela havia recebido 39,5 mil reais líquidos no mês anterior), agradecia a Deus por ter um marido que arcava com as despesas da casa, reservando seus vencimentos no MP apenas para comprar "meus brincos, minhas pulseiras e meus sapatos".[10] Na mesma sessão do Colégio de Procuradores de Justiça de Goiás, sua colega Yara Alves disse que ela e seus colegas estavam "de pires na mão", "humilhados e agachados diante de todos os servidores de carreira jurídica no Estado". Segundo apurou a imprensa na época, naquele mês ela havia recebido mais de 60 mil reais, incluindo subsídio e adicionais diversos.[11]

São casos folclóricos, mas que demonstram o quão distantes da realidade social brasileira essas categorias estão. Para agravar a situação, atualmente é impossível quantificar o tamanho da folha de pagamentos do Ministério Público em conjunto, pois a instituição responsável por fiscalizar a aplicação das leis é um dos órgãos menos transparentes da administração pública brasileira. Mais de dez anos depois de aprovada a Lei de Acesso à Informação, o CNMP até hoje foi incapaz de consolidar, num único portal, as informações de remuneração de suas dezenas de milhares de membros e servidores. O órgão que alardeia ter construído um Ranking da Transparência, avaliando estados e municípios,[12] dificulta o exercício do controle social sobre sua própria folha de pagamento, pulverizando as fontes de informações em dezenas de órgãos federais e estaduais.

Avaliando em março de 2022 as páginas de transparência dos rendimentos dos membros dos Ministérios Públicos estaduais na plataforma DadosJusBr, a organização Transparência Brasil, em parceria com a Universidade Federal de Campina Grande e o Instituto Federal de Alagoas, conclui que em catorze unidades "a falta de condições de padronização e/ou abertura de dados impõe dificuldades intransponíveis para a coleta mensal automatizada dos contracheques de cada órgão". E mesmo nos treze estados cujos Ministérios Públicos atendiam aos mínimos padrões de facilidade e completude de dados, ainda assim a transparência era prejudicada em alguma medida, seja por alterações constantes nos formatos das planilhas, uso de documentos em formatos pouco amigáveis ou, o que é pior, a falta de informações detalhadas sobre o pagamento de indenizações ou remunerações eventuais ou temporárias (justamente os famosos "penduricalhos").[13]

A padronização da forma de apresentação das informações sobre a folha de pagamentos das unidades do Ministério Público e de consolidá-la em um único portal, para a periódica fiscalização pela sociedade, cabe ao Conselho Nacional do Ministério Público (CNMP). Porém, o órgão permanece inerte nessa questão. Como diz a frase atribuída ao poeta romano Juvenal, "*Quis custodiet ipsos custodes?*" [Quem fiscaliza os fiscais da lei?].

Felizmente, algumas organizações da sociedade civil, fazendo uso da tecnologia, têm contornado a inoperância e a opacidade do CNMP. Utilizando técnicas de coleta automatizada e mineração de dados para contornar as dificuldades impostas pela ineficácia do CNMP em criar um portal único com as remunerações de promotores e procuradores de todo o Brasil, a equipe do projeto DadosJusBr alimenta mensalmente uma plataforma na internet com as informações extraídas das folhas de pagamento divulgadas nos portais de transparência de cada unidade. No painel constam dados provenientes de quatro unidades do Ministério Público da União — o Ministério Público Federal (MPF), o do Trabalho (MPT), o militar (MPM) e o do

Distrito Federal e Territórios (MPDFT) — e de treze Ministérios Públicos estaduais (AL, AM, AP, CE, GO, MA, MG, MS, MT, PB, PE, PR e RO) em que foi possível a extração em 2023.[14]

De posse da base de dados disponibilizada na plataforma DadosJusBr, realizei para esses órgãos do Ministério Público o mesmo exercício apresentado no capítulo anterior sobre a magistratura. Calculei a média dos rendimentos mensais líquidos dos promotores e procuradores e comparei com os ganhos, também livres de tributos e outras deduções, dos ministros do STF.

O resultado, sintetizado no gráfico a seguir, é igualmente chocante. No ano de 2023, nada menos que 91,5% dos membros dos Ministérios Públicos pesquisados receberam acima do teto do funcionalismo. Isso significa que, dos 6244 procuradores e promotores com contracheques disponíveis nos portais de transparência, apenas 532 tiveram renda líquida inferior à dos ministros do Supremo naquele ano.

Em decorrência da elevada remuneração dos seus integrantes, da mesma forma que o Poder Judiciário, também o Ministério Público brasileiro se destaca pelo elevado custo na comparação internacional realizada pelo professor Luciano Da Ros, citada no capítulo anterior. O cientista político da UFSC calculou que a despesa com o chamado "Quarto Poder" brasileiro (0,32% do PIB) era muitas vezes superior às dotações orçamentárias das promotorias e procuradorias de Itália (0,09% do PIB), Portugal (0,06%), Alemanha e Espanha (0,02% do PIB respectivo).[15]

Segundo os arquivos compilados pela plataforma DadosJusBr, ao longo de 2023, pelo menos 1277 membros receberam uma média mensal superior a 50 mil reais líquidos de todos os tipos de descontos, numa amostra de apenas quinze Ministérios Públicos. A essa altura da reflexão aqui proposta, não é difícil imaginar a origem de tamanha distorção de rendimentos: indenizações, auxílios, gratificações, pagamentos retroativos e aditivos das mais variadas nomenclaturas; em uma palavra, os famosos penduricalhos.

GRÁFICO 3

PERCENTUAL DE PROMOTORES E PROCURADORES QUE RECEBERAM MAIS DO QUE OS MINISTROS DO STF EM 2023 — POR UNIDADE DO MINISTÉRIO PÚBLICO

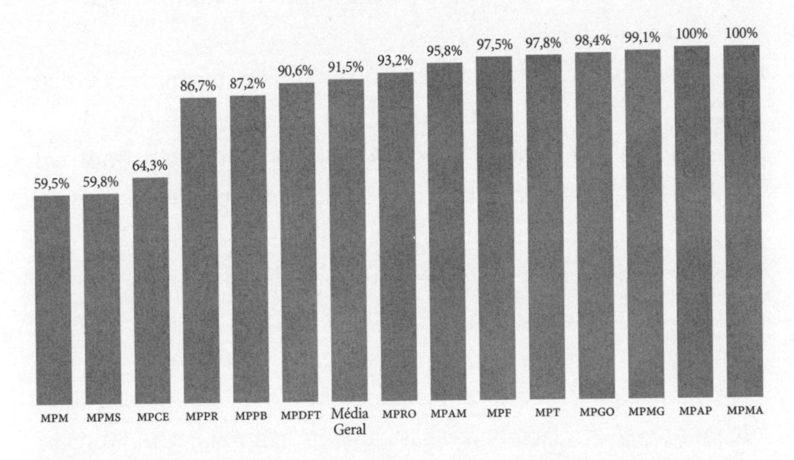

FONTE: Elaboração do autor a partir de dados da plataforma DadosJusBr extraídos dos portais de transparência das respectivas unidades do Ministério Público. Foram considerados apenas os membros que receberam pelo menos seis pagamentos mensais no ano de 2023 e levou-se em conta o rendimento líquido total (subsídio, indenizações, direitos pessoais e eventuais, descontados o imposto de renda retido na fonte, as contribuições previdenciárias, "abate-teto" e outras deduções).

O cientista político Rogério Arantes é um dos maiores estudiosos do funcionamento do Poder Judiciário e do Ministério Público no país. Em sua pioneira tese de doutorado, defendida em julho de 2000 na Universidade de São Paulo (USP), ele traça a evolução institucional do órgão brasileiro, demonstrando como este soube ampliar sua atuação judicial (e política) captando as novas demandas sociais.[16]

Em sua visão, no curto espaço de tempo entre o início da década de 1970 e o começo dos anos 1990, o Ministério Público deixou de ser um mero órgão de representação do Poder Executivo para se tornar defensor e promotor, por excelência, do interesse público na esfera judicial, com importante influência também sobre os poderes Executivo e Legislativo nos âmbitos federal, estadual e municipal.

O professor de ciência política da USP situa no antigo Código de Processo Civil (CPC) de 1973 o marco inicial dessa virada na trajetória do Ministério Público. Até então, a função primordial dessa instituição era atuar como acusador nos processos penais, como o órgão titular nos crimes classificados pela legislação como objeto de ação penal pública. Na esfera cível, sua competência era apenas residual, agindo como "fiscal da lei" nas causas que envolviam incapazes (menores e aqueles que, por limitações físicas ou mentais, não podiam exercer plenamente todos os atos da vida civil) ou em situações relacionadas basicamente à família, como tutelas, interdições, curatelas, exercício do "pátrio poder", casamentos, testamentos e declarações de ausência.

A aprovação do CPC de 1973, porém, ampliou de modo considerável o campo de ação de promotores e procuradores. O inciso III do art. 82 atribuiu uma nova missão ao Ministério Público, com poderes bastante dilatados: intervir "em todas as demais causas em que há interesse público, evidenciado pela natureza da lide ou qualidade da parte".[17]

Como demonstra Rogério Arantes em sua tese, a introdução desse dispositivo na nova legislação destinada a regular os processos cíveis na Justiça brasileira atendia a um projeto de integrantes do Ministério Público de estender suas competências para além da esfera penal, abarcando também a fiscalização das pessoas jurídicas de direito público — ou seja, a atuação do próprio Poder Executivo ao qual estava vinculado, em casos como os de corrupção. Mas o objetivo dos promotores e procuradores não parava aí.

A intenção dos integrantes do Ministério Público de expandir suas atividades para abarcar causas com "interesse público" tem como pano de fundo as mudanças ocorridas no mundo naquele momento histórico, em que a atuação estatal foi se tornando mais complexa, com o surgimento de novas questões que ultrapassavam os limites dos litígios entre indivíduos e destes com empresas e mesmo com o Estado. Questões como meio ambiente, preservação do patrimônio histórico e direito do consumidor, assim como a correta destinação dos recursos públicos, exigiam a construção de novos instrumentos para a proteção de direitos que eram metaindividuais, difusos e coletivos; isto é, que iam além da relação bilateral entre um autor e um réu.

É nesse contexto que são aprovadas, ao longo da década de 1980, novas legislações dotando a sociedade de meios voltados para efetivar a defesa de grupos sociais em caso de agressões a esses novos direitos. Arantes cita como exemplos marcantes a lei nº 6938/1981, que instituiu a Política Nacional do Meio Ambiente e criou a ação de responsabilidade civil e criminal em matéria ambiental,[18] e a lei nº 7347/1985, que regulou a ação civil pública, medida importante para responsabilizar os causadores de danos ao meio ambiente, ao consumidor e a bens e direitos de valor artístico, histórico, turístico ou paisagístico.[19] Em ambos os casos, o Ministério Público assumia papel central no manejo desses novos instrumentos processuais de defesa do interesse público.

Esse processo de ampliação dos poderes da instituição, segundo as evidências coletadas pelo cientista político da USP, teve um forte componente endógeno; ou seja, foram os próprios promotores e procuradores do Ministério Público que, organizados como grupo de pressão, se mobilizaram para angariar novas competências por meio da aprovação de leis.

Esse voluntarismo político do órgão, na visão de Rogério Arantes, se aproveitou de um momento histórico particular, em que a sociedade brasileira questionava a postura centralizadora do Poder Executivo e, nos estertores do regime militar, demandava que seus anseios por maior democracia e cidadania fossem defendidos de modo técnico, por uma instituição de preferência independente da classe política ou do governo da vez.

O passo definitivo na institucionalização do Ministério Público como um verdadeiro "Quarto Poder da República" foi dado na Assembleia Nacional Constituinte. Mediante um intenso lobby junto aos congressistas, procuradores e promotores conseguiram consolidar as conquistas anteriores, garantindo no texto da nova Constituição as funções essenciais de "defesa da ordem jurídica, do regime democrático e dos interesses sociais e individuais indisponíveis".

Para cumprir esse papel de intermediador entre as demandas da sociedade e os representantes do Estado, o novo texto constitucional conferiu ao Ministério Público um status corporativo havia muito desejado por seus membros: autonomias funcional, administrativa e orçamentária, independência para agir e vantagens estatutárias equivalentes às usufruídas pelos magistrados.[20]

Na visão de Arantes, a ampliação das competências do Ministério Público — encorpadas, nos anos seguintes à Constituição de 1988, com outros instrumentos, como a Lei de Improbidade Administrativa[21] e, extrapolando os limites temporais de sua tese, a Lei Anticorrupção[22] —, associada à expansão das prerrogativas e garantias concedidas a seus integrantes, tornou promotores e procuradores atores de importância crucial no processo político brasileiro.

Na conclusão de sua obra, o cientista político destaca que, sem esse aparato, certamente o Ministério Público não teria conseguido cumprir, pelo menos em parte, sua missão de transformar direitos formais em entregas reais para parcelas da sociedade brasileira em áreas tão diversas como proteção da criança e do adolescente, direito à saúde e preservação do patrimônio histórico e ambiental. A instituição também não teria à sua disposição as ferramentas necessárias para combater a corrupção política e a apropriação privada de recursos públicos.

No entanto, em tom premonitório, Rogério Arantes alertava para os perigos decorrentes da conversão do Ministério Público em "agente político da lei", dado que a instituição se colocara no centro do duplo fenômeno da judicialização da política e da politização da justiça que marcaram a Nova República brasileira.

Arantes defendeu sua tese em 2000, e transcorrido quase um quarto de século, esse processo ganharia uma dimensão ainda maior, dadas a atuação do Ministério Público em operações de grande repercussão, como o caso do Mensalão e a Operação Lava Jato, e a conivência da gestão de Augusto Aras como procurador-geral da República durante o governo Jair Bolsonaro — para ficar em apenas três exemplos mais recentes.

Quase duas décadas depois da defesa de sua tese sobre o fortalecimento institucional do Ministério Público, o professor Rogério Arantes, dessa vez em parceria com o pesquisador Thiago Moreira, publicou em 2019 um artigo acadêmico retomando a evolução do órgão e a comparando com a de duas outras instituições de controle emergentes: a Defensoria Pública e a Polícia Federal.[23]

Segundo Arantes e Moreira, na esteira das demandas sociais por maior democratização, acesso à justiça e combate à corrupção, esses três órgãos, cada um a seu modo, conseguiram ampliar seu espaço de atuação institucional, valendo-se do ativismo político de seus membros em busca de competências mais abrangentes, maiores garantias e prerrogativas e, também, privilégios corporativistas.

Nesse processo, o Ministério Público se mostrou a instituição mais bem-sucedida, graças à maior coesão de seus integrantes e a um trabalho muito eficiente de valorização de sua imagem junto à sociedade. No âmbito legislativo, os ganhos institucionais e pessoais obtidos por promotores e procuradores se tornaram possíveis com estratégias típicas de grupos de interesses empresariais ou movimentos sociais com forte atuação política: organização em entidades coletivas, lobby junto a parlamentares e tomadores de decisão no Executivo e no Judiciário, alianças políticas e campanhas públicas na mídia, entre outras ações.

Olhando em retrospectiva as três décadas transcorridas após a promulgação da Constituição de 1988, Arantes e Moreira concluem que o Ministério Público continuou a expandir seus domínios no Estado brasileiro, sendo muito eficaz na consolidação de prerrogativas como a autonomia funcional, mas também revertendo para seus membros benefícios materiais como um elevado padrão salarial e toda sorte de auxílio, que lhes propiciaram um nível remuneratório significativamente superior à média do serviço público brasileiro.

Para os autores, o Ministério Público "praticamente não conheceu derrota significativa" em sua trajetória nos últimos 36 anos, que começou, portanto, com a definição de um espaço de representação da sociedade na defesa de direitos difusos e coletivos e a fiscalização dos entes estatais, ampliou-se com a obtenção de autonomia administrativa, orçamentária e funcional e alcançou, por fim, o bolso de seus integrantes.

Nas palavras dos cientistas políticos Rogério Arantes e Thiago Moreira,

> de modo complementar, os integrantes de tais órgãos podem ser vistos como atores em busca de rendimentos que só no âmbito do Estado é possível alcançar, sobretudo depois que conquistam autonomia orçamentária e administrativa para alocar, a seu bel-interesse, com boa margem de discricionariedade e sem qualquer forma de *accountability*, os recursos financeiros junto aos seus.[24]

Assim como no Judiciário, as associações representativas de procuradores e promotores exercem um importante papel na estratégia de criar e expandir esses benefícios apontados por Arantes e

Moreira. Em sua tese de doutorado, convertida no livro *Caminhos da política no Ministério Público Federal*, o cientista político Rafael Viegas dedicou-se a analisar o voluntarismo político dos integrantes do Ministério Público (representado nas ações de suas lideranças, as quais ele convencionou chamar de "procuradores políticos profissionais"). Em sua obra, o autor faz uma radiografia da composição e da evolução dessas entidades, destacando especialmente a atuação da Associação Nacional dos Procuradores da República (ANPR). A minuciosa pesquisa de Viegas demonstra como essas entidades privadas, que defendem os interesses de seus associados, exploram a imagem institucional do Ministério Público junto à classe política para extraírem vantagens privadas.[25]

Ao mapear as ações das diretorias da ANPR no longo período entre 1973 e 2019, o pesquisador evidencia como essa entidade mobiliza recursos para arregimentar deputados e senadores para serem seus articuladores no Congresso, aciona órgãos de imprensa e patrocina publicidade na mídia para melhorar sua imagem junto à população, contrata assessoria jurídica e econômica para municiar suas ações judiciais e impulsiona conteúdo nas redes sociais. Essas estratégias são executadas tanto para defender os legítimos objetivos institucionais dos integrantes das carreiras, assim como para garantir vantagens remuneratórias como reajuste de subsídios, manutenção do auxílio-moradia, pagamento de benefícios retroativos e a criação de gratificações e outros benefícios — a lucrativa "trilha dos tijolos amarelos" percorrida por promotores e procuradores nas últimas décadas, como ilustra Viegas.

Um exemplo da forma como as associações de classe do Ministério Público conseguem ampliar as distorções salariais para seus membros mesmo ao arrepio da lei está na possibilidade de conversão em dinheiro das chamadas "licenças-prêmio". Trata-se de um benefício bastante comum no funcionalismo federal, estadual e municipal, que concedia três meses de férias remuneradas a cada cinco anos trabalhados, mas que vem sendo extinto nos últimos tempos. No Poder Executivo federal, por exemplo, o direito à licença-prêmio foi extinto em 1997, sendo substituída por um afastamento para capacitação, que é autorizado apenas se for do interesse do órgão no qual o servidor está lotado.[26]

Para os integrantes do Ministério Público da União (MPU), contudo, não apenas a licença-prêmio continua em vigor, como o período de três meses de descanso passou a ser convertido em dinheiro — e, melhor ainda, esse pagamento não está sujeito ao teto do funcionalismo e nem sofre a incidência de imposto de renda ou de outros descontos legais.

Essa proeza foi conseguida por uma distorção da interpretação da lei levada a cabo pelo CNMP. De acordo com o texto da Lei Orgânica do MPU até hoje em vigor, o direito que os procuradores têm de tirarem três meses de licença a cada período de cinco anos só pode ser convertido em pagamento numa única hipótese: quando o membro falece sem ter usufruído desse benefício.[27]

Em 2007, porém, após provocação de Sandra Lia Simón, então procuradora-geral do Trabalho, num feito acompanhado de perto, como partes interessadas, pelas associações dos procuradores do trabalho (ANPT), do Ministério Público Militar (ANMPM) e do Ministério Público do Distrito Federal e Territórios (AMPDFT), o Conselho que deveria zelar pela boa aplicação dos recursos destinados ao Ministério Público resolveu estender a possibilidade de transformar os dias da licença não gozados também aos membros do MPU que se aposentassem.[28] Esse entendimento decorreu no âmbito de um simples processo administrativo e depois foi "oficializado" por meio de uma portaria da Procuradoria-Geral da República.[29] Ou seja, tanto a maioria dos conselheiros do CNMP quanto Rodrigo Janot, na época o procurador-geral da República, criaram um benefício financeiro sem previsão legal, desrespeitando o ditame segundo o qual, no serviço público, só se pode executar aquilo que está previsto na lei.

Um passo ainda mais ambicioso, e agressivo aos princípios da legalidade, foi praticado na gestão seguinte da PGR. Baseada em outra decisão administrativa do CNMP, a procuradora-geral Raquel Dodge editou uma nova portaria, que permitiu transformar os dias de licença-prêmio em dinheiro não apenas para membros falecidos ou aposentados, mas para qualquer integrante ativo da carreira. Para tanto, bastaria que houvesse aprovação do órgão e disponibilidade orçamentária e financeira nas contas do Ministério Público.[30] A partir de 2017, portanto, ficou criada uma fonte adicional de renda para procuradores.

Desde então, o Ministério Público da União realiza chamadas periódicas para os interessados em converter os dias de licença-prêmio em pecúnia.[31] Essa prática constitui uma subversão ao instituto da licença, que na sua origem tinha o propósito (bastante questionável, aliás) de proporcionar aos servidores um descanso extra de três meses por quinquênio, além das suas férias anuais (que no caso do Ministério Público duram sessenta dias por ano) e agora representa um ganho salarial extra. Esse penduricalho, aliás, é bastante rentável, pois a partir do entendimento de que esse pagamento tem natureza indenizatória, ele não está sujeito aos limites do teto e nem sofre a incidência de imposto de renda.

Levantamento realizado pela Transparência Brasil, no âmbito do projeto DadosJusBr, demonstrou que os Ministérios Públicos da União, do Trabalho, Militar e do Distrito Federal e Territórios despenderam 438,6 milhões de reais entre 2019 e 2022 apenas com o pagamento da conversão da licença-prêmio em dinheiro para seus membros. Foram agraciados 2089 membros do Ministério Público no período, o que corresponde a 85,2% de todos os integrantes da carreira. O trabalho da Transparência Brasil processando as folhas de pagamento do MP identificou quase 500 procuradores (499, para ser mais exato) que embolsaram mais de 300 mil líquidos no intervalo pesquisado.[32]

A possibilidade que os membros do Ministério Público têm não apenas de solicitar a licença-prêmio como de transformá-la em renda é um direito que não está previsto na legislação que rege os direitos funcionais da magistratura. Dá para imaginar, portanto, a insatisfação causada entre juízes vendo integrantes de uma carreira similar extrair vantagens remuneratórias não acessíveis no Poder Judiciário. Esse é um exemplo típico da disputa entre as carreiras da elite do funcionalismo pelo topo na escala de remunerações. Essa competição, porém, cada vez mais está se convertendo num verdadeiro cartel.

A ascensão do Ministério Público como ator político de grande relevância na Nova República sempre teve como parâmetro, como demonstrado pelas pesquisas de Rogério Arantes, o protagonismo histórico desfrutado pela magistratura no Brasil.

Sob a lógica corporativista, membros do Ministério Público e magistrados vivem uma relação mal resolvida. Na maioria das vezes, competem entre si para extrair as melhores vantagens e garantir o posto de carreira de maior prestígio do funcionalismo público. Com muita frequência, porém, juízes, promotores e procuradores se unem na defesa conjunta de seus privilégios em face de ameaças externas, como restrições fiscais ou propostas legislativas.

O ministro Luiz Fux, do STF, já esteve nos dois lados das salas de julgamento. Após se graduar em 1976 pela Universidade do Estado do Rio de Janeiro (Uerj), foi trabalhar como advogado da petrolífera Shell no Rio de Janeiro. A atuação privada, porém, durou pouco. Em 1979, o jovem Fux iniciou sua carreira pública ao ser aprovado em primeiro lugar em concurso para promotor de Justiça no Ministério Público fluminense. Durante três anos, atuou em diversos municípios no interior do estado.

Em 1982, ingressou na magistratura com galhardia, de novo como primeiro colocado em concorrido processo seletivo para juiz.

Daí em diante, galgou todos os degraus na estrutura do Poder Judiciário brasileiro. Passou por comarcas em Niterói, Duque de Caxias, Petrópolis e na capital fluminense. Foi promovido a desembargador do Tribunal de Justiça do Rio de Janeiro em 1997 e, quatro anos depois, escolhido pelo presidente Fernando Henrique Cardoso para ocupar uma vaga de ministro do STJ. Em 2011, em meio ao julgamento do processo do Mensalão, foi indicado pela presidente Dilma Rousseff para o posto máximo que um magistrado pode ambicionar no Brasil: ministro do STF.[33]

A escolha de seu nome para o Supremo, porém, não deixou de ser polêmica. Segundo a cobertura da imprensa à época, Fux teria sinalizado a vários integrantes da cúpula do PT que votaria a favor de seus membros, tendo ficado famosa a frase de que "mataria [a bola] no peito", uma expressão futebolística que teria sido usada por ele como pista de que se posicionaria pela absolvição dos petistas no processo do Mensalão — o que acabou não ocorrendo, aliás.[34]

Controvérsias políticas à parte, uma característica marcante da atuação de Luiz Fux no STF é seu reiterado posicionamento a favor dos interesses corporativos da magistratura. O exemplo mais flagrante dessa postura aconteceu no caso do auxílio-moradia — aquele mesmo benefício que seria necessário para juízes comprarem ternos em Miami, segundo o ex-presidente do Tribunal de Justiça de São Paulo, relatado na abertura do primeiro capítulo.

A extensão dessa ajuda de custo para todos os magistrados brasileiros tem uma longa história, em que argumentos e princípios foram distorcidos de maneira conveniente em benefício próprio e de seus pares.

A redação original da Lei Orgânica da Magistratura previa que os magistrados teriam direito a essa vantagem "nas comarcas em que não houver residência oficial para juiz, exceto nas capitais".[35] A justificativa para o benefício era de que os membros do Judiciário passariam parte significativa de suas carreiras nos rincões do país, e por isso deveriam ter direito a residência oficial ou a um pagamento em dinheiro para fazer frente aos aluguéis — o que já seria questionável, visto que muitas outras carreiras públicas têm essa mesma característica e nem por isso os servidores têm direito a benefício de igual natureza.

No ano 2000, em meio a uma ameaça de greve dos magistrados por reajustes salariais, o ministro do STF Nelson Jobim concedeu uma liminar numa ação movida pela Associação dos Juízes Federais do Brasil (Ajufe) determinando o pagamento de um auxílio-moradia de, à época, 3 mil reais para todos os juízes do país, independentemente de comprovação de despesas com aluguel ou de inexistência de imóvel próprio pelo magistrado.

O argumento utilizado para justificar o benefício estava na interpretação de um dispositivo constitucional, vigente na ocasião, prevendo que deveria haver equivalência entre os salários dos membros do Congresso Nacional e os ministros do STF. E como os parlamentares recebiam auxílio-moradia, o ministro Nelson Jobim estendeu o agrado a toda a magistratura à época, como forma de aplacar a pressão por aumento de seus vencimentos.[36] Mais de dois anos depois, o mesmo Jobim extinguiu a liminar, uma vez que o Congresso havia aprovado a lei nº 10 474/2002, que reajustou a remuneração dos juízes e concedeu para a categoria um abono salarial retroativo a 1998 — comprovando que a ideia do auxílio-moradia era apenas um subterfúgio para justificar o que, na verdade, nunca passou de um aumento disfarçado de salários.[37]

Eis que entra em cena o Ministério Público. Com suas competências turbinadas pela Constituição de 1988, quando foi incumbido da "defesa da ordem jurídica, do regime democrático e dos interesses sociais e individuais indisponíveis" da população,[38] o órgão recebeu as mesmas prerrogativas institucionais do Poder Judiciário, como as autonomias administrativa e orçamentária. Seus membros foram igualmente dotados de independência funcional e das mesmas garantias de vitaliciedade, inamovibilidade e irredutibilidade de salário asseguradas aos magistrados desde 1979.

Em nome dessa simetria — esse é o mote que transforma competidores em aliados, numa corrida por mais e mais benefícios — com o Judiciário, a Lei Orgânica do Ministério Público, aprovada em 1993, copiou a Loman no que se referia ao auxílio-moradia, autorizando sua concessão "nas comarcas em que não haja residência oficial condigna para o membro do Ministério Público".[39] Frise-se que não bastava aos integrantes da instituição uma moradia bancada pelo Estado — era necessário que ela estivesse à altura da dignidade de seu cargo.

Mas essa paridade entre as duas mais prestigiadas carreiras jurídicas gera um problema. Como tanto o Ministério Público quanto o Poder Judiciário são compostos de órgãos com bastante independência e muita liberalidade na gestão administrativa, de pessoal e financeira, ao longo do tempo seus membros vão obtendo uma vantagem aqui e outra acolá. E sempre que isso acontece, os colegas de outros tribunais ou ramos do Ministério Público recorrem administrativa ou até judicialmente para também fazer jus ao novo penduricalho. E assim, avocando os princípios da paridade e da simetria, gera-se um círculo vicioso (para a sociedade) e bastante virtuoso para essa elite jurídica do setor público brasileiro, em que privilégios vão sendo criados, replicados e multiplicados.

Foi sob esse argumento que Luiz Fux concedeu um grande presente a todos os juízes, desembargadores, ministros, promotores e procuradores do Ministério Público. No dia 19 de abril de 2013, o sistema automático de distribuição de processos do STF atribuiu ao ministro Fux a Ação Originária nº 1773/DF, na qual um grupo de oito juízes federais solicitava o cumprimento literal do dispositivo da Loman que garantia aos juízes o direito a uma ajuda de custo para compensar a não disponibilização, à custa do erário, de uma residência oficial para o simples exercício de suas funções regulamentares.

A ação logo atraiu a atenção de toda a categoria. Nas semanas seguintes, foram admitidas como partes interessadas no desfecho do processo a Ajufe, a Associação Nacional dos Membros do Ministério Público (Conamp), a Associação Nacional dos Procuradores da República (ANPR), a Associação Nacional dos Procuradores do Trabalho (ANPT) e a Anamages.[40]

Paralelamente, foram agrupadas sob o comando de Fux outras cinco ações (AO 1389, AO 1776, AO 1946, AO 1975 e ACO 2511), todas com o mesmo objetivo, inclusive movidas por integrantes de outros ramos do Judiciário, como a Justiça do Trabalho e a Justiça Militar.

Depois de ouvir a Advocacia-Geral da União (AGU), que se posicionava de forma contrária à pretensão dos autores (por considerar que o benefício só poderia ser concedido em casos extremos, como na remoção para comarcas muito distantes e precárias), e a Procuradoria-Geral da República — que, como seria de esperar, deu parecer a favor —, o ministro Fux concedeu em 15 de setembro de 2014 uma liminar liberando o pagamento do auxílio-moradia não apenas aos autores da ação, mas para todos os magistrados e membros do Ministério Público.

Em sua justificativa, o mantra da simetria das carreiras assumia papel central:

> *Ex positis* [Diante do exposto], e considerando, primordialmente, que o CNJ já reconhece o direito à ajuda de custo para fins de moradia aos magistrados e conselheiros que lá atuam, *ex vi* [por força] da sua Instrução Normativa nº 9, de 8 de agosto de 2012, tendo em vista que todos os magistrados desta corte têm o direito à ajuda de custo assegurado por ato administrativo, haja vista que os membros do Ministério Público Federal, inúmeros juízes de direito e promotores de Justiça já percebem o referido direito, e em razão, também, da simetria entre as carreiras da magistratura e do Ministério Público, que são estruturadas com um eminente caráter nacional, DEFIRO a tutela

> antecipada requerida, a fim de que todos os juízes federais brasileiros tenham o direito de receber a parcela de caráter indenizatório prevista no artigo 65, inciso II, da LC nº 35/79.[41]

A decisão de Fux, além de ter sido festejada pelas associações representativas da magistratura, foi regulamentada com rapidez surpreendente. No dia 7 de outubro de 2014, a Resolução nº 199 do CNJ, assinada pelo ministro Ricardo Lewandowski (outro fiel defensor dos interesses da corporação), nacionalizou o pagamento da "indenização" pelos custos de habitação dos juízes, estabelecendo como valor máximo o auxílio-moradia válido para os ministros do STF, então em 4377,73 reais mensais.[42] De maneira perfeitamente simétrica, no mesmo dia o CNMP, presidido então pelo procurador Rodrigo Janot, também estendeu o benefício a todos os integrantes da instituição.[43]

A concessão generalizada do auxílio-moradia permitiu a alguns magistrados comprar ternos em Miami e a alguns procuradores se acalmar diante do miserê de seus salários básicos. Mas a questão principal vai muito além dos 4377,73 reais de pagamento extra concedido a todos os integrantes de duas das principais carreiras da elite do funcionalismo público brasileiro.

De acordo com o relatório *Justiça em Números 2015*, produzido pelo CNJ, no ano em que Fux proferiu a decisão liminar do auxílio-moradia havia no Brasil 16 927 magistrados em atividade.[44] No mesmo ano, o levantamento *Ministério Público: Um Retrato 2015*, realizado pelo CNMP, apontava a existência de 12 676 cargos providos por promotores e procuradores em todo o país.[45] Numa rápida conta aritmética, a canetada do ministro representou um custo para os contribuintes brasileiros de pelo menos 129,6 milhões de reais mensais — ou 1,6 bilhão ao ano na época. Só para efeito de comparação, Fux transferiu para menos de 30 mil integrantes do Judiciário e do Ministério Público um complemento de renda equivalente a

5,8% do orçamento do programa Bolsa Família para o ano de 2015, que à época atendia 13,8 milhões de famílias dos verdadeiros miseráveis brasileiros. Se nossa Justiça fosse dotada de balança, teria percebido que, de um lado, 30 mil privilegiados de toga estavam recebendo um acréscimo salarial suficiente para bancar a única fonte de renda de 800 mil famílias extremamente pobres.

Apesar das intensas críticas na imprensa e nas redes sociais, Fux se valeu de várias artimanhas processuais para evitar submeter os processos do "penduricalho habitacional" ao escrutínio dos demais ministros do STF — e, por conseguinte, de toda a sociedade. Temendo a derrubada de sua liminar em plenário, Fux trancou o processo a sete chaves em sua gaveta por mais de quatro anos.[46]

O relator Fux só revogou a liminar no final de 2018, quando o Congresso aprovou uma lei que elevava os rendimentos dos integrantes do STF de 33 763[47] para 39 293,32 reais[48] — aumento mais do que suficiente para cobrir o valor do auxílio-moradia, pois reajustava em cascata os salários dos membros do Judiciário e do Ministério Público.

O penduricalho, assim, foi incorporado em definitivo ao salário básico de ministros, desembargadores, juízes, procuradores e promotores federais e estaduais.

As distorções de nosso sistema de Justiça parecem não comover as associações representativas de magistrados e membros do Ministério Público, sempre a postos para defender de forma intransigente os interesses de sua categoria, em vez de melhorias no sistema processual brasileiro. Exemplos não faltam para demonstrar essa postura.

Em virtude da reação da sociedade à concessão generalizada do auxílio-moradia pelo ministro Fux em 2014, o Senado Federal constituiu uma comissão especial para elaborar uma proposta legislativa destinada a pôr um fim aos supersalários no setor público brasileiro.

Das discussões surgiu o projeto de lei (PL) nº 449/2016, que busca estabelecer, de forma definitiva, quais são as verbas submetidas ao teto remuneratório do funcionalismo, e o que tem caráter de fato indenizatório e, portanto, poderia em caráter eventual extrapolar esse limite. A proposta foi aprovada no Senado no final de 2016[49] e levou quase cinco anos para ser apreciada na Câmara. Apesar de ter recebido a chancela dos deputados em julho de 2021, houve alterações em diversos de seus dispositivos — e por isso teve que retornar aos senadores para análise final.[50] "Análise final" é força de expressão, pois no momento da impressão deste livro a tramitação estava parada havia mais de dois anos, sem previsão de quando a votação seria concluída para que o projeto virasse lei.

Uma das principais explicações para a demora na aprovação do "PL dos Supersalários", assim como de qualquer proposta de reforma administrativa ou previdenciária, é a resistência das entidades representativas de magistrados e membros do Ministério Público. Colocando sua agenda corporativa acima de questões de eficiência ou responsabilidade fiscal, entidades como AMB, Ajufe, Anamages e a Associação Nacional dos Magistrados da Justiça do Trabalho (Anamatra) — de membros de diversos ramos do Poder Judiciário — e Conamp, ANPR e ANPT (representando os interesses de integrantes dos vários braços do Ministério Público) fazem um poderoso lobby em Brasília contra qualquer alteração legal que possa impactar seus bolsos.

Para tornar ainda mais efetiva a promoção de seus pleitos, esses verdadeiros sindicatos de magistrados e membros do Ministério Público resolveram deixar as suas divergências de lado e criaram, em 2007, a Frente Associativa da Magistratura e do Ministério Público, conhecida como Frentas. Atuando em conjunto, essas entidades tornaram ainda mais efetiva a pressão que exercem sobre parlamentares, ministros do Supremo e procuradores-gerais da República, assim como integrantes dos Conselhos Nacionais de Justiça e do Ministério Público, na busca por novos benefícios ou reagindo contra possíveis ameaças.

Nos manifestos, notas técnicas e demais publicações da Frentas estão expostos os alicerces da defesa corporativa dos mais de 40 mil membros ativos, aposentados e pensionistas do sistema judicial brasileiro.

De um lado, a categoria se ampara na Constituição Federal, que reserva ao próprio Poder Judiciário a iniciativa de leis que afetam sua estrutura. Dessa forma, criou-se uma blindagem constitucional contra tentativas provenientes do Executivo ou do Legislativo para moralizar o regime remuneratório de magistrados, promotores e procuradores, como reformas administrativas.[51] Ora, se qualquer alteração no statu quo dos togados precisa partir do STF ou da Procuradoria-Geral da República para ser efetivada, não se pode ter muitas esperanças de mudanças.

Em outro sentido, as entidades defendem que o generoso pacote de auxílios, ajudas de custo e outros benefícios, como o regime especial de sessenta dias de férias, não configura privilégios, mas sim "prerrogativas" das carreiras judiciais — um conjunto de direitos e imunidades necessário para a execução das atividades de alta responsabilidade que desempenham.[52]

Em entrevista ao jornal digital *Poder360* reproduzida na página da AMB, a então presidente da entidade e coordenadora da Frentas, juíza Renata Gil, defendeu as "prerrogativas" de sua carreira. Na visão dela, o regime de trabalho no Judiciário é diferenciado e, por isso, merece tratamento especial: "Nós não somos trabalhadores como os outros trabalhadores. Muita gente não sabe que o juiz brasileiro não tem FGTS, horário de trabalho. Se é para colocar a magistratura dentro do funcionalismo ordinário, vamos fazer uma reforma completa".[53]

A proposta da presidente da AMB deveria ser levada a sério pelo Congresso Nacional: trocar todos os penduricalhos concedidos aos magistrados, promotores e procuradores por 44 horas de trabalho semanais e direito ao FGTS economizaria muitos bilhões para os cofres públicos e os bolsos dos contribuintes brasileiros, tendo ainda o potencial de aumentar a efetividade da prestação judicial.

O apetite das carreiras judiciais, porém, é insaciável. Nos últimos anos é possível observar um aumento no número de autorizações administrativas, com a chancela ou a leniência dos Conselhos Nacionais de Justiça e do Ministério Público, para o pagamento de atrasados, como a Parcela Autônoma de Equivalência — um benefício referente a uma lei de 1992 que equiparou as remunerações dos membros do Congresso Nacional e ministros do Estado e do STF, extrapolada para todos os magistrados, promotores e procuradores[54] — e a extensão de gratificações disponíveis, sob o pretexto da isonomia e da simetria entre as carreiras.

Um exemplo de como o paralelismo das carreiras do Judiciário e do Ministério Público gera uma espiral de despesas para os cofres públicos ocorreu com a chamada Gratificação por Exercício Cumulativo da Jurisdição.

Criada em 2015 por meio das leis n°s 13 093[55] e 13 095,[56] a gratificação consistia originalmente no pagamento de um extra de até um terço do salário aos juízes federais e do Trabalho caso exercessem alguma atividade além de suas competências normais, como assumir a gestão dos processos de um colega enquanto ele estivesse de férias. O cálculo do adicional, porém, era proporcional ao número de dias em que houvesse o acúmulo de funções e estava sujeito ao teto do funcionalismo. Como a remuneração básica de um juiz federal ou trabalhista estava na data de publicação deste livro em 33 924,93, 35 710,46 ou 37 589,96 reais, a depender do nível da carreira, a gratificação poderia fazer com que seus rendimentos se igualassem aos vencimentos dos ministros do STF, de 41 650,92 reais na mesma época.

Como se não bastasse essa estranha realidade em que um juiz federal ou trabalhista em início de carreira pode ganhar o mesmo que os onze magistrados da mais alta corte do país, em 2020 o CNJ, em vez de exercer o controle administrativo e financeiro do Poder Judiciário, estendeu a gratificação a todos os juízes do país.

A medida foi tomada numa canetada do ministro Dias Toffoli, então presidente do CNJ, sem respaldo legal, justificada apenas pelo entendimento de que a Justiça brasileira é unitária e, assim, o benefício dado para um magistrado deve valer para todos.[57]

Dois anos depois foi a vez de o procurador-geral da República, Augusto Aras, à frente do CNMP, reconhecer que todos os promotores e procuradores também faziam jus à gratificação, sob o argumento de que existe uma simetria entre o Judiciário e o Ministério Público. O adicional para os membros do órgão também foi instituído sem aprovação do Congresso, mediante uma mera "recomendação". Muito convenientemente, o dispositivo não fazia qualquer menção ao dever de o novo pagamento estar sujeito ao teto.[58]

Como se não bastasse a extensão do benefício, o mesmo Aras, ao regulamentar seu pagamento no âmbito do Ministério Público da União em maio de 2023, de forma bastante criativa transformou a gratificação numa licença.[59] A nova regra estabelecia que, para cada três dias de exercício cumulativo, o promotor ou procurador seria pago não com um adicional salarial, mas com um dia de licença. Essa manobra tinha uma razão de ser: convertida a licença em dias de trabalho, abriu-se para os procuradores a possibilidade de "vender" a folga não usufruída, e, uma vez convertida em "indenização", o adicional não ficaria sujeito ao teto salarial do funcionalismo nem à cobrança do imposto de renda. Como ninguém é de ferro, o pagamento foi feito de forma retroativa a 1º de janeiro de 2023. A criatividade das autoridades judiciais brasileiras não tem limites.

Fechando o ciclo de criação, expansão e multiplicação de benefícios, em outubro de 2023 o CNJ baixou uma resolução destacando enfaticamente, em seu art. 1º, que "os direitos e deveres validamente atribuídos aos membros da Magistratura ou do Ministério Público aplicam-se aos integrantes de ambas as carreiras, no que couber".[60] Essa era a senha esperada para todos os tribunais do país, que passaram a se sentir legitimados a regulamentar que a Gratificação por Exercício Cumulativo da Jurisdição poderia ser paga com dias de folga, com possibilidade de conversão em indenização caso o magistrado optasse por dela não usufruir, tal qual acontecia no Ministério Público.

A saga da conversão em pecúnia da licença por acúmulo de atividades reflete com perfeição o jogo de competição e coordenação entre os integrantes do Judiciário e do Ministério Público. O benefício legal restrito a um grupo limitado de agentes públicos é estendido a todos os membros da carreira por mera decisão administrativa de seu Conselho regulador. Com o passar do tempo, os colegas da outra carreira reivindicam tratamento isonômico, mas seu Conselho amplia o privilégio, também dispensando aprovação de lei no Congresso. Na rodada seguinte, o Conselho da carreira original, valendo-se do princípio da simetria, estende as novas vantagens a seus integrantes originais.

Não importa o sentido pelo qual gira a engrenagem dos privilégios para a elite das carreiras jurídicas no Brasil. No caso do auxílio-moradia, o benefício surgiu no Ministério Público e posteriormente foi concedido aos magistrados. Já a Gratificação por Exercício Cumulativo da Jurisdição foi criada para o Poder Judiciário, e em pouco tempo estendida aos membros do Ministério Público. E tudo isso é feito sem aprovação de lei no Congresso, impostos por simples resoluções, portarias e "recomendações" tomadas por conselheiros que são em sua maioria integrantes das carreiras, sendo beneficiados diretamente pelas próprias determinações.

Graças a penduricalhos como esse, os contracheques de membros da magistratura e do Ministério Público vão se distanciando de qualquer parâmetro razoável de comparação com a realidade brasileira, afetando a imagem dessas instituições e ajudando a correr a credibilidade da Justiça e da democracia brasileiras.

Os privilégios de juízes, promotores e procuradores de Justiça rompem os limites impostos no âmbito do próprio sistema judicial — em que o teto dos subsídios de ministros do STF deixou de fazer sentido —, e seus valores, infelizmente, passam a ser cobiçados pelas demais carreiras da elite do funcionalismo público em geral, estimulando estratégias semelhantes também nos poderes Executivo e Legislativo.

3. Privilegiados de terno e gravata: A elite dos poderes Executivo e Legislativo

A Constituição brasileira ainda estava em sua infância, mal tendo comemorado seis anos de vigência, quando Fernando Henrique Cardoso, eleito presidente na esteira do sucesso da estabilização da inflação com o Plano Real, tratou de levar adiante uma série de propostas com o objetivo de modernizar nosso marco constitucional.

Seu primeiro alvo foi a desregulamentação de setores-chave da economia, como pesquisa e exploração mineral, telecomunicações, energia elétrica, petróleo e gás natural. Se, por um lado, FHC procurava abrir a economia brasileira aos investimentos privados, no âmbito da administração pública o presidente também estava disposto a promover um choque de eficiência. Tanto foi assim que criou o Ministério da Administração Federal e Reforma do Estado (Mare), comandado pelo ex-ministro da Fazenda e professor da FGV Luiz Carlos Bresser-Pereira.

Uma das várias iniciativas organizacionais, infralegais e legislativas do Mare era a coordenação dos estudos para uma reforma administrativa. Entre os diagnósticos expostos no Plano Diretor da Reforma do Aparelho do Estado, apresentado à sociedade em novembro de 1995, estava o entendimento de que o Regime Jurídico Único, conjunto de regras que incluía a garantia de estabilidade de emprego dos servidores públicos, tinha efeitos colaterais bastante danosos para o funcionamento estatal:

> Embora seja possível interpretar que a Constituição de 1988 e o Regime Jurídico Único tenham originalmente tentado preservar a administração, evitando a utilização política dos cargos e promovendo a valorização através da proteção ao servidor, o que se observa de fato é que contribuíram para restringir a capacidade operacional do governo, ao dificultar a adoção de mecanismos de gestão de recursos humanos que sejam baseados em princípios de valorização pelo efetivo desempenho profissional e também eficazes na busca da melhoria dos resultados das organizações e da qualidade dos serviços prestados.[1]

Segundo a proposta de Bresser-Pereira e FHC, aprovada pelo Congresso Nacional por meio da emenda constitucional nº 19/1998, a União estaria autorizada a contratar novos funcionários segundo as normas da CLT, tal qual acontece no setor privado.[2]

Nesse ponto, a ideia da reforma administrativa do Mare era instituir uma distinção no serviço público. Funções operacionais seriam desempenhadas por empregados celetistas contratados sem a garantia de estabilidade, podendo ser admitidos e dispensados segundo as regras mais simplificadas do mercado de trabalho privado, inclusive em face de crises fiscais. Em outro patamar estariam os servidores públicos pertencentes às "carreiras típicas de Estado", que continuariam a ser protegidos contra demissões, por serem responsáveis pelo exercício do Poder de Estado — para esses, a exoneração só poderia ocorrer se uma avaliação detectasse insuficiência de desempenho.[3]

A intenção de Bresser-Pereira e FHC de extinguir o Regime Jurídico Único e permitir celetistas no funcionalismo federal, contudo, foi contida pelo STF por uma falha processual na tramitação da proposta de emenda à Constituição (PEC) no Congresso. Demonstrou-se que o dispositivo que autorizava a aplicação da CLT na administração direta não havia alcançado o quorum mínimo de três quintos em duas votações no plenário da Câmara dos Deputados. A medida, portanto, foi declarada inconstitucional.[4]

Apesar de não ter chegado a entrar em vigor, o sinal de que poderia haver uma distinção entre servidores, com repercussões num tema tão caro quanto a estabilidade no emprego, levou as carreiras mais poderosas do governo federal a defender perante os governos seguintes, cada qual com argumentos e justificativas próprios, sua natureza de "carreira típica de Estado".

Embora a proposta de revogar o Regime Jurídico Único dos servidores da União não tenha vingado, a reforma administrativa de FHC e Bresser-Pereira deixou uma herança que resiste até os dias atuais: o teto remuneratório atrelado ao subsídio mensal dos ministros do STF, insculpido diretamente na Constituição Federal, de forma a proteger o erário das ações predatórias dos lobbies das carreiras.[5]

A combinação desses dois fatores — a possibilidade de criação de uma categoria diferenciada de "carreiras típicas de Estado" e o estabelecimento de um teto para os rendimentos dos servidores — criou as condições para uma competição entre os integrantes dos diferentes cargos no Poder Executivo federal, cada qual querendo se posicionar na elite dos mais poderosos e mais bem remunerados.

O pesquisador Dan Ariely, professor de psicologia e economia comportamental da Universidade Duke, em uma das deliciosas histórias do livro *Previsivelmente irracional*, conta como uma regulação no mercado de capitais americano acabou se revelando um tiro no pé. Em reação a reportagens na mídia que denunciavam os exorbitantes salários e benefícios dos executivos de grandes empresas, a

Securities and Exchange Commission, órgão regulador do mercado de capitais nos Estados Unidos, baixou uma norma determinando que toda companhia aberta deveria publicar os rendimentos anuais de seus CEOS.[6]

O objetivo do governo com a nova regra era expor a política salarial das grandes empresas e, mediante o constrangimento público com a divulgação da remuneração de seus presidentes e diretores, estimulá-las a cortar os abusos. O resultado foi o oposto do pretendido: segundo Ariely, em 1993 um CEO americano ganhava em média 131 vezes mais do que a mediana dos demais empregados de sua companhia. Em 2008, quando o livro de Ariely foi publicado, a diferença havia passado a ser de 369 vezes!

Para o professor da Universidade Duke, esse resultado aparentemente contraditório pode ser explicado por fatores psicológicos e comportamentais, como o ciúme e a inveja. Em sua visão, nós, humanos, tendemos a nos preocupar mais com nossa posição relativa do que com a absoluta. Assim, avaliamos nossas condições econômicas sempre em relação a nossos pares e a quem se encontra acima de nós na pirâmide social, quase nunca levando em consideração quem está em situação pior do que a gente. No caso dos CEOS americanos, quando seus ganhos se tornaram públicos, cada um deles passou a se comparar aos colegas de outras empresas, e isso gerou uma corrida para negociar com os patrões benefícios iguais ou superiores aos distribuídos pela concorrência. Assim, em vez de reduzir a média, a decisão estimulou uma corrida rumo ao topo.

Quando tratamos da política remuneratória no governo federal, a história tem muito a ver com os fatos e dados descritos no livro de Dan Ariely. Embora a emenda constitucional nº 19/1998 tenha buscado dar um basta em abusos remuneratórios no setor público, impondo um limite para os vencimentos de todas as carreiras, o que era para ser um teto passou a ser encarado por diversas corporações como uma meta — exatamente como aconteceu com os executivos americanos após a exigência de divulgação de suas remunerações.

A despeito de ter adotado medidas que afetaram negativamente o bem-estar dos servidores, como a aprovação de uma reforma que apertou as regras de seu regime de aposentadoria e pensão,[7] Luiz Inácio Lula da Silva implementou uma ampla política de valorização do funcionalismo público durante suas duas primeiras passagens pelo Palácio do Planalto. Chegou inclusive a criar um Departamento de Relações do Trabalho no âmbito do Ministério do Planejamento, Orçamento e Gestão, responsável por conduzir negociações com representantes de cada uma das carreiras.[8]

Em seus dois primeiros mandatos presidenciais, Lula buscou recompor a força de trabalho no governo com a criação de novos cargos, a realização de concursos periódicos para as categorias já existentes e a aprovação de seguidas rodadas de reestruturações remuneratórias.

Na eterna queda de braço entre sindicatos e os governantes de turno nas negociações salariais, o poder de barganha de cada entidade representativa de servidores varia de acordo com suas competências, seu poder de articulação e os instrumentos de pressão que detêm sobre as autoridades do governo e a classe política em geral.

Depois da tentativa frustrada de FHC e Bresser-Pereira de criar uma espécie de elite no funcionalismo público federal, enquanto os demais cargos perderiam as garantias de estabilidade e passariam a ser regidos pela CLT, várias categorias começaram a se autointitular "carreiras típicas de Estado", reivindicando um tratamento privilegiado do governo, dadas as funções que exerciam.

Nesse grupo informal (uma vez que nunca houve lei classificando-os como tal) se puseram diplomatas, auditores fiscais da Receita Federal e do Trabalho, advogados da União, procuradores da Fazenda Nacional e policiais federais, assim como analistas do Banco Central, do Tesouro Nacional, do Orçamento e da CGU, além de gestores governamentais e analistas de comércio exterior — para citar apenas as carreiras principais.

Durante os dois primeiros mandatos de Lula, profissionais dessas carreiras, agindo de forma isolada ou conjunta,[9] obtiveram conquistas remuneratórias bastante relevantes, seguindo a mesma lógica prevista no relato de Dan Ariely sobre os executivos de Wall Street.

Como a Constituição passou a estabelecer que o teto salarial de todo o serviço público seria o subsídio dos ministros do STF, o anseio das principais categorias se tornou a máxima aproximação possível desse limite legal.

Para chegar lá, a maioria das "carreiras típicas de Estado" do Poder Executivo federal seguiu uma dupla estratégia. O primeiro passo foi tornar sua estrutura remuneratória semelhante à do Judiciário. Como vimos nos capítulos anteriores, magistrados e membros do Ministério Público têm seus vencimentos definidos na forma de "subsídio", ou seja, um valor fixo, integral, em tese desprovido de parcelas variáveis — digo "em tese" pois, como vimos, com o tempo foram sendo criados inúmeros penduricalhos que turbinam essa remuneração.

Até meados dos anos 2000, o contracheque da maioria dos servidores do Poder Executivo federal era composto de uma remuneração básica acrescida de gratificações e outras verbas variáveis. Para o governo, essa fórmula era bastante conveniente: por terem natureza de bonificações por desempenho, as gratificações não eram incorporadas à aposentadoria, gerando uma economia para os cofres públicos quando os servidores passavam para a inatividade.

Durante os primeiros governos petistas, quase todas as carreiras mais poderosas do governo federal, por meio da aprovação de leis propostas pelo presidente, passaram a receber por subsídios, da mesma forma que os membros do Judiciário. A partir daquele momento, tomando a mesma base de comparação, o passo seguinte das associações representativas desses cargos foi pressionar o governo para que concedesse reajustes que diminuíssem a distância entre o valor de seus contracheques e o teto dos ministros do STF.

Como nas mesas de negociação com o governo vale a lei do mais forte, os dados mostram que os servidores das "carreiras típicas de Estado" garantiram para si reajustes salariais bem superiores à inflação das últimas três décadas.

Com base em dados extraídos da *Tabela de Remuneração dos Servidores Públicos Federais Civis e dos Ex-Territórios*[10] e do *Boletim Estatístico de Pessoal*,[11] ambas publicações oficiais do governo federal, é possível traçar a evolução da remuneração das principais carreiras do funcionalismo.

No gráfico 4 verificamos que o primeiro mandato de FHC (1995-8) foi muito duro com o servidor público da União. Os rea-

GRÁFICO 4
REAJUSTES PARA O FUNCIONALISMO E INFLAÇÃO ACUMULADA ENTRE 1995 E 2022 — CARREIRAS SELECIONADAS

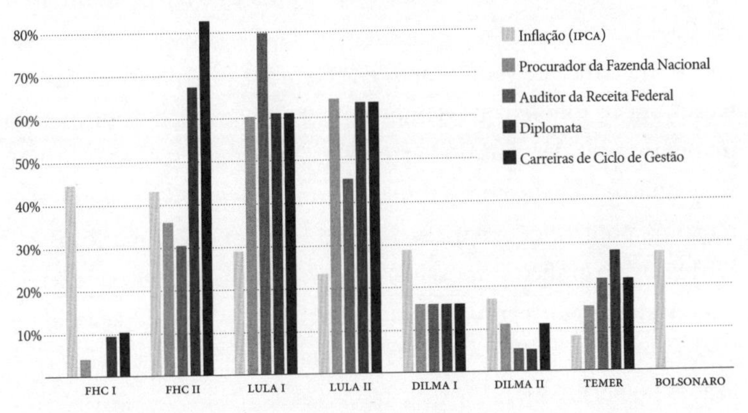

FONTE: Elaboração do autor a partir da *Tabela de Remuneração dos Servidores Públicos Federais Civis e dos Ex-Territórios* e do *Boletim Estatístico de Pessoal*. Os dados não incluem adicionais salariais, como honorários e bônus, entre outros.

justes concedidos naquela época, quando existiram, foram insuficientes para acompanhar a inflação, o que pode ser explicado pela necessidade de controle de preços e salários após a implantação do Plano Real.

A partir de 1999, porém, já é possível identificar que alguns grupos começam a ser bem-sucedidos em conseguir reestruturações em suas tabelas de vencimentos superiores à inflação. As carreiras do chamado "ciclo de gestão" (especialistas em políticas públicas e gestão governamental, analistas de finanças e controle, analistas de comércio exterior e analistas de planejamento e orçamento, entre outras), que constituíam a grande aposta do ministro Bresser-Pereira para modernizar o Estado brasileiro, foram as mais prestigiadas nesse período.[12]

Com a chegada de Lula ao poder em 2003, tem início a fase de ouro dos servidores públicos federais. Com a arrecadação em alta em virtude do crescimento proporcionado sobretudo pelo boom de commodities, o governo concedeu aumentos remuneratórios bastante superiores à elevação geral do nível de preços para a maioria das carreiras durante seus dois primeiros mandatos (2003-10).

A mudança de ventos tanto na economia internacional quanto na do Brasil, somada ao reconhecimento de que os dois primeiros mandatos presidenciais do Partido dos Trabalhadores (PT) haviam sido muito generosos com o funcionalismo, exigiu uma maior moderação na política de reajustes durante a gestão de Dilma Rousseff (2011-6). No gráfico 4 é possível observar que nenhuma das carreiras retratadas conseguiu superar a variação do Índice Nacional de Preços ao Consumidor Amplo (IPCA) nas negociações salariais realizadas no período.

Com o processo de impeachment já em curso, e com a popularidade em queda, a governante petista realizou uma ampla rodada de negociações com sindicatos e associações de servidores entre

2015 e 2016. Sua destituição da Presidência, porém, não permitiu a implementação desses reajustes. No entanto, ao assumir o cargo, Michel Temer honrou os compromissos assumidos pela antecessora, razão pela qual o gráfico mostra ganhos reais das principais carreiras durante sua passagem pelo Palácio do Planalto, entre 2016 e 2018.

A ascensão de Jair Bolsonaro ao poder representa o início do pior período para o funcionalismo público em termos salariais desde o Plano Real. Durante seus quatro anos de governo, não houve reajuste para nenhuma categoria de servidores federais, a não ser os militares, como discutiremos no capítulo 7.

Tomadas as três últimas décadas em conjunto, é possível observar que algumas carreiras conseguiram uma valorização de rendimentos superior à das demais, agravando uma diferenciação que levou à configuração de uma verdadeira elite no serviço público federal.

O estereótipo da categoria de servidores públicos durante boa parte do século XX não foi o de privilegiado, que ganhava rendimentos muito acima dos trabalhadores do setor privado. A referência mais comum encontrada na cultura popular é a do pequeno burocrata, que levava uma vida tranquila, com ordenado apertado, mas também sem muitas cobranças.

No conto "Três gênios de secretaria", publicado em 1919, o escritor Lima Barreto, ele próprio servidor da Secretaria da Guerra, descreve de maneira irônica a vida do funcionário público em seu tempo, mais de um século atrás. Narrada em primeira pessoa, a história mostra como um cidadão de baixa escolaridade, "com a minha reduzida gramática e o meu péssimo cursivo", exercia seu labor "naquele deslizar macio durante cinco horas por dia", numa rotina medíocre, repetitiva e pouco desafiadora, "escrevendo-se os mesmos papéis e avisos, os mesmos decretos e portarias, da mesma maneira, durante todo o ano, exceto os dias feriados, santificados e os de ponto facultativo, invenção das melhores da nossa República".[13]

No Carnaval de 1948, a cantora Emilinha Borba lançou "Barnabé", marchinha que contava a dura situação de um funcionário público sempre às voltas com o salário contado, que não dava para as despesas mais básicas. A composição de Haroldo Barbosa e Antônio Almeida fez tanto sucesso que o nome do personagem-título acabou entrando para o dicionário, designando "funcionário público, especialmente o de baixo nível hierárquico".[14]

Todo mundo fala, fala
Do salário do operário
Ninguém lembra o solitário
Funcionário Barnabé

Ai, ai, Barnabé
Ai, ai, funcionário letra E
Ai, ai, Barnabé
Todo mundo anda de bonde
Só você é que anda a pé.

A letra da marchinha, inclusive, faz referência a uma expressão que refletia a estrutura das carreiras do funcionalismo público na primeira metade do século XX. Como "funcionário letra E", de acordo com a lei nº 284/1936,[15] Barnabé fazia jus a um ordenado de 600 mil-réis mensais — valor que, segundo a canção, só dava "pro cigarro e pro café".

Em posição bastante diferente estava "Maria Candelária", personagem-título da canção interpretada pelo cantor Blecaute no Carnaval de 1952, apenas quatro anos depois. Composta por Klécius Caldas e Armando Cavalcânti, a marchinha narra a história da alta funcionária que "saltou de paraquedas e caiu na letra O" — ou seja, sem prestar concurso e com ordenado de três contos e 500 mil-réis mensais, praticamente seis vezes mais do que Barnabé, segundo a mesma tabela remuneratória. Além de criticar aqueles admitidos por indicação política, a letra da canção também ironiza a boa vida dos funcionários públicos daquele tempo, agravada por uma evidente carga de misoginia comum numa época em que as mulheres estavam começando a entrar no mercado de trabalho:

Maria Candelária
É alta funcionária
Saltou de paraquedas
Caiu na letra "O", oh, oh, oh, oh

Começa ao meio-dia
Coitada da Maria
Trabalha, trabalha, trabalha de fazer dó, oh, oh, oh, oh

À uma vai ao dentista
Às duas vai ao café
Às três vai à modista
Às quatro assina o ponto e dá no pé
Que grande vigarista que ela é.

O surpreendente nessas alusões negativas ao funcionalismo público contidas nas canções da virada dos anos 1940 para os 1950 é que elas se dão na época em que o governo Getúlio Vargas inicia um amplo processo de profissionalização do setor público brasileiro, com a criação, em 1938, do Departamento Administrativo do Serviço Público (Dasp)[16] e, no ano seguinte, com a elaboração de um novo estatuto dos servidores públicos civis da União, disciplinando as formas de seleção, nomeação, atuação e aposentadoria dos quadros da administração federal.[17]

De acordo com os professores Fernando Abrucio e Maria Rita Loureiro, da FGV, as mudanças introduzidas naquele momento constituem a primeira reforma administrativa digna desse nome na história do país. Nesse novo modelo foram introduzidos elementos para a constituição no Brasil de uma burocracia profissional, nos moldes propostos por Max Weber no início do século XX, como concurso público, estabilidade funcional, hierarquia bem definida e atribuições fixadas em leis e regulamentos.

O esforço de Vargas para dotar o Estado brasileiro de um corpo burocrático bem preparado e guiado por princípios meritocráticos era parte de sua estratégia de modernização econômica do país. Apesar da expressa determinação presidencial de que a estrutura do governo federal e a prestação de serviços estatais deveriam se dar sob a égide dos princípios "da economia e eficiência", para Abrucio e Loureiro a mudança não atingiu toda a estrutura do governo, mantendo-se muito da estrutura prévia, marcada por indicações políticas, patrimonialismo e clientelismo.[18]

Mesmo com a reforma modernizadora do funcionalismo implementada pelo Dasp de Vargas, a imagem da improdutividade e do inchaço da máquina pública já estava impregnada no imaginário nacional. No Carnaval de 1953, outra canção, "Se eu fosse o Getúlio", composta por Roberto Roberti e Arlindo Marques Jr. e gravada no ano seguinte por um dos artistas mais populares do país, Nelson Gonçalves, pegava pesado com os servidores:

O Brasil tem muito doutor
Muito funcionário, muita professora
Se eu fosse o Getúlio, mandava
metade dessa gente pra lavoura

Mandava muita loura plantar cenoura
E muito bonitão plantar feijão

E essa turma da mamata
Eu mandava plantar batata

Segundo Abrucio e Loureiro, essa convivência entre carreiras de perfil técnico, insuladas em estatais como a Petrobras e o Banco Nacional de Desenvolvimento Econômico (então apenas BNDE, pois o "S" de Social só viria na década de 1980) e em órgãos como o Itamaraty, e uma massa de "barnabés" pouco qualificados e mal remunerados foi aprofundada nas décadas seguintes.

Nesse processo, houve experiências bem-sucedidas, como o modelo de "administração paralela" dos "Grupos Executivos" e "Grupos de Trabalho" de Juscelino Kubitschek e o decreto-lei nº 200/1967, no governo militar. Para os pesquisadores, aliás, esse regramento introduzido no governo Castello Branco, com Roberto Campos à frente do Ministério do Planejamento, constitui a segunda grande reforma administrativa do século passado, buscando dar mais autonomia e flexibilidade para os chamados "tecnocratas", graças à expansão de autarquias, fundações e estatais e seus maiores graus de liberdade para contratar e remunerar seus quadros.[19]

Esses avanços, contudo, deixaram de surtir efeito durante as graves crises fiscal e política vividas pelo país depois dos choques do petróleo da década de 1970 e o crescente desgaste do regime militar perante a população. Enquanto isso, na música popular brasileira, mesmo quando exercia com zelo seu dever, o servidor público era retratado como mero cumpridor mecânico de tarefas e de horários, sem qualquer referência à qualidade dos serviços que prestava, como canta Chico Buarque em "Ela é dançarina", de 1981:

O nosso amor é tão bom
O horário é que nunca combina
Eu sou funcionário
Ela é dançarina

Quando pego o ponto
Ela termina

Ou quando eu abro o guichê
É quando ela abaixa a cortina
Eu sou funcionário
Ela é dançarina
[...]

No ano dois mil e um
Se juntar algum
Eu peço uma licença
E a dançarina, enfim
Já me jurou
Que faz o show
Pra mim

Ainda segundo Abrucio e Loureiro, as grandes demandas e expectativas com a redemocratização exigiam a instituição de um novo modelo de administração pública. Os objetivos de universalização do acesso à saúde, à educação e à segurança pública, assim como a ampliação do rol de direitos da cidadania e os anseios por uma maior descentralização das políticas públicas, requeriam uma reestruturação da burocracia estatal.

Diante desse contexto, a Constituição de 1988 trouxe consigo instrumentos voltados para uma maior profissionalização do serviço público, como a obrigatoriedade de concurso, a garantia da estabilidade no emprego e outras proteções previstas no Regime Jurídico Único dos servidores públicos. Ao longo das décadas seguintes, determinadas carreiras tidas como estratégicas — as "carreiras típicas de Estado" imaginadas pela reforma de Bresser-Pereira e FHC — ganharam maior autonomia e valorização salarial, mesmo diante das várias dificuldades fiscais enfrentadas pelo país de modo quase crônico desde a promulgação da nova Carta constitucional. Essa estratégia de diferenciação de alguns cargos em detrimento da massa geral de servidores acabou criando aquilo que passou a ser chamado de elite do funcionalismo federal.

Em 2021, o pesquisador Wellington Nunes, como participante do programa de pós-doutorado do Departamento de Ciência Política da UFPR, publicou na página da Associação dos Funcionários do Instituto de Pesquisa Econômica Aplicada (Afipea) uma nota técnica apontando aqueles que, como dizia o título de seu trabalho, seriam "a elite salarial do funcionalismo público federal".[20]

A proposta do autor era, de posse dos microdados da Relação Anual de Informações Sociais (Rais) contidos no Atlas do Estado Brasileiro, plataforma de dados desenvolvida pelo Instituto de Pesquisa Econômica Aplicada (Ipea), identificar quais seriam as carreiras mais bem remuneradas do governo federal.

O Brasil vivia naquele momento as discussões sobre a proposta de emenda constitucional nº 32/2020, projeto de reforma administrativa submetido pelo governo de Jair Bolsonaro ao Congresso Nacional. A intenção de Wellington Nunes e de seu colega José Teles, do Ipea, numa versão mais robusta de um artigo publicado nos *Cadernos Gestão Pública e Cidadania*, era qualificar melhor o debate, trazendo dados para identificar onde estavam as reais distorções salariais no setor público e, assim, fazer "sugestões para a construção de um projeto de reforma administrativa mais eficiente no combate a privilégios".[21]

Segundo o levantamento de Nunes e Teles, entre as dez maiores remunerações médias do serviço público federal em 2018, nove pertenciam à Justiça Federal e ao Ministério Público da União — os únicos intrusos eram os deputados e senadores.

Os dados dos pesquisadores comprovam algo que já ficou expresso nos dois capítulos iniciais deste livro: magistrados e membros do Ministério Público conseguiram, ao longo do tempo, se diferenciar das demais categorias do funcionalismo. Essas carreiras, além de subsídios mais altos, conseguem de forma cada vez mais frequente criar adicionais salariais que impulsionam seus rendimentos — valores, aliás, que não estão computados nas médias informadas em seu trabalho.

Fato digno de nota, mas que quase passa despercebido em meio aos números apresentados no estudo, é que algumas categorias do Poder Executivo têm conseguido se aproximar dos ganhos do Judiciário. Quando os autores ampliam o escopo para além da distância entre os procuradores regionais da República (primeiro lugar no ranking, com remuneração média mensal básica de 37372 reais em 2021) e os promotores de Justiça (na décima colocação, com ganhos de 31778 reais ao mês), começam a aparecer carreiras do Poder Executivo, como delegados da Polícia Federal (média de 29982 reais mensais) e auditores fiscais do trabalho (29264 reais mensais).

Para retratar esse fenômeno e como ele se deu ao longo das últimas décadas, segui um percurso um pouco diferente daquele de José Teles e Wellington Nunes. Em vez de utilizar os dados anuais informados na Rais pelos órgãos ao Ministério do Trabalho, meu primeiro passo foi identificar quais são, hoje, as carreiras do Poder Executivo federal que têm os maiores vencimentos, de acordo com o Painel Estatístico de Pessoal. Feito isso, recorri aos dados da *Tabela de Remuneração dos Servidores Públicos Federais Civis e dos Ex-Territórios* e do *Boletim Estatístico de Pessoal* para traçar a evolução dos salários das categorias selecionadas a partir do final da década de 1990, período mais antigo com dados disponíveis no mesmo formato atual.

Levando-se em consideração os quadros de vencimentos de cada cargo, em janeiro de 2024 os maiores rendimentos no Poder Executivo cabiam aos defensores públicos da União, com uma variação de 27258,44 a 35423,58 reais, seguidos pelas carreiras da Polícia Federal (delegados, peritos criminais e médicos-legistas), com ganhos entre 25825,09 e 33721,23 reais.

Em um degrau abaixo se situavam as carreiras do ciclo de gestão (auditores de finanças e controle, especialistas em políticas públicas e gestão governamental, analistas de comércio exterior, técnicos de pesquisa do Ipea e analistas de planejamento e orçamento), diplomatas, analistas do Banco Central e da Superintendência de Seguros Privados (Susep) e inspetores da Comissão de Valores Mobiliários (CVM) — todos recebendo remuneração inicial de 20924,80 reais e, no final de carreira, 29832,94 reais.

No mesmo patamar estavam os auditores fiscais da Receita Federal e do Trabalho, que tinham um ganho básico de 22921,71 reais na entrada e 29760,95 reais no topo, e os cargos da advocacia pública federal (advogados da União e procuradores federais, da Fazenda Nacional e do Banco Central), com remuneração inicial de 22905,79 reais e final de 29761,03 reais.

Como se vê, com rendimentos básicos iniciais acima de 20 mil reais, gozando de uma relativa estabilidade no emprego e com perspectivas de alcançar ganhos que se aproximam ou até superam 30 mil reais num prazo médio de dez anos, essas carreiras se tornaram muito atraentes para a população brasileira mais bem escolarizada. Prova disso é o aumento da concorrência nos concursos públicos realizados desde então.

Em 1998, ano em que o salário inicial de delegado era de 3371 reais (o equivalente a 15645 reais em janeiro de 2024, quando corrigido pelo IPCA), a Polícia Federal realizou um processo seletivo que atraiu 152,85 candidatos para cada uma das cem vagas oferecidas.[22] Em 2021, tendo o subsídio de delegado subido para 23692,74 reais (28662,14, ajustados pela inflação até o início de 2024), a disputa se tornou quase 50% mais acirrada: 225,62 candidatos por vaga.[23] Em outras palavras, o reajuste salarial acima da inflação entre

1998 e 2021, além de toda a exposição que o órgão teve nos últimos anos, elevou a atratividade do cargo de delegado da Polícia Federal entre os concurseiros brasileiros.

Essa política de valorização remuneratória na elite do Poder Executivo ocorrida desde o final dos anos 1990 também provocou seu descolamento em relação a cargos igualmente relevantes e que exigem nível superior, mas que foram relegados a segundo plano pelos presidentes da República que se sucederam no período.

Os professores titulares das universidades federais, com título de doutorado e que trabalham em regime de dedicação exclusiva (sem poder dar aulas em outras instituições ou ter qualquer outro vínculo de trabalho), por exemplo, recebiam, em 2016, o equivalente a 78,9% do subsídio de um delegado da Polícia Federal. Em maio de 2023, essa proporção havia caído para 66,4%. Situação similar vivem os integrantes da carreira de pesquisa em ciência e tecnologia: os pesquisadores nos níveis mais altos e com nota máxima na avaliação de desempenho ganhavam, em 1998, o equivalente a 71,6% do valor que constava no contracheque de um delegado. Em 2023, a razão caiu para 58,1%.

Essa dinâmica dos reajustes salariais entre as várias carreiras do Poder Executivo federal fica ainda mais visível quando se acompanha sua evolução ao longo do tempo. No gráfico 5 é possível observar o distanciamento gradativo das carreiras com maior poder de barganha e organização (delegados da Polícia Federal, advogados da União, auditores da Receita Federal e analistas do Banco Central) em relação a outros cargos de nível superior que não tiveram a mesma valorização por parte do governo — a título de comparação, tomaram-se como parâmetro professores titulares das universidades federais, pesquisadores em ciência e tecnologia e gestores ambientais do Instituto Brasileiro do Meio Ambiente e dos Recursos Naturais Renováveis (Ibama).

GRÁFICO 5
REMUNERAÇÃO MENSAL EM FINAL DE CARREIRA PARA CARREIRAS SELECIONADAS

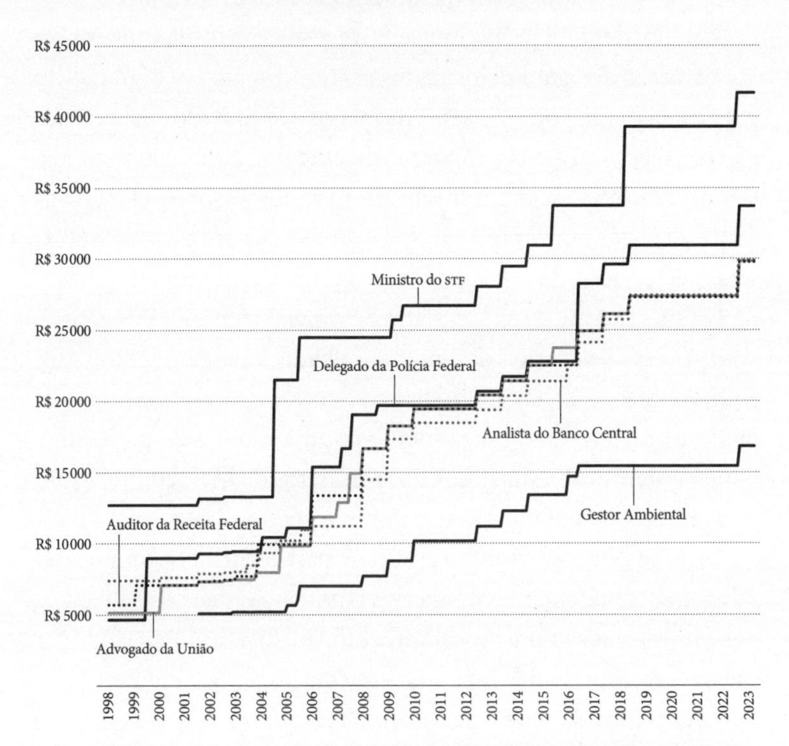

FONTE: Elaboração do autor a partir de números da *Tabela de Remuneração dos Servidores Públicos Federais Civis e dos Ex-Territórios* e do *Boletim Estatístico de Pessoal*, assim como da legislação pertinente. Os dados não incluem adicionais salariais.

Cito aqui minha própria experiência. Após aprovação em concurso público, fui nomeado para a carreira de especialista em políticas públicas e gestão governamental em janeiro de 2000. Segundo meu contracheque da época, meu rendimento bruto, somando-se o vencimento básico e gratificações, era de 2646,76 reais. Após a correção pelo IPCA, esses vencimentos seriam de 11 332,69 reais em fevereiro de 2024. Mais de duas décadas depois, o subsídio inicial da mesma carreira é de 20 924,80 reais — o que significa que houve uma valorização de 88% acima da inflação para os integrantes da categoria no período, sem qualquer mudança de atribuições, responsabilidades ou mesmo uma efetiva avaliação de desempenho.

Apesar dos ganhos reais das carreiras mais prestigiadas do governo federal, como os seres humanos são movidos pela cobiça e pela inveja, para essas carreiras da elite do serviço público não importa muito se seus ganhos bateram a inflação ou se elas alcançaram um patamar remuneratório muito superior ao de outras categorias relevantes ou até de cargos equivalentes no setor privado (vamos tratar dessas comparações mais à frente). Na lógica de Dan Ariely, delegados da Polícia Federal, advogados públicos, auditores fiscais e técnicos do Banco Central, do Tesouro Nacional ou do Ministério do Planejamento se guiam olhando para cima. E, nesse sentido, os subsídios dos ministros do STF sempre foram o parâmetro de comparação.

Como pôde ser visto no gráfico 5, para além da recomposição salarial, os representantes das carreiras mais poderosas da Esplanada dos Ministérios sempre buscaram acompanhar e, se possível, chegar cada vez mais perto do teto remuneratório do serviço público.

Na lógica da elite salarial do Poder Executivo federal, não importa a variação dos reajustes, mas o nível em relação às outras carreiras — em especial aquelas mais bem pagas do Judiciário e do Ministério Público.

Nessa corrida rumo ao teto, auditores fiscais da Receita Federal, advogados da União e procuradores da Fazenda Nacional e do Banco Central, que ganhavam entre 55% e 60% a menos do que um ministro do STF em 1998, conseguiram reduzir a distância para menos de 22,6% em 2018.

No entanto, com a crise fiscal, a pandemia e a resistência do ministro da Economia, Paulo Guedes, a conceder reajustes para os servidores federais durante os quatro anos do governo Bolsonaro, o fosso dessas carreiras em relação ao Poder Judiciário voltou a crescer, chegando a 34,4% no início de 2023.

Nesse contexto, a estratégia adotada pelas carreiras mais influentes e bem organizadas da elite do governo federal para se aproximar de forma definitiva dos ganhos de juízes e membros do Ministério Público foi tão velha quanto eficaz: pressionar o governo e o Congresso para obter, também para si, penduricalhos a seus já elevados vencimentos básicos, tal qual fizeram os magistrados, promotores e procuradores de Justiça.

Como veremos nos próximos capítulos, advogados públicos e auditores da Receita Federal já conseguiram acoplar a seus vencimentos, situados entre 20 mil e 30 mil reais ao mês, adicionais de salários que praticamente fazem um advogado da União em início de carreira ou um fiscal lotado no interior do país ganharem quase o mesmo que um ministro do STF.

Quem já teve a oportunidade de morar ou passar uma temporada em Brasília certamente já se sentiu tentado a se matricular num cursinho e estudar para um concurso público. Como a capital federal gira em torno do Estado, conversas sobre editais, tabelas de remuneração, cargos em comissão e reajustes fazem parte do cotidiano das centenas de milhares de servidores federais e distritais lotados no Plano Piloto. Comigo não foi diferente.

No intervalo em que morei em Brasília, de junho de 1999 a abril de 2005, mesmo pertencendo a uma das carreiras mais bem remuneradas do Poder Executivo federal, foram várias as vezes em que cogitei me inscrever para prestar concurso para outros cargos, seguindo a trajetória que muitos colegas trilharam rumo a rendimentos melhores e carga horária menor e mais flexível.

Para quem não era formado em direito — o meu caso na época —, o caminho para a magistratura e o Ministério Público estava inviabilizado. No Executivo, dificilmente eu conseguiria uma posição melhor do que eu já havia alcançado, ainda mais naquele tempo em que os penduricalhos não tinham se disseminado, como demonstraremos nos próximos capítulos. Por isso, durante a minha passagem por Brasília, há quase duas décadas, o sonho de consumo de qualquer servidor das áreas não jurídicas era ser aprovado num concurso para o Poder Legislativo. E hoje não é diferente. Rumores sobre a publicação de editais para o Tribunal de Contas da União, a Câmara dos Deputados e o Senado Federal alimentam uma indústria de cursinhos, professores e elaboração de materiais didáticos para seus processos seletivos.

Na corrida pelos maiores rendimentos do Estado brasileiro, quanto mais próximo se está do poder, maiores as chances de se diferenciar da grande massa de servidores públicos e dos trabalhadores do setor privado em geral. No caso das carreiras do Legislativo, o contato frequente com deputados e senadores é um passaporte para benesses de diversas naturezas.

As vantagens começam pelo regime de trabalho. Servidores da Câmara e do Senado, assim como técnicos do TCU, se beneficiam, no todo ou em parte, da flexibilidade da carga horária e, principalmente, das folgas remuneradas devido aos recessos de seus superiores. No caso do Congresso Nacional, os parlamentares interrompem as atividades legislativas regulares em dois momentos: de 17 a 31 de julho e de 23 de dezembro a 1º de fevereiro. Já no Tribunal de Contas, que tem atividades em muito semelhantes às dos magistrados, mas com competência administrativa, a pausa segue o calendário do Judiciário, finalizando os trabalhos em 18 de dezembro e só retomando em 16 de janeiro do ano seguinte.

Se num país com tanto a se fazer em termos legislativos, de apurações de mau uso dos recursos públicos ou de julgamento de processos judiciais não faz o menor sentido paralisar o trabalho de parlamentares, ministros do TCU e magistrados por tanto tempo, mais difícil é explicar a extensão desse agrado aos servidores desses órgãos, todos com direito constitucional a pelo menos trinta dias de férias anuais. Afinal de contas, mesmo que não haja deliberações nos parlamentos e tribunais, certamente existe uma pesada carga de documentos a serem analisados, providenciados e preparados independentemente da presença das excelentíssimas autoridades que usufruem do recesso.

Além da carga de trabalho mais flexível e generosa quanto aos períodos de descanso, o que mais atrai o desejo dos concurseiros é, obviamente, a remuneração. Os ocupantes das carreiras mais prestigiadas do Legislativo federal têm tabelas remuneratórias que os deixam pouco abaixo do teto do funcionalismo. Os 1435 auditores de controle externo do TCU que estavam no topo da carreira em fevereiro de 2024 possuíam rendimentos mensais brutos de 35 305,02 reais, que poderiam ser acrescidos de funções de confiança que variavam entre 1464,64 e 6528,14 reais por mês, além de auxílio-alimentação e plano de saúde, entre outros benefícios.[24]

Na Câmara dos Deputados, os 1249 analistas legislativos na Classe Especial não ficavam muito atrás, com uma remuneração básica (vencimento mais gratificações) de 35 426,48 reais ao mês,[25] independentemente da nomeação em cargos em comissão ou funções de confiança — atividade que pode render um adicional de 16 978,98 mensais a seus ocupantes.[26]

Já os bem reputados 284 consultores legislativos do Senado Federal tinham direito em 2023 uma remuneração de até 37 221,08 mensais, com direito a uma eventual função comissionada que pagava um adicional de 9543,87 por mês.[27]

Engana-se, porém, quem acredita que a ótima folha de pagamentos dos servidores efetivos da Câmara e do Senado está restrita a cargos de grande especialização e habilidade para avaliar e dar parecer sobre peças orçamentárias e projetos de lei.

A Câmara dos Deputados, por exemplo, além de contar com um contingente de mais de 3500 trabalhadores terceirizados para exercer atividades como limpeza, vigilância, copeiragem e manutenção elétrica e de equipamentos,[28] possui um total de 3440 cargos efetivos para o exercício das mais diversas atividades, muitas delas com baixo nível de complexidade — embora com uma remuneração muito superior à média do mercado brasileiro. Os 39 operadores de audiovisual da TV Câmara, por exemplo, têm um vencimento que pode chegar a 27 493,75 reais por mês, mesmo valor que recebem os dezesseis "agentes de encadernação" que trabalham na gráfica do órgão.[29] Difícil imaginar alguma produtora de vídeo ou gráfica que pratique esses valores salariais no setor privado.

Muitas dessas distorções também estão presentes na folha salarial do Senado, que conta com 3318 servidores efetivos.[30] O órgão tem uma equipe de serviços de saúde de dar inveja, com um corpo de trinta médicos, vinte enfermeiros, cinco psicólogos, dois farmacêuticos e mais fisioterapeuta, nutricionista e até radiologista, todos com rendimentos que variam de 15 245,80 a 31 113,01 reais mensais. Na área de segurança, além dos vigilantes contratados por empresas privadas, há 360 cargos de policial legislativo, que na prática exercem as mesmas atividades de proteção à sede do Senado, porém com um salário que pode chegar a 24 656,56 reais por mês.

Todos os valores mencionados acima não incluem o pagamento de benefícios como auxílio-alimentação e assistência à saúde, e ainda podem ser elevados com adicionais diversos. No rol de penduricalhos disponíveis a servidores da Câmara e do Senado encontram-se os adicionais por tempo de serviço ("quinquênios"), adicional noturno, serviços extraordinários (horas extras), pagamentos de atrasados, diárias, férias indenizadas e licenças-prêmio convertidas em licença.[31]

As distorções remuneratórias dos servidores concursados no parlamento nacional são tão grandes que, de acordo com os relatórios consolidados dos pagamentos da Câmara dos Deputados, em diversos meses de 2023 foi possível identificar que a média dos ganhos líquidos dos analistas legislativos foi superior até mesmo à média dos pagamentos feitos aos deputados federais (desconsiderando as verbas de gabinete para exercício parlamentar).[32]

De modo agregado, em 2023, a média de rendimentos líquidos dos analistas legislativos da Câmara foi de 25 260,37 reais por mês. Já a categoria que seria menos valorizada na estrutura da Câmara, os técnicos legislativos, não ficaram muito atrás, recebendo em média 22 172,66 por mês, já levando em conta todos os descontos legais.

Esses números explicam bem por que, em Brasília, todos sonham em passar num concurso para a Câmara dos Deputados ou o Senado Federal — e apontam a distância dessas categorias com o Brasil real.

4. Advogados públicos no melhor dos mundos: Honorários privados, mas com garantias estatais

Durante os dois primeiros mandatos de Lula na Presidência da República, o advogado Pedro Abramovay exerceu diversos cargos no Ministério da Justiça, entre eles o de secretário nacional de Justiça e o de secretário de Assuntos Legislativos. Nesta última função, cuja competência era municiar as decisões ministeriais sobre propostas legislativas, Abramovay se notabilizou pela criação de um projeto bastante elogiado, o Pensando o Direito.

Por meio de editais, a Secretaria de Assuntos Legislativos (SAL) selecionava projetos de pesquisa elaborados por universidades públicas e privadas para investigar em profundidade algum tema específico, de interesse do Ministério da Justiça. O objetivo era promover estudos que pudessem orientar os posicionamentos do órgão com dados e argumentos técnicos em temas tão variados como o sistema recursal na Justiça brasileira, os estatutos dos imigrantes e dos povos indígenas, a nova lei de falências, a regulamentação do lobby ou ainda o combate ao tráfico de drogas.

O sucesso do programa Pensando o Direito pode ser medido pelas dezenas de relatórios de pesquisas produzidas entre 2007 e

2017, quando foi descontinuado.[1] Nesse período, muitos dos achados das produções acadêmicas foram utilizados para subsidiar projetos de lei e intervenções do Ministério da Justiça perante outros órgãos do Poder Executivo e também junto ao Legislativo e ao Judiciário.

A repercussão positiva da iniciativa da SAL, porém, não tardou a incomodar outras áreas do governo. No livro *A democracia equilibrista: Políticos e burocratas no Brasil*, Pedro Abramovay conta que certo dia, quando ainda comandava a secretaria, recebeu em seu gabinete uma notificação da associação de classe da AGU solicitando o encerramento do programa de pesquisas, porque ele seria inconstitucional.[2]

O argumento dos advogados da União se ancorava no art. 131 da Constituição, que estabelece que as atividades de consultoria e assessoramento jurídico do Poder Executivo são de competência da AGU. Portanto, o Ministério da Justiça não poderia se valer do conhecimento gerado no meio acadêmico por meio do programa Pensando o Direito para fundamentar seus posicionamentos, uma vez que, na visão da associação dos advogados públicos, essa seria uma prerrogativa exclusiva dos membros dessa categoria.

Pedro Abramovay narra essa história como um exemplo de como certas carreiras públicas se valem de todos os artifícios possíveis a fim de construir reservas de mercado e monopolizar atividades estatais para, assim, aumentar seu poder de barganha na promoção de pautas corporativistas, como autonomia funcional e orçamentária, aumentos salariais e outras regalias.

Pelo absurdo do argumento, a pretensão do sindicato não foi adiante. Mas uma investida muito mais ambiciosa da categoria à mesma época mostrou-se não apenas bem-sucedida como também muito vantajosa para os advogados públicos.

Em outubro de 2009, o então presidente do Senado Federal, José Sarney, instituiu uma comissão de juristas para elaborar um anteprojeto para modernizar o Código de Processo Civil (CPC), que datava de 1973 e já se encontrava ultrapassado devido à evolução da sociedade brasileira.

No discurso de posse dos especialistas, o ex-presidente da República manifestou seu desejo com a reforma da legislação em vigor. "O que espero é que os litígios não se estendam indefinidamente em uma vereda tortuosa de recursos e embargos, onde os mais prejudicados são sempre os mais pobres", destacou o experiente político.[3]

Após 180 dias de debates, tendo à frente o então presidente do STJ, Luiz Fux, a comissão composta de celebrados advogados e especialistas[4] entregou ao Senado o projeto de lei nº 166/2010, que propunha a consolidação e a agilização de regras processuais, buscando cumprir o objetivo de tornar a prestação jurisdicional mais célere e efetiva.[5]

O problema é que toda grande proposta de mudança legal, no Brasil, abre sempre a oportunidade de inserção de dispositivos que possam agradar a determinado grupo ou categoria. Com a classe política mobilizada para discutir e aprovar o novo normativo, muitas vezes privilégios e tratamentos especiais inseridos discretamente no texto em análise acabam aprovados de carona, passando despercebidos em meio a tantas outras modificações mais relevantes.

No embalo das discussões do novo CPC, os advogados públicos trataram de se mobilizar a fim de garantir, para si, um benefício polêmico havia muito conquistado por seus colegas dos escritórios privados.

Segundo o CPC de 1973, sempre que um processo era julgado, o juiz determinaria na sentença que a parte derrotada, além de pagar o que fosse devido como objeto da ação, também precisaria ressarcir o vencedor pelas despesas que ele tivera no processo, como custas judiciais, perícias e os honorários do advogado contratado. Essa última parcela, denominada "honorários sucumbenciais", seria arbitrada pelo juiz, entre um mínimo de 10% e um máximo de 20% do valor da condenação.[6]

Embora a redação do CPC de 1973 fosse clara no sentido de indicar que o valor desse tipo de honorário caberia à parte vencedora da ação, a classe dos advogados privados, capitaneada pela OAB, tratou de capturar para si essa fonte de remuneração que, até então, era paga a seus clientes. Graças a um poderoso lobby no Congresso, desde a aprovação da lei nº 8906/1994, também conhecida como "Estatuto da Advocacia", os advogados privados são remunerados não apenas pelos valores estabelecidos de modo consensual com seus contratantes como também pelos honorários sucumbenciais definidos na sentença.[7]

Durante a tramitação do projeto do novo CPC, os profissionais das entidades representativas das várias carreiras da advocacia pública — como advogados da União, procuradores da Fazenda e de autarquias federais, além de seus colegas nos estados e nos municípios — vislumbraram a chance de também serem contemplados com os honorários sucumbenciais nas causas em que atuavam.

Até então, sempre que a União ou algum estado ou município vencia uma ação na justiça, os honorários sucumbenciais eram depositados na conta única do ente federativo, sendo utilizados para o custeio das despesas e políticas públicas. Ao tentar se equiparar a seus colegas do setor privado, a categoria dos advogados públicos estava de olho nesse montante expressivo de recursos.

Assim, mal foi apresentado o projeto do novo CPC no Senado, as associações de defesa de advogados e procuradores públicos começaram a se mobilizar em busca dos honorários sucumbenciais nas causas estatais. Como a proposta elaborada pela comissão de juristas não tratava da questão, uma das primeiras emendas, apresentada no Senado pelo então senador Mozarildo Cavalcanti, propunha conceder aos membros dos órgãos da advocacia pública o direito ao recebimento desse tipo de honorário. Na justificativa apresentada, ele afirmava que buscava "reparação dessa injustiça em relação aos advogados públicos, os quais, não obstante os seus vínculos com o Estado, não perdem a condição de advogados".[8]

Durante a tramitação do projeto, porém, o relator da matéria, senador Valter Pereira, valeu-se do dispositivo constitucional do teto da remuneração do funcionalismo público para vetar a mudança. Em seu parecer, destacou:

> Evidentemente que essa regra [o art. 37, XI, da Constituição] também se aplica aos advogados públicos, o que, portanto, também impede que os honorários de sucumbência lhes sejam destinados, já que, em muitas hipóteses, o montante total percebido mensalmente, incluídos aí os honorários de sucumbência, extrapolaria o teto constitucionalmente previsto, o que é vedado.[9]

Os advogados públicos haviam perdido a batalha, mas não a guerra. Derrotados no Senado, direcionaram sua pressão sobre a Câmara dos Deputados.

Entre as novecentas emendas apresentadas pelos deputados federais, algumas foram elaboradas sob medida para atender ao pleito dos advogados públicos. Foi o caso da emenda nº 893, de autoria do deputado Jerônimo Goergen, que propunha que os honorários passariam a constituir direito do advogado, "público ou privado". Segundo a argumentação do parlamentar, não havia "qualquer motivo que trate de forma diversa o exercício da atividade de advocacia em razão da parte representada".[10] A equiparação entre advogados públicos e privados, portanto, estava na base do pleito.

O deputado Ronaldo Benedet foi ainda mais dramático na defesa dos interesses dos advogados públicos. Para ele, "privar os advogados públicos do recebimento dos honorários de sucumbência e de uma remuneração digna pelo seu trabalho, além de ser ilegal, é uma afronta ao princípio constitucional da dignidade da pessoa humana".[11] Na época (2011), um advogado da União já ganhava entre 14970,60 e 19451 reais, o que demonstra a total falta de noção do parlamentar ao recorrer ao argumento do princípio da dignidade humana, ainda mais num país com um contingente de milhões de miseráveis com renda inferior ao salário mínimo naquele ano, que era de apenas 540 reais.

A tramitação do projeto do novo CPC na Câmara dos Deputados levou mais de três anos e teve muitas idas e vindas. Como a matéria era bastante complexa, foi criada uma Comissão Especial para analisá-lo. Nela, foram proferidos cinco relatórios parciais, oito pareceres do relator e seis substitutivos ao texto recebido do Senado. Em todos eles, a proposta de estender os honorários de sucumbência aos advogados públicos foi rejeitada pelos integrantes da comissão.[12]

No entanto, na redação final do projeto, que acabou aprovado pelo plenário da Câmara dos Deputados em 30 de outubro de 2013, consta no art. 85, §19: "Os advogados públicos perceberão honorários de sucumbência, nos termos da lei".[13]

Há um ditado famoso em Brasília que diz: "Jabuti não sobe em árvore; logo, se há um jabuti no alto de uma árvore, alguém o colocou lá". Esse axioma se refere a dispositivos legais que "brotam" misteriosamente em proposições legislativas, inseridos em geral pela pressão de alguma empresa ou grupo social bem conectado com a classe política.

Na verdade, as entidades representativas dos advogados públicos já haviam quase conseguido emplacar sua reivindicação no relatório final da Comissão Especial do novo CPC. Seu pleito foi derrubado por dez votos a nove, com uma abstenção.[14] Mas a categoria não se deixou abalar com mais essa derrota. De acordo com os registros na página da Associação Nacional dos Advogados Públicos Federais (Anafe), diversas estratégias foram empregadas para fazer a cabeça dos deputados, inclusive um corpo a corpo de visitas aos gabinetes dos parlamentares no Congresso e em seus estados de origem.[15] Tanta pressão deu resultado, e o relator do projeto, deputado Paulo Teixeira (PT-SP), acabou cedendo e incluindo o pedido dos advogados públicos na versão que foi à votação.

A batalha final, porém, não foi fácil. Depois de aprovado o texto básico do novo CPC, os líderes do Progressistas (PP) e do Partido do Movimento Democrático Brasileiro (PMDB) apresentaram um destaque pedindo a votação em separado do dispositivo que garantia o pagamento dos honorários de sucumbência aos advogados públicos.

Em matéria publicada no *Jornal da Câmara* à época da decisão sobre o assunto, ficava claro o que estava em jogo. O deputado Fábio Trad, que presidiu a Comissão Especial do novo CPC, destacou que os auditores da Receita Federal já ganhavam gratificação por desempenho. Inocêncio Oliveira, por sua vez, defendeu que a instituição dos honorários faria justiça aos advogados públicos, uma vez que "os advogados da União recebem 65% do que recebe um integrante do Ministério Público".[16] Como sempre, travestida no discurso de valorização do serviço público estava a velha competição entre carreiras da elite do funcionalismo estatal para ver quem ganha mais.

Posto o texto em votação, a disputa foi apertada. Os líderes de PP, PMDB, Partido Social Democrático (PSD), Partido Trabalhista Brasileiro (PTB), Partido Social Cristão (PSC), Partido Republicano da Ordem Social (Pros), Partido da Mobilização Nacional (PMN) e também do PT, partido da então presidente Dilma Rousseff, se posicionaram contra a concessão dos honorários aos advogados públicos. Para a alegria dos integrantes da categoria, aberto o painel de votação, o "Sim", a favor do pleito corporativo, alcançou 206 votos (56,3% do total), enquanto o "Não" obteve apenas 159 (43,4%).[17]

Estava aprovada na Câmara dos Deputados a destinação dos honorários de sucumbência para as carreiras da advocacia pública da União, de estados e municípios, benefício que depois foi sacramentado pelo Senado Federal e referendado pela presidente da República, ao sancionar o novo CPC em março de 2015 (lei nº 13105/2015).[18]

Luseni Aquino, técnica do Ipea, pesquisa o perfil e a evolução das carreiras jurídicas na burocracia estatal brasileira. Analisando especificamente os advogados públicos federais, ela identifica três marcos institucionais que ampliaram o poder dessa categoria de servidores públicos.

O primeiro passo aconteceu com a Constituição de 1988, que atribuiu à advocacia pública, e não mais ao Ministério Público, a competência para realizar o assessoramento jurídico dos órgãos da administração pública direta e indireta federais. Em seguida, a lei complementar nº 73/1993 criou a AGU e, por fim, a lei nº 10480/2002 aglutinou a representação judicial e extrajudicial de autarquias e fundações públicas às atribuições do órgão.[19]

Correndo em paralelo ao processo de fortalecimento institucional do órgão, a autora também identifica uma diferenciação do padrão remuneratório de seus integrantes, numa tentativa de aproximação ao nível observado em outras carreiras jurídicas institucionalizadas há mais tempo, como os magistrados e os membros do Ministério Público.

Com o tempo, advogados da União, procuradores federais, procuradores da Fazenda Nacional e procuradores do Banco Central — as quatro carreiras que integram os quadros da AGU — se engajaram num processo de demarcação de espaços profissionais e de alargamento dos limites de seu monopólio no mercado de prestação dos serviços jurídicos no Poder Executivo federal. Aqui, a representação enviada ao antigo secretário de Assuntos Legislativos do Ministério da Justiça, Pedro Abramovay, alegando que o projeto Pensando o Direito representava uma afronta às competências exclusivas dos advogados públicos, serve como ilustração da estratégia exposta pela pesquisadora do Ipea.

Ao traçar o perfil demográfico dos integrantes dessas carreiras, Luseni Aquino identificou que, ao final de 2019, a média de idade no momento da posse dos quase 8 mil membros ativos das quatro carreiras da AGU era de 28,8 anos — e a idade mais frequente de entrada, chamada estatisticamente de "moda", era ainda menor, de apenas 26 anos.

Como a pesquisadora lembra muito bem, um dos requisitos para aprovação em concurso dessas carreiras é a comprovação de um tempo mínimo de experiência de três anos de prática jurídica. Assim, podemos concluir que a maior parte dos advogados públicos federais é admitida logo após a formatura no curso de direito, seguida de um breve período de experiência em escritórios privados. A simples aprovação no concurso público, portanto, proporciona aos iniciantes advogados públicos um rendimento básico mensal de 22905,79 reais, segundo a tabela em vigor na data de publicação deste livro.[20]

Ao comparar os níveis salariais médios com os dos outros cargos jurídicos, Aquino demonstra que a remuneração média de um advogado da União em 2019 (28 289,49 reais) era significativamente inferior à de um juiz federal (38 641,95) e ainda menor que a de um subprocurador da República, topo da carreira do Ministério Público (46 201,29).[21] Ela chama a atenção, porém, para o fato de que esses valores não incluem "penduricalhos" pagos aos membros do Judiciário e do Ministério Público, como o auxílio-moradia, nem os honorários de sucumbência recebidos pelos advogados da União.

Para a pesquisadora, a conquista do direito ao recebimento dos honorários de sucumbência pelos advogados públicos evidencia a lógica de espelhamento entre as carreiras jurídicas no Estado brasileiro. Protegidos da concorrência de mercado pela aprovação em concurso público, esses profissionais utilizam as mais diversas vias para se manterem próximos uns dos outros em termos de vencimentos (como os honorários e outros penduricalhos), descolando-se dos demais servidores públicos e mantendo-se, por sua influência política, imunes a propostas que afetam o funcionalismo público em geral, como limitações fiscais, tetos remuneratórios e tentativas de reforma administrativa.

Durante a tramitação do projeto do novo CPC, quando o direito ao recebimento dos honorários de sucumbência foi inserido depois de uma longa campanha política, um coletivo de sete associações de carreiras de advogados públicos federais denominado Movimento Pró-Honorários — Pelo Fortalecimento da Advocacia Pública[22] distribuiu aos deputados e senadores um folheto no qual expunha dez razões para que eles votassem a favor do pagamento do benefício.

Entre os motivos apresentados, havia informações falsas, como aquela que argumentava que a lei nº 8906/1994, conhecida como Estatuto da Advocacia, garante honorários de sucumbência para advogados públicos e privados — na verdade, a norma não se refere a advogados públicos.[23] O panfleto também distorcia conceitos fiscais, ao dizer que essas verbas não são receitas públicas e, por isso, constituíam direito dos advogados públicos. Havia também o velho argumento da equivalência entre carreiras, ao alegar que procuradorias estaduais e municipais já pagavam o penduricalho.

Entre as dez razões em defesa dos honorários, as entidades dos advogados citavam também um parecer jurídico que concluía pela possibilidade de pagamento do benefício aos advogados públicos — arrazoado, aliás, elaborado por um advogado da União diretamente interessado no assunto.[24] Na pressão para angariar o apoio dos parlamentares à causa, valeu até mencionar uma decisão do STF que garantia que as verbas sucumbenciais eram devidas ao advogado; as entidades só não explicavam que a jurisprudência citada, o recurso extraordinário nº 470 407/DF, se referia a um causídico privado, e não público.

Entre todos os argumentos forçados e distorcidos utilizados pelas associações dos advogados da União, nenhum se mostrou mais distante da realidade do que o item nº 6. Diziam os advogados e procuradores do Poder Executivo federal: "6. Os honorários sucumbenciais não ofendem os limites de remuneração no serviço público. No caso da Advocacia Pública Federal, prevê-se que cada profissional receberia cerca de 707,75 reais".[25]

Segundo dados do Portal da Transparência do Poder Executivo federal, desde que os honorários sucumbenciais começaram a ser pagos, no início de 2017, os valores mensais recebidos pela maioria dos advogados da União e procuradores federais, do Banco Central e da Fazenda Nacional se revelaram muitas vezes superiores ao informado aos parlamentares. Logo no início, o adicional salarial pago a esses servidores foi de 3744,01 reais por mês e em pouco tempo já estava na casa dos 6 mil mensais (em agosto de 2017, o pagamento mais frequente foi de 5898,60). Ao longo de 2023, cada advogado público, apenas a título de honorários sucumbenciais, engordou seu contracheque, em média, em 12 129,54 reais por mês (dados disponíveis de janeiro a novembro).[26]

Parte da expansão dos valores recebidos pelos advogados públicos a título de honorários de sucumbência se deve a outra manobra legal efetuada pelos integrantes dessas carreiras. Na elaboração da norma que regulamentou o benefício em âmbito federal, além dos honorários das ações judiciais foram incluídas também uma parcela de até 75% dos encargos legais cobrados em débitos de empresas e pessoas físicas inscritos na Dívida Ativa da União e a totalidade dessa mesma taxa cobrada das dívidas junto a autarquias e fundações públicas federais.[27] Dessa forma, os advogados federais se tornaram sócios da inadimplência dos pagadores de impostos no Brasil.

Como resultado de tantas benesses, é possível constatar no gráfico 6 que, entre 2017 e 2023, a decisão do Congresso Nacional de autorizar a destinação dos honorários de sucumbência nas causas vencidas pela União aos advogados públicos representou uma transferência de mais de 8,7 bilhões de reais para as contas bancárias de um grupo de pouco mais de 12 mil servidores públicos, aposentados e pensionistas vinculados às carreiras jurídicas do Poder Executivo federal.

GRÁFICO 6

TRANSFERÊNCIAS DA UNIÃO PARA O PAGAMENTO DOS HONORÁRIOS DE SUCUMBÊNCIA PARA ADVOGADOS PÚBLICOS E PROCURADORES FEDERAIS (ATIVOS E INATIVOS)

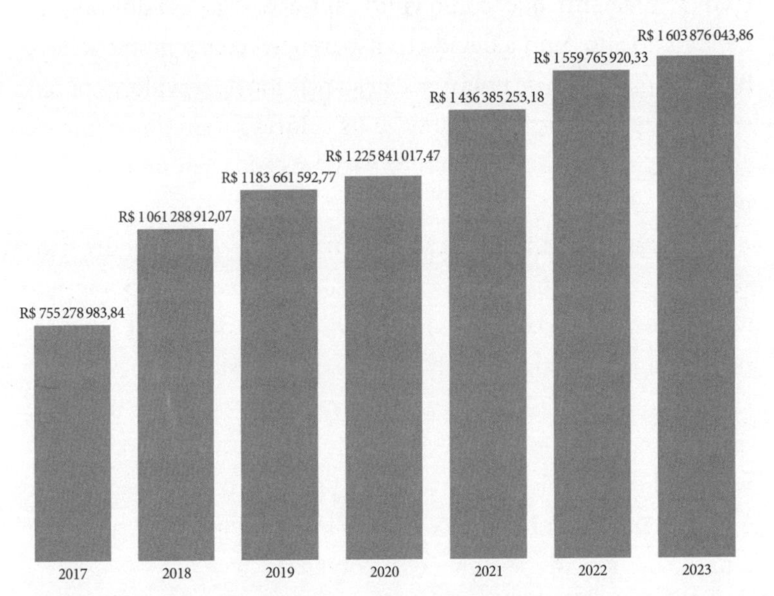

FONTE: Elaboração do autor a partir de dados do Portal da Transparência do governo federal. Dados deflacionados pelo IPCA até janeiro de 2024.

É inevitável pensar que esses recursos poderiam estar sendo utilizados para o financiamento de políticas públicas, em vez de turbinar o salário de servidores que já são muito bem remunerados, com vencimentos básicos que vão de 22 905,79 a 29 761,03 reais, a depender do tempo de carreira.

Também por força de lei, o gerenciamento e a distribuição dos honorários para os membros das carreiras da AGU são regidos por uma entidade privada, o Conselho Curador dos Honorários Advocatícios (CCHA), composto de oito membros, escolhidos entre integrantes de cada uma das quatro carreiras jurídicas do Poder Executivo federal.[28] Ao regulamentar o pagamento dos honorários, os advogados públicos conseguiram blindar a gestão dos recursos de qualquer ingerência política, com quase nenhuma transparência sobre a procedência ou o cálculo dos valores pagos, dificultando o acompanhamento, pela imprensa ou por organizações da sociedade civil, de uma cifra que, como vimos, ultrapassa a casa dos bilhões de reais ao ano. Sem a devida transparência, com a gestão desses honorários a cargo de uma associação privada de servidores públicos, a sociedade fica sem saber se os valores foram devidamente apurados e se a distribuição dos recursos está seguindo o que é preconizado pela legislação.

Na página de apresentação do CCHA na internet, os honorários são justificados como "uma modalidade de remuneração por performance inspirada nas mais modernas formas do regime privado, privilegiando a qualificação profissional e o máximo empenho". Na sequência, são apresentadas algumas notícias de páginas da AGU e da Procuradoria-Geral da Fazenda Nacional anunciando a recuperação judicial de valores para os cofres públicos, como a demonstrar a importância dos honorários como instrumento de incentivo à atuação dos servidores públicos do órgão.[29]

Para se defender da crítica de que os honorários seriam uma nova forma de privilégio para uma carreira da elite do funcionalismo, as entidades representativas dos advogados da União sempre se valem do discurso do estímulo à produtividade e do prêmio à excelência dos serviços prestados, afirmando que o esforço se reverte numa maior arrecadação de recursos ao erário. Há, porém, uma série de ressalvas a essa linha de raciocínio.

A questão do prêmio à produtividade é questionável pelo fato de que os honorários são repartidos de modo fraternal entre todos os integrantes da carreira, sem qualquer avaliação quanto à contribuição individual de cada servidor na conquista daqueles resultados. Assim, num exemplo extremo, se um advogado público passar a maior parte de seu tempo jogando *Paciência* no computador, ao final do mês ele receberá exatamente o mesmo salário e a mesma cota de honorários do colega supercomprometido que desenvolveu uma nova tese jurídica e conseguiu reverter o entendimento do STF a favor da União.

Caso se tratasse de uma remuneração de fato atrelada ao desempenho dos advogados, deveriam ser criadas métricas para avaliar as entregas pessoais, ajustando o valor do pagamento do benefício ao esforço e ao mérito de cada integrante da carreira. Não é isso, porém, o que acontece.

A comparação com as modernas práticas do setor privado utilizada pelo CCHA também é imperfeita. Ao contrário do que acontece nos escritórios de advocacia particulares, advogados públicos não estão sujeitos à pressão concorrencial do mercado, têm estabilidade empregatícia (se não formalmente, pelo menos na prática) e contam com um salário básico fixo, não atrelado a qualquer critério de performance, na elevada faixa de 20 mil a 30 mil reais por mês.

Justificar os honorários na advocacia pública buscando o paralelismo com os escritórios privados não faz nenhum sentido porque as estruturas das carreiras e sua lógica de remuneração são totalmente distintas. Nos escritórios particulares, além de estarem sujeitos à disputa com concorrentes e até à demissão, os advogados costumam receber um salário básico baixo, enquanto o grosso de sua remuneração vem das causas vencidas e dos contratos firmados com clientes. No setor público, tem-se o melhor dos mundos: além da garantia de emprego, o subsídio básico é elevado e o extra dos honorários também!

A maior evidência de que o honorário de sucumbência na advocacia pública não passa de um penduricalho salarial está na decisão, cumprida em outubro de 2022 e repetida em 2023, de se distribuir uma parcela extra do benefício a todos os integrantes da AGU. Nos dois anos, os dados do Portal da Transparência do governo federal revelam que cada integrante da carreira recebeu em média, respectivamente, 18 805,89 e 23 322,65 reais a título de honorários, praticamente o dobro dos meses anteriores, como se fosse um 13º pagamento, que inclusive não se sujeitou ao teto salarial do funcionalismo.

Por fim, o argumento de que a instituição dos pagamentos dos honorários de sucumbência aos advogados públicos leva a um maior êxito nas disputas judiciais envolvendo a União carece de estudos mais aprofundados para testar sua causalidade. O eventual aumento no número de vitórias do governo federal nos tribunais, alegado pelo CCHA, pode se dever a outros fatores, como aperfeiçoamentos da legislação e a própria dinâmica da pauta dos julgamentos, segundo a escolha, muitas vezes política, de se priorizar certos temas caros à União.

Sem elementos para comprovar de modo concreto que os honorários elevam o comprometimento com a defesa do interesse público, fica difícil sustentar esse polpudo adicional salarial para a carreira. Além disso, não faz o menor sentido que a maior parte dos advogados da União e procuradores de autarquias federais, da Fazenda Nacional e do Banco Central, independentemente de sua responsabilidade e do volume de processos pelo qual são responsáveis, recebam na prática a mesma remuneração de um ministro do STF, teto do funcionalismo público.

A conquista de um benefício salarial capaz de inflar os contracheques de servidores públicos em mais de 10 mil reais mensais, como aconteceu com os honorários de sucumbência para tais profissionais do Executivo, não se deu de forma tranquila perante as entidades de controle.

O benefício sofreu pelo menos dois questionamentos desde que foi criado. Em 2018, o Ministério Público Federal, por meio da Procuradoria-Geral da República, entrou com uma ADI questionando a incompatibilidade entre o pagamento dos honorários e o regime de subsídios a que os advogados da União estavam submetidos,[30] já que as carreiras recebem um valor fixo mensal, "vedado o acréscimo de qualquer gratificação, adicional, abono, prêmio, verba de representação ou outra espécie remuneratória", como diz a Constituição de 1988.[31]

O processo foi distribuído ao então ministro Marco Aurélio Mello. Parafraseando um trecho de *Romeu e Julieta*, de Shakespeare, em que o protagonista afirma que uma rosa não deixaria de ser uma rosa caso lhe déssemos outro nome, pois subsistiria o mesmo perfume, o relator entendeu que, ainda que tivesse o nome de "honorário de sucumbência", o instituto não deixaria de ser uma espécie de remuneração. Esse fato, na visão do ministro, era admitido pela própria AGU e, assim, ofenderia o comando constitucional de que os advogados públicos deveriam receber apenas o subsídio como forma de pagamento. Seu voto, portanto, foi pela declaração de inconstitucionalidade dos dispositivos legais que atribuíam os honorários de sucumbência aos advogados públicos.

Esse entendimento, porém, não foi aceito pelo ministro Alexandre de Moraes, que adotou a linha de raciocínio defendida pelos integrantes da carreira da AGU de que os honorários são um prêmio pela eficiência no desempenho de seu trabalho e, por isso, a regra constitucional do subsídio deveria ser relativizada para essa categoria. Nesse caso, a única restrição seria o respeito ao teto constitucional do funcionalismo público; ou seja, o pagamento dos honorários, somado aos subsídios, não poderia ultrapassar os rendimentos dos ministros do STF a cada mês.

A divergência aberta por Alexandre de Moraes acabou sendo seguida pelos demais ministros e, assim, o pagamento dos honorários sucumbenciais aos advogados públicos acabou sacramentado pelo STF.[32] Esse reconhecimento da constitucionalidade do aditivo salarial dado às carreiras que integram a AGU acabou tendo o bônus de matar na origem outra tentativa de extinção do benefício, uma vez que o Ministério Público de Contas estava questionando sua legalidade perante o TCU.[33]

A relativização, pelo STF, do princípio do pagamento único por subsídios, um aprimoramento criado pela reforma administrativa do governo Fernando Henrique Cardoso para moralizar o pagamento de supersalários no funcionalismo, abriu uma nova frente de pressão para as carreiras da elite salarial brasileira. A partir do momento em que a corte constitucional entendeu ser possível a uma categoria receber um alto salário fixo (o subsídio) com uma parcela remuneratória variável (os honorários), outras carreiras começaram a se mobilizar para, elas também, criar seus próprios adicionais, tendo como justificativa o incentivo à eficiência e à produtividade.

Um grupo que está muito próximo de assegurar para si os honorários de sucumbência é o dos defensores públicos. Os integrantes da Defensoria Pública vêm se mobilizando desde a Assembleia Nacional Constituinte para expandir sua área de atuação e alcançar um status similar ao alcançado pelo Ministério Público nas décadas anteriores.[34] Nesse processo, têm colhido vitórias expressivas ao assegurar o monopólio da promoção dos direitos da população necessitada,[35] a autonomia funcional e administrativa do órgão[36] e os mais altos subsídios no Poder Executivo federal, como vimos no capítulo anterior.

Mais recentemente, os integrantes se mobilizam para fazer jus, como seus colegas da AGU, ao recebimento dos honorários sucumbenciais nas causas em que atuarem e saírem vencedores. O objetivo ainda não foi alcançado, mas uma decisão do STF os deixou quase lá. Ao julgar um caso concreto em que a Defensoria Pública da União pleiteava o recebimento dos honorários de sucumbência numa causa em que condenou o governo federal a custear o tratamento de uma cidadã que havia sofrido um acidente vascular cerebral, os ministros do Supremo firmaram jurisprudência no sentido de que, em casos similares, o órgão deve receber 10% do valor da causa. A decisão deixa claro que a verba deve ser usada apenas para o aparelhamento das Defensorias Públicas, sendo vedado seu rateio entre os membros da instituição.[37] Não será surpresa, contudo, se nos próximos anos os sindicatos conseguirem alterar essa interpretação para permitir que, por simetria, os defensores públicos recebam os honorários da mesma forma que seus pares da advocacia pública.

Como num efeito dominó, a conquista do direito a receber os honorários de sucumbência pelos advogados públicos abriu uma nova frente de reivindicações nas velhas disputas remuneratórias entre as elites do funcionalismo. E se os defensores públicos estão próximos de também serem contemplados com esse adicional, os auditores da Receita Federal, que havia muito pleiteavam vincular seus vencimentos à arrecadação de tributos, voltaram à carga na luta por seus próprios privilégios.

5. Os eficientes fiscais da Receita Federal e a cobiça de outras carreiras

Àquela altura de sua carreira, o auditor fiscal Mario de Marco Rodrigues de Sousa já havia desfrutado de seus quinze minutos de fama. Então responsável pela unidade da Receita Federal que fiscaliza as bagagens de passageiros no Aeroporto Internacional de São Paulo, em Guarulhos, o servidor participara de alguns episódios da série *Aeroporto: Área Restrita*, transmitido no Brasil pelo canal de TV a cabo Discovery. O programa retrata o trabalho de autoridades policiais e alfandegárias no combate a crimes como tráfico de drogas e contrabando nos maiores aeroportos do mundo. No dia 4 de março de 2023, contudo, o trabalho de Mario de Marco saiu dos reality shows para ganhar destaque nas reportagens sobre a política brasileira.

Nessa data o jornal *O Estado de S. Paulo* trouxe como principal manchete uma matéria dos repórteres Adriana Fernandes e André Borges relatando a tentativa de um militar, assessor do então ministro de Minas e Energia, almirante Bento Albuquerque, de entrar no Brasil com um conjunto de joias avaliado em 3 milhões de euros. Tratava-se de um integrante da comitiva do ministro que havia realizado uma visita oficial à Arábia Saudita, e o valioso pacote não fora notificado à Receita Federal.

O fato aconteceu em 26 de outubro de 2021, quando aterrissou em Guarulhos o voo 773 da Qatar Airways, proveniente de Riad. Durante seu trabalho habitual de inspeção, os fiscais alfandegários identificaram na mochila do militar um estojo contendo um colar, um anel, um relógio e um par de brincos de diamantes da famosa marca suíça Chopard. Após passar pelos procedimentos habituais, o material foi recolhido pela Receita, para desagrado do ministro Bento Albuquerque, que pessoalmente pressionou o fiscal para liberar as joias, argumentando que seriam um presente da família real saudita para a então primeira-dama Michelle Bolsonaro.[1]

A reportagem do *Estadão* também apurou que, nos meses que se seguiram à apreensão, houve pelo menos outras oito tentativas de liberação das joias. Elas partiram de autoridades de diferentes ministérios (Minas e Energia, Economia e Relações Exteriores), da cúpula da própria Receita Federal e de militares ligados ao gabinete do presidente Jair Bolsonaro. Todas se revelaram frustradas.[2]

A atuação do auditor Mario de Marco, então chefe da Divisão de Conferência de Bagagem (Dibag) no Aeroporto Internacional de São Paulo, resistindo às pressões políticas para a restituição dos diamantes dados de presente à Presidência da República, foi ressaltada nos principais jornais e utilizada como exemplo da postura esperada de um servidor público.[3]

É para situações como essas que a legislação brasileira prevê institutos como estabilidade no emprego e rendimentos em patamares dignos com a responsabilidade de suas funções. Ao terem a garantia de que não serão demitidos por se manterem fiéis às suas competências, servidores públicos se sentem protegidos para cumprir a lei mesmo diante de ameaças, lícitas ou ilícitas, vindas de superiores, políticos ou empresários.

Essa é a justificativa pela qual carreiras estratégicas se legitimam para receber um tratamento diferenciado no aparato estatal, incluindo aí uma remuneração atraente. No entanto, há um difícil equilíbrio entre, de um lado, os justos incentivos para se selecionar e manter quadros bem preparados para o desempenho de funções relevantes para a administração pública e, de outro, a criação de uma casta privilegiada de servidores.

Em assembleia realizada no dia 14 de agosto de 2015, os auditores da Receita Federal decidiram paralisar suas atividades por tempo indeterminado, mantendo apenas aquelas consideradas essenciais. Em comunicado publicado nos principais veículos da imprensa escrita, a categoria informava que decidira cruzar os braços

> em razão da falta de valorização do cargo de auditor fiscal da Receita Federal do Brasil, tanto no aspecto remuneratório, pela falta de reajuste salarial, pela falta de regulamentação da indenização de fronteira, quanto no aspecto funcional, pela centralização das atribuições privativas dos auditores fiscais da Receita Federal nos ocupantes de cargo em comissão e de função gratificada, bem como pela falta de reconhecimento do cargo como típico e essencial ao Estado.[4]

A interrupção do trabalho de fiscais costuma vir acompanhada de problemas como atraso no desembaraço de mercadorias nos portos do país, longas filas decorrentes da demora nos procedimentos de desembarque em aeroportos e até queda na arrecadação federal, em razão do menor número de autuações e decisões administrativas em controvérsias tributárias com os contribuintes.

Depois de muita pressão, em março de 2016 o governo decidiu ceder aos pleitos da categoria. O ambiente político já estava carregado o bastante depois da abertura do processo de impeachment contra a presidente Dilma Rousseff e tudo o que o Palácio do Planalto não queria naquele momento era um esgarçamento das relações com os fiscais da Receita, que poderiam parar o país, provocando um caos nos portos, aeroportos e na própria coleta de recursos fiscais.

No dia 23 de março de 2016, o sindicato dos auditores fiscais firmou dois acordos com autoridades da Receita Federal e do Ministério do Planejamento, Orçamento e Gestão. No primeiro, o então secretário da Receita, Jorge Rachid, se comprometia a encaminhar um projeto de lei reconhecendo os auditores como "autoridade tributária e aduaneira", o que viria acompanhado de uma série de prerrogativas, como a obtenção de porte de arma de fogo e ingresso e trânsito livre em qualquer estabelecimento que poderia vir a ser alvo de seu trabalho, entre outras.[5]

O segundo acordo foi assinado por Edina Maria Rocha Lima, então secretária substituta de Gestão de Pessoas e Relações do Trabalho no Serviço Público, órgão do Ministério do Planejamento encarregado das negociações salariais no âmbito do governo federal. Nele foi introduzida a grande reivindicação remuneratória dos auditores fiscais na época: adicionar uma parcela variável a seus vencimentos básicos — o famoso "bônus de eficiência".

Na proposta do sindicato, aprovada pelos dirigentes da Receita e do Planejamento, parte do montante total das multas tributárias e aduaneiras arrecadadas pelo governo, assim como das receitas decorrentes da alienação de mercadorias apreendidas, seria destinada aos auditores fiscais, como prêmio por sua "eficiência" fiscalizatória.

Ainda segundo o acordo, o recebimento do bônus ficaria sujeito ao cumprimento de certos indicadores de desempenho e metas de produtividade, mas o valor seria dividido igualmente entre todos os integrantes da carreira, conforme o tempo de serviço (aqueles com mais de três anos de carreira ganhariam 100% do bônus), e até os aposentados e pensionistas seriam agraciados, embora com parcelas menores.[6] Perceba-se que, no caso do bônus dos fiscais, imperou a mesma sistemática que norteou os honorários de sucumbência dos advogados públicos.

Com o país paralisado pelo processo de impeachment, as reivindicações dos auditores fiscais só foram atendidas no apagar das luzes de 2016, já sob o governo de Michel Temer. Como mencionado no capítulo 3, com a medida provisória nº 765 o novo presidente cumpriu as promessas de aumentos salariais feitas por Dilma Rousseff a diversas carreiras do serviço público federal meses antes de sua destituição do poder.

Quanto aos auditores fiscais, além de enfatizar que a Receita Federal é "órgão essencial ao funcionamento do Estado" e que suas atividades são exclusivas de seus servidores, a medida provisória criou o novo Bônus de Eficiência e Produtividade na Atividade Tributária e Aduaneira, que foi estabelecido em 3 mil reais mensais para auditores e 1800 reais para os analistas tributários, a outra carreira da Receita Federal. O valor seria mantido nesse patamar até que o governo publicasse um decreto disciplinando as metas institucionais e a base de cálculo no bônus, que seria variável com a arrecadação federal.[7]

A medida provisória também trouxe um cronograma de reajustes salariais para o período de 2017 a 2019. Nele, os vencimentos básicos de um auditor fiscal em início de carreira passariam de 15 743,64 para 21 029,09 reais em janeiro de 2019 (mais o bônus de 3 mil). No caso dos fiscais no degrau mais alto da escala remuneratória, seus ganhos chegariam a 27 303,62 reais. Com o bônus, um auditor fiscal em final de carreira passaria a ganhar 30 303,62 reais — praticamente 90% da remuneração de um ministro do STF na época, estabelecido em 33 763 reais.[8]

Na disputa entre as carreiras da elite do Poder Executivo federal, esse reajuste e a instituição do bônus de eficiência deixaram os ganhos dos auditores fiscais da Receita muito próximos aos do teto do funcionalismo. A velha tática do penduricalho estava dando certo.

Mas a categoria queria mais; a depender da regulamentação do bônus, seus vencimentos poderiam até se igualar aos dos ministros do Supremo.

Parece absurdo, e é. Por mais relevante que seja sua atividade, não faz muito sentido um auditor da Receita, não importando se é responsável por fiscalizar os balanços de uma multinacional que recolhe milhões de reais em tributos ou se exerce meras funções burocráticas numa tranquila agência no interior do país, ganhar o mesmo que o presidente da República ou um ministro da mais alta corte do país.

Desde a criação do bônus de eficiência, porém, todos os esforços das associações representativas dos servidores da Receita Federal se concentraram em extrair dos poderes Executivo, Legislativo ou Judiciário as regras mais favoráveis possíveis para turbinar esse penduricalho salarial obtido na transição entre os governos Dilma e Temer.

De 2016 a 2023, os auditores realizaram greves e paralisações, interromperam julgamentos importantes no Conselho Administrativo de Recursos Fiscais (Carf) e ameaçaram entregar seus cargos de chefia, entre outras mobilizações coletivas.

E quando os métodos sindicais tradicionais pareciam não funcionar, o jeito foi recorrer à política. As páginas na internet das duas entidades representativas dos fiscais — Unafisco e Sindifisco Nacional — apresentam dezenas de matérias elaboradas por suas assessorias de imprensa nos últimos anos que registram ações de seus dirigentes junto a parlamentares, buscando aprovar dispositivos normativos relativos ao bônus e influenciar o governo a enfim regular o assunto.

Uma consulta na página de proposições legislativas da Câmara dos Deputados revela que desde 2017 foram apresentadas pelo menos doze iniciativas normativas para regulamentar ou ampliar os limites orçamentários para o pagamento do bônus para os servidores da Receita Federal. Entre os deputados que se colocaram a serviço da defesa dos interesses dos auditores fiscais, pouco importa a coloração ideológica. Os sindicatos dos servidores da Receita conseguiram apoio para sua causa de parlamentares da esquerda — Túlio Gadêlha (Rede Sustentabilidade-PE) e André Figueiredo (Partido Democrático Trabalhista-CE)[9] —, passando pelo centro — Diego Andrade (PSD-MG)[10] e Júlio César (PSD-PI)[11] — e até chegar à direita, com o ex-bolsonarista Luis Miranda (Republicanos-DF).[12]

Quando se trata de assuntos envolvendo a aprovação de benefícios, os interessados ficam de olho em qualquer oportunidade que possa surgir para aprovar seus pleitos — mesmo que seja diante de uma emergência social. Durante a tramitação de uma medida provisória sobre renegociação de passivo tributário (MP nº 899/2019), o deputado Gilberto Nascimento (PSC-SP) apresentou a emenda nº 162, que buscava regular o pagamento do bônus de eficiência e produtividade de acordo com os interesses dos auditores e analistas fiscais da Receita Federal.

Por não ter pertinência à matéria principal da medida provisória, a sugestão foi rejeitada pelo relator, o deputado Marco Bertaiolli (PSD-SP). Mas quando a matéria foi à votação no plenário da Câmara, no dia 18 de março de 2020, todos os olhos já estavam voltados para o coronavírus e a recente decretação de estado de emergência no país. Foi aí que o deputado Hildo Rocha (MDB-MA) propôs ressuscitar a emenda dos fiscais, e a proposta foi aprovada de maneira sorrateira, na calada da noite, sem qualquer resistência.

Não seria dessa vez, porém, que a regulamentação do bônus da Receita sairia. Durante a revisão da medida no Senado, os senadores Fabiano Contarato (PT-ES), Carlos Viana (PSD-MG), Chico Rodrigues

(Democratas-RR) e Alessandro Vieira (Cidadania-SE) denunciaram que o dispositivo incluído pela Câmara não guardava consonância com o assunto da medida provisória, e por determinação constitucional não poderia ser aprovado.

Para desespero dos auditores, a tão desejada norma do bônus caiu.

Na saga pela implementação de seu adicional salarial, algumas vezes os auditores da Receita tiveram que atuar na defensiva. Em decisão de agosto de 2019, o TCU publicou um acórdão determinando que o Ministério da Economia e a Casa Civil se abstivessem de implementar o bônus de eficiência enquanto não houvesse uma lei fixando a base de cálculo do adicional, e que o Ministério da Economia estabelecesse a compensação da renúncia fiscal decorrente do pagamento do incentivo aos aposentados, que não estava sujeito à contribuição previdenciária.[13]

Em outra frente, o procurador-geral da República, Augusto Aras, protocolou em setembro de 2020 uma ADI perante o STF questionando a nova fórmula de remuneração dos auditores fiscais. Como também aconteceu com os honorários de sucumbência, na visão do Ministério Público Federal o pagamento do bônus da Receita seria inconsistente com o regime de remuneração por subsídios da Constituição, que veda qualquer tipo de gratificação, adicional, prêmio ou outra espécie além dos vencimentos básicos. Na ação, o Ministério Público expunha seu entendimento de que, com o bônus, o auditor estaria recebendo um valor extra por um trabalho que já é de sua competência realizar com eficiência e de modo produtivo.[14]

Esses dois processos — um movido pelo TCU e outro pela Procuradoria-Geral da República — não apenas evidenciavam pontos questionáveis do novo modelo de pagamento para os servidores da

Receita Federal. Eles expunham a própria disputa existente entre as carreiras de elite do funcionalismo, da qual são parte, junto com os auditores fiscais, também os analistas, auditores e ministros do Tribunal de Contas e os membros do Ministério Público.

Como as duas ações punham em risco o pagamento do bônus, as entidades de classe trataram de acionar seus escritórios de advocacia para tentar influenciar a decisão do Supremo. Menos de dez dias após a abertura do processo, a Associação Nacional dos Auditores Fiscais da Receita Federal do Brasil (Unafisco Nacional), o Sindicato Nacional dos Auditores Fiscais do Trabalho (Sinait) e o Sindicato Nacional dos Auditores Fiscais da Receita Federal do Brasil (Sindifisco Nacional) protocolaram pedidos para atuar no processo como *amicus curiae*. Mais tarde foram admitidos também o Sindicato Nacional dos Analistas-Tributários da Receita Federal do Brasil (Sindireceita), a Associação Nacional dos Auditores Fiscais da Receita Federal do Brasil (Anfip) e a Federação Nacional do Fisco Estadual e Distrital (Fenafisco).

Os "amigos da corte" são uma figura relativamente recente no processo constitucional brasileiro, e se referem a órgãos ou entidades que são admitidos no processo para fornecer subsídios ao órgão julgador.[15] No caso da ação contra o bônus, os sindicatos das categorias de auditores não eram terceiros interessados, como prevê a legislação que trata dos *amicus curiae*, mas, sim, partes beneficiárias diretas da decisão a ser tomada pelo STF. Apesar disso, as entidades foram admitidas ao processo pelo relator do caso, o ministro Gilmar Mendes, e assim puderam protocolar documentos, apresentar memoriais e trabalhar para convencer os ministros do Supremo de que o bônus de eficiência era constitucional e deveria ser mantido.

Entre os dias 25 de fevereiro e 8 de março de 2022, com o Supremo ainda atuando em sessões virtuais por causa da pandemia, os representantes das entidades Sindifisco, Anfip, Sinait e Sindireceita tiveram a oportunidade de apresentar seus argumentos de viva voz perante o plenário da corte, potencializando a defesa de seus interesses. Ao final do julgamento, a constitucionalidade do bônus de eficiência foi reconhecida por unanimidade.[16]

Com o respaldo do STF, os auditores precisavam agora extrair do governo a tão prometida regulamentação do bônus, que poderia multiplicar os valores do benefício para muito além dos 3 mil reais mensais que vinham sendo pagos aos fiscais desde 2016. E as eleições presidenciais se mostravam a oportunidade ideal para tornar suas ambições realidade.

O lobby dos fiscais é poderoso e foi muito bem documentado por ninguém menos que a Unafisco. Em texto publicado em sua página na internet para comemorar a aprovação da regulamentação de seu bônus salarial, a associação revelou sua estratégia de pressão e mobilização logo após as eleições presidenciais de outubro de 2022.[17]

Segundo o relato, ainda durante a transição governamental os representantes da Unafisco se reuniram com o vice-presidente Geraldo Alckmin e com dois dos principais técnicos da área econômica do PT: Gabriel Galípolo e Guilherme Mello, que se tornariam, algumas semanas depois, respectivamente secretário executivo e de Política Econômica do Ministério da Fazenda.

Ainda na cerimônia de posse de Fernando Haddad como ministro da Fazenda, os dirigentes da associação contataram o novo secretário da Receita Federal, Robinson Barreirinhas, dando início a uma série de encontros com a cúpula do órgão para tentar destravar a regulamentação do bônus.

A pressão parecia estar dando certo. Numa de suas primeiras entrevistas após a posse, concedida ao portal Brasil 247, o novo ministro anunciou que os auditores fiscais precisavam ser valorizados e que a questão do bônus seria resolvida “na primeira hora”.[18]

Calejadas pelas frustrações e derrotas nos anos anteriores, quando a regulamentação do benefício parecia próxima e acabara sendo adiada, as entidades decidiram atacar não apenas na esfera administrativa, mas também na frente parlamentar. Ainda segundo a descrição da associação, as principais lideranças da base do presidente Lula no Congresso foram acionadas em maio, como os senadores Jaques Wagner (PT-BA, líder do governo), Renan Calheiros (MDB-AL) e Veneziano Vital do Rêgo (MDB-PB).

Como se não bastasse o corpo a corpo com superiores, expoentes da equipe econômica e parlamentares do alto clero, a associação de fiscais da Receita decidiu investir pesado na luta para turbinar seu bônus, pagando pelos serviços de um dos mais influentes lobistas de Brasília. A estratégia é contada assim pela Unafisco, a associação dos auditores fiscais:

> Uma das diversas iniciativas adotadas pela entidade foi a contratação de empresa de assessoria parlamentar para fortalecer a articulação política da entidade na questão do bônus. Foi contratada, no mês de maio, a renomada Blue Solution, cujo consultor-chefe é o ex-senador Romero Jucá, que possui vasta experiência na articulação política com [o] Congresso Nacional e o Poder Executivo e cujo trabalho de bastidores foi muito importante para o desfecho favorável à publicação do tão esperado decreto que regulamenta o bônus.

Menos de um mês depois de contratar aquele que já foi chamado de "resolvedor-geral da República", a edição de 5 de junho de 2023 do *Diário Oficial da União* trouxe publicado o decreto que regulamenta o pagamento do novo bônus de eficiência para auditores e analistas da Receita Federal.

Tanto esforço em ações de mobilização, articulação política, ações judiciais e defesa de interesses perante autoridades dos três poderes durante quase uma década parece ter valido a pena.

De acordo com o decreto nº 11 545/2023, o pagamento do bônus de eficiência e produtividade para auditores fiscais e analistas tributários da Receita Federal estará atrelado a um índice de eficiência institucional, que levará em conta métricas de efetividade das ações de fiscalização e cobrança de tributos, bem como o desempenho nos julgamentos administrativos fiscais no Carf e o prazo de duração de processos e fluidez do comércio exterior, além da meta global de arrecadação bruta do governo. Um comitê composto do secretário da Receita Federal e dos secretários executivos do Ministério da Fazenda, da Casa Civil e do Ministério da Gestão e da Inovação em Serviços Públicos será encarregado de estabelecer a metodologia de cálculo desse indicador e aferir os resultados.[19]

O valor final do bônus será definido pela multiplicação do índice de eficiência pelo percentual de até 25% das receitas que integram o Fundo Especial de Desenvolvimento e Aperfeiçoamento das Atividades de Fiscalização (Fundaf). Trata-se de uma reserva de recursos públicos criada em 1975 para estruturar as atividades da Receita Federal e que hoje se destina a arcar com o financiamento das ações de capacitação e desenvolvimento do órgão, com as despesas de funcionamento do Carf e, desde o final de 2016, com o pagamento do bônus dos auditores fiscais.[20]

O cálculo do valor final do bônus é um pouco complexo, pois exclui da conta os valores das multas tributárias e aduaneiras recolhidas pela Receita — em atendimento às críticas de que o incentivo iria fomentar uma "indústria de multas" no Brasil — e a taxa do Sistema Integrado de Comércio Exterior (Siscomex), mas em compensação inclui 80% dos juros de mora nos débitos inscritos na Dívida Ativa da União.

Na proposta de Lei Orçamentária de 2024, o ministro da Fazenda, Fernando Haddad, autorizou a alocação de 2,43 bilhões de reais para o pagamento do bônus de eficiência e produtividade aos auditores fiscais e analistas tributários no primeiro ano de vigência da nova regulamentação.[21]

Para se ter uma ideia do quanto esse valor poderia impactar o contracheque dos fiscais da Receita Federal, a conta é simples. No ano de 2022, quando ainda imperava o valor inicial de 3 mil reais para auditores e 1800 reais para analistas, a despesa total do Ministério da Fazenda com o benefício para ativos e inativos foi de 748,3 milhões de reais. Com uma disponibilidade orçamentária mais de três vezes superior (2,4 bilhões de reais), caso concretizada a previsão do governo para o exercício de 2024 o valor do benefício passaria de 9 mil para auditores e 5500 reais para analistas — por mês.

Isso significa que os auditores que se encontram em final de carreira, que desde maio de 2023 têm uma remuneração básica de 29 760,95 reais,[22] com o novo bônus receberão um valor muito próximo do subsídio dos ministros do STF, atualmente em 41 650,92 reais.[23] Assim como os advogados públicos, portanto, os fiscais da Receita também conseguiram se posicionar no topo remuneratório do funcionalismo brasileiro por meio de um penduricalho acoplado a seu salário básico.

A perspectiva de regulamentação e ampliação do bônus para a Receita, num contexto em que a economia brasileira vem de uma década de crescimento muito baixo, ajuda a explicar a acirrada disputa no último concurso para auditor fiscal, lançado em 2022. Na ocasião, 53 517 candidatos se submeteram a provas sonhando com uma das 172 vagas que sem dúvida mudarão sua vida para muito melhor em termos financeiros — o que significa uma concorrência de 311,1 candidatos por vaga. Menos de uma década antes, em 2014, com um número um pouco maior de vagas oferecidas (190), o concurso para a Receita Federal havia atraído apenas 25 872 interessados — menos da metade, portanto.

GRÁFICO 7
RELAÇÃO CANDIDATO/VAGA NOS ÚLTIMOS CONCURSOS PARA AUDITOR FISCAL DA RECEITA FEDERAL

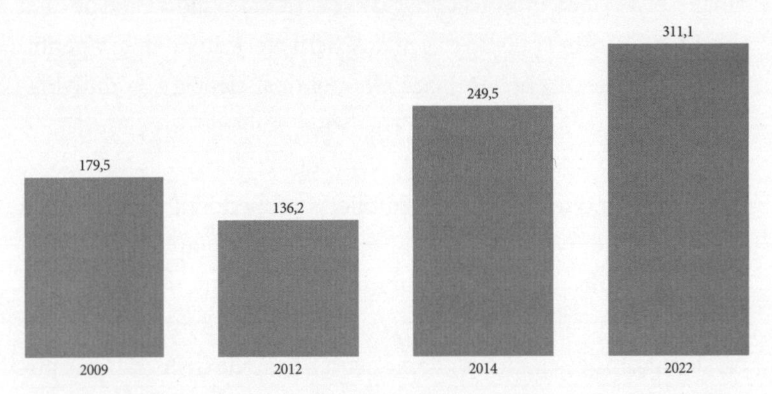

FONTE: Elaboração do autor a partir de dados da Escola de Administração Fazendária (organizadora dos concursos de 2009, 2012 e 2014) e da Fundação Getulio Vargas (certame de 2022). Os dados se referem ao número de candidatos e de vagas de ampla concorrência, sem considerar as cotas de deficientes (2009 a 2014) e de deficientes e negros (2022).

As funções exercidas pelos auditores e analistas da Receita Federal são essenciais para o desenvolvimento do país — e isso não tem a ver apenas com a postura firme em resistir às pressões para liberar joias recebidas em circunstâncias duvidosas pelos governantes do momento. A arrecadação eficiente de tributos, o combate à sonegação e a fiscalização de nossos portos, aeroportos e fronteiras contribuem para o financiamento de políticas públicas e o bom funcionamento da economia.

Nesse sentido, a iniciativa de estabelecer parâmetros e metas para as principais atividades exercidas pelos servidores da Receita Federal, bem como vincular parte de sua remuneração ao desempenho, adequa-se às práticas mais modernas da administração, condizentes inclusive com o verificado no setor privado.

A instituição do bônus de eficiência e produtividade para os fiscais da Receita, contudo, destoa desses objetivos em duas dimensões:

além de partir de um patamar de remuneração básico já bastante elevado e muito superior ao de cargos de auditoria no setor privado, o adicional não leva em consideração a contribuição individual de cada servidor ao cumprimento das metas. Sem aferição do desempenho pessoal dos fiscais, a denominação "bônus de eficiência e produtividade" se torna apenas um eufemismo para um privilegiado penduricalho salarial.

Permitir que um servidor público, independentemente de seu esforço e produção, tenha remuneração quase igual à de postos de imensa responsabilidade (como ministros do STF) ou de respaldo popular conquistado nas urnas (no caso de presidente da República, deputados e senadores) demonstra o grau de distorção nas políticas salariais do Poder Executivo federal.

A longa luta dos servidores da Receita Federal para a criação de um bônus que os aproxima do teto do funcionalismo público se insere, ainda, numa disputa entre as carreiras de elite não apenas do governo federal, mas envolvendo também os outros poderes e níveis federativos.

Um levantamento realizado pelo sindicato dos auditores fiscais da Receita Federal em 2022, utilizado como elemento de convencimento para a regulamentação do bônus, mostrou que, em razão de penduricalhos como gratificações, vantagens pessoais, prêmios por produtividade, pro labore, verbas indenizatórias e outros aditivos com os mais variados nomes, a remuneração de auditores das Receitas estaduais variava de 23 767,40 (no Espírito Santo) a incríveis 88 986,97 reais mensais no Amazonas.

No confronto com as remunerações dos fiscos estaduais, o Sindifisco colocava os auditores da Receita Federal na 27ª posição do ranking com seu antigo bônus de 3 mil reais, à frente apenas dos colegas capixabas.[24]

Em mais uma evidência das distorções dos penduricalhos na elite do serviço público, que envolve também carreiras em âmbito estadual e até dos maiores municípios do país, segundo o relatório do Sindifisco, aditivos salariais classificados como de natureza indenizatória (não sujeitos ao teto nem à cobrança de imposto de renda) faziam com que, em 2022, fiscais de 22 dos 27 estados ganhassem mais do que um ministro do STF.

Durante as negociações para a aprovação do orçamento de 2024 no Congresso, a dotação prevista para o pagamento do bônus para os auditores e analistas da Receita Federal foi parcialmente sacrificada para atender às exigências de deputados federais e senadores por mais emendas orçamentárias.

Sentindo-se novamente ameaçadas, as categorias deflagraram uma nova greve, que durou 81 dias. Temendo o impacto da paralisação sobre a arrecadação tributária e o atingimento das metas fiscais em 2024, o governo acabou cedendo.

Em 14 de fevereiro de 2024, o Ministério da Gestão e Inovação em Serviços Públicos celebrou com os representantes dos sindicatos e associações das carreiras do Fisco federal um acordo para a ampliação progressiva do bônus de eficiência e produtividade.[25] O valor do adicional subiu de 3 mil mensais para 4500 já no contracheque de fevereiro, devendo chegar a 5 mil reais no segundo semestre de 2024, 7 mil em 2025 e atingindo finalmente, 11 500 reais mensais por servidor em 2026.[26] Com base na atual tabela de rendimentos da carreira, os auditores fiscais da Receita poderão receber um vencimento total de mais de 40 mil reais por mês a partir de 2026, considerando-se o subsídio e o bônus.

Na corrida rumo à primazia de estar entre os mais bem remunerados do serviço público brasileiro, não é de hoje que as carreiras mais poderosas utilizam os mais diferentes subterfúgios legais para inflar seus vencimentos.

Algumas se valem da natureza de seu trabalho. Diplomatas, por exemplo, fazem parte de uma das carreiras mais antigas e prestigiadas do Estado brasileiro, tendo atraído para seus quadros figuras eminentes de nossa história, tanto na política como na cultura e na economia.

Organizada de forma hierárquica no modelo weberiano tradicional, nossa diplomacia tem salários compatíveis com as categorias da elite do Poder Executivo federal, recebendo hoje em dia subsídios mensais de 20 926,98 reais para os terceiros-secretários (cargo de entrada na carreira) a 29 832,94 reais pagos aos ministros de primeira classe, que em geral representam o Brasil no exterior como embaixadores.[27]

A remuneração básica dos diplomatas, que sempre esteve entre as mais altas do Poder Executivo federal, se torna totalmente disfuncional quando eles são destacados para atuar em outros países. Quando servem em embaixadas, consulados e organismos internacionais, os integrantes da carreira diplomática têm garantida uma série de benefícios criados com o propósito de adequar seu padrão remuneratório às condições de trabalho fora do Brasil. Mas ao colocar na ponta do lápis o quanto representam essas regalias, constatamos que a legislação atual torna seu nível de renda muitíssimo vantajoso, mesmo se levarmos em conta as diferenças no custo de vida no estrangeiro.

Quando vai servir fora, o diplomata tem direito, além da ajuda de custo para mudança e transporte aéreo, a um pacote de benefícios composto de 1) retribuição básica, que cumpre o papel de salário básico quando está trabalhando no estrangeiro; 2) indenização de representação no exterior (Irex), destinada a "compensar as despesas inerentes à missão de forma compatível com suas responsabilidades e encargos"; 3) auxílio familiar de 10% para o cônjuge e 5% para cada dependente, incidente sobre a Irex; e 4) auxílio-moradia. Despesas eventuais também estão incluídas, como o pagamento de diárias em viagens a serviço e auxílio-funeral.[28]

O pagamento desses benefícios segue uma combinação de valores que varia conforme o cargo ocupado pelo diplomata na carreira e o local de serviço. Assim, se ele estiver lotado num consulado ou embaixada em um lugar que oferece riscos, como Cabul ou Bagdá, ou mesmo onde o custo de vida é muito elevado, como Singapura ou Zurique, vai ter uma remuneração mais alta para compensar as condições de trabalho ou de moradia.

Como as possibilidades de combinação são imensas, tomemos um caso concreto para dar ideia dos montantes recebidos pelos diplomatas em missão no exterior. Imagine o caso de um ministro de primeira classe, cargo mais alto da carreira, que esteja prestando serviço na embaixada brasileira em Washington, DC — que, apesar de visado por sua importância política, não é um dos postos mais dispendiosos do ponto de vista do custo logístico. De acordo com a legislação aplicável, esse profissional fará jus a uma retribuição básica de 7209,80 dólares,[29] acrescida de indenização de representação no exterior de 6136 dólares,[30] auxílio familiar de 1227,20 dólares (se tiver cônjuge e dois filhos)[31] e mais um auxílio-moradia que pode chegar a 12 080,25 dólares, no caso de até dois dependentes.[32]

Esse rendimento dos diplomatas em atuação no estrangeiro, que nesse exemplo ultrapassa os 26 mil dólares mensais, conta com duas vantagens adicionais. Como por lei são considerados como indenizações, os pagamentos da Irex, do auxílio familiar e do auxílio-moradia não estão sujeitos nem ao teto do funcionalismo nem ao pagamento de imposto de renda. Além disso, por determinação de uma lei aprovada no governo de Fernando Henrique Cardoso, os servidores públicos que trabalham no exterior pagam imposto de renda apenas sobre um quarto de sua retribuição básica.[33] Em termos de rendimentos líquidos, nesse caso hipotético de diplomata lotado na embaixada brasileira em Washington, DC, sua renda mensal após o pagamento de impostos seria de mais de 25 mil dólares, ou 125 mil reais, considerando uma taxa de câmbio de cinco reais por dólar. Se em vez da capital americana ele tivesse sido deslocado para algum posto num local mais caro ou remoto, o valor seria ainda mais elevado.

Assim, nossos diplomatas em missão no exterior deveriam se considerar privilegiados pelo valor líquido recebido — muito superior ao de outras carreiras de nível superior no Brasil — e pelo tratamento tributário especial ao qual estão submetidos, pois boa parte dos rendimentos é isenta do imposto de renda.

Antes que as entidades representativas desses profissionais argumentem que a comparação com outros cargos do serviço público brasileiro não é justa, por causa das diferenças no custo de vida no exterior e na taxa de câmbio, vale lembrar que um diplomata no topo da carreira nos Estados Unidos ganha no máximo 183 500 dólares anuais[34] (15 291,67 por mês). Fazendo outro paralelo, agora com um caso concreto, o diplomata britânico Michael Tatham, que ocupou o cargo de vice-embaixador do Reino Unido em Washington, DC, de janeiro de 2018 a julho de 2022, recebia um salário anual entre 90 mil e 95 mil libras esterlinas em setembro de 2019 (o que representava menos de 10 mil dólares mensais à época), de acordo com dados abertos do governo britânico.[35] Vê-se, portanto, que os diplomatas brasileiros, ao atuar no estrangeiro, são muito bem remunerados, inclusive em relação a seus pares de países desenvolvidos.

Além dos diplomatas, outra categoria sempre usada como argumento na defesa por penduricalhos salariais nos poderes Executivo, Legislativo e Judiciário é a dos empregados de empresas públicas e sociedades de economia mista. Por não serem servidores públicos, uma vez que estão sujeitos às regras da CLT, os funcionários de estatais com perfil e competências semelhantes ou relativamente similares às das carreiras da elite do funcionalismo também despertam a inveja em seus colegas pelos benefícios de que desfrutam.

É o caso dos técnicos do Banco Nacional de Desenvolvimento Econômico e Social (BNDES). Um economista ou administrador da instituição, por exemplo, recebe um salário-base que varia hoje entre 15 737,92 (início de carreira) e 36 648,20 reais (topo).[36] A esses valores se somam benefícios como ajuda de custo para a educação dos filhos de até 1581,30 por dependente com menos de dezoito anos, auxílio-refeição de 1942,69 e assistência-saúde de 2163,96 reais mensais.[37] A carga de trabalho no BNDES, é importante destacar, é de apenas trinta horas semanais, uma vez que os funcionários são tratados como se fossem bancários em atendimento nas agências de uma instituição financeira.

Mas o que mais provoca a cobiça das demais carreiras do funcionalismo em relação a empregados do BNDES são os pagamentos anuais de participação nos lucros ou resultados (PLR). Por ser uma empresa pública, o banco estatal distribui lucro a seus funcionários, e os valores são bastante expressivos. De acordo com informação prestada pela própria instituição ao Ministério da Economia, os valores médios pagos a seus funcionários como PLR foi de 67 821,32 reais em 2019, 88 512,49 em 2020 e 108 127,15, o que equivale a cerca de três salários mensais por ano. Como essa remuneração extra está atrelada ao posto ocupado por cada funcionário e ao atingimento de metas por setor, o valor varia. Segundo o BNDES, houve empregados que receberam 257 340,50 reais de PLR em 2022.[38] É a mesma lógica do bônus de eficiência da Receita, ainda que com um pouco mais de critério, pois as metas são de cada área, e não do banco como um todo. É bom lembrar, entretanto, que, como instituição que atua praticamente com exclusividade num segmento de mercado — o mercado de crédito de longo prazo — e conta com garantias do Tesouro Nacional, a ideia de distribuição de lucros a seus funcionários tem pouco respaldo numa lógica de recompensa pelo sucesso obtido num ambiente concorrencial.

Como vimos, um servidor ou empregado público de formação superior pode ter acesso a um leque muito diverso de benefícios. A diferença entre seus ganhos mensais pode variar bastante, não em razão de sua qualificação, dedicação ao trabalho ou impacto de sua atuação, mas apenas em virtude do concurso em que foi aprovado. E é essa discrepância que motiva a disputa e a pressão das carreiras por mais e mais benefícios, sejam eles honorários de sucumbência, bônus de produtividade, indenizações por representação no exterior ou participação nos lucros.

A concessão do bônus de eficiência e produtividade aos fiscais da Receita despertou o ciúme de outras carreiras igualmente poderosas, que agora se mobilizam para obter junto ao governo federal ou ao Congresso Nacional benefícios equivalentes.

Mapeando as notícias nas entidades representativas de outras carreiras, percebe-se que as articulações estão a todo vapor. Tome-se o exemplo do Sindicato dos Servidores do Poder Legislativo Federal e do TCU (Sindilegis). Logo após o anúncio do bônus para os auditores fiscais, os representantes dessas que são algumas das carreiras mais bem remuneradas do país estão se reunindo com parlamentares em busca de novas benesses.

No caso dos auditores do TCU (remuneração bruta de 24 652,05 a 35 305,02 reais por mês),[39] a expectativa é de aprovação de um projeto de lei instituindo um adicional de especialização e qualificação que aumentará os vencimentos dos servidores de forma cumulativa caso sejam obtidos diplomas em cursos de capacitação, certificações profissionais, graduação, pós-graduação, mestrado e doutorado.

De acordo com comunicação enviada pelo presidente do TCU, ministro Bruno Dantas, ao deputado Rafael Prudente, relator do projeto de lei nº 7926/2014, a expectativa é de que o adicional possa representar 3369,09 reais a mais nos contracheques dos auditores.[40]

Já os analistas do Banco Central e do Tesouro Nacional, após o anúncio do ministro da Fazenda, Fernando Haddad, de que regulamentaria o bônus para os auditores da Receita Federal, iniciaram uma estratégia de paralisação de atividades e ameaças de greve que poderiam afetar sistemas importantes como o Pix e os leilões de títulos da dívida pública. Referindo-se ao benefício concedido aos fiscais, Henrique Seganfredo, presidente da Associação Nacional dos Analistas do Banco Central do Brasil (ANBCB), declarou ao jornal *Valor Econômico*: "Esse tratamento desigual criará distorções. Teremos diretores do BC ganhando menos que um auditor da Receita em início de carreira, por exemplo".[41]

Unidos, auditores do Tesouro Nacional e da CGU e analistas do Banco Central se mobilizam para (surpresa!) aprovar seu próprio bônus de produtividade, poucos meses após entrar em vigor o reajuste linear de 9% concedido pelo governo Lula a todos os servidores públicos federais.

Motivados pelo exemplo dos advogados públicos e dos fiscais da Receita, os servidores do Tesouro, da CGU e do Banco Central pretendem obter um novo modelo de remuneração que combina um subsídio básico já elevado para os padrões do serviço público brasileiro (hoje em dia entre 20 924,80 e 29 832,94 reais)[42] com uma remuneração variável, atrelada à "produtividade" de seus órgãos. A reivindicação tem mobilizado ambas as carreiras, que têm exercido um forte lobby junto ao ministro da Fazenda, a congressistas e demais autoridades do Poder Executivo, conforme atestam as comunicações dos sindicatos dos Auditores e Técnicos Federais de Finanças e Controle (Unacon Sindical)[43] e dos Funcionários do Banco Central (Sinal).[44]

O que esses servidores não admitem é que já se comprovou que esse modelo de dupla remuneração adotado para a advocacia pública, para os fiscais da Receita e agora almejado pelas demais carreiras da elite do funcionalismo, apesar de referendado pelo STF, não é produtivo e não traz benefícios para a administração pública. Essa constatação de que o modelo de remuneração por produtividade não aumenta a eficiência dos servidores e nada mais é do que um aumento salarial travestido de incentivo meritocrático veio de uma auditoria feita pela CGU — ironicamente, uma das carreiras que hoje também pleiteiam um bônus.

Em 2019, o governo Bolsonaro instituiu, no âmbito do Instituto Nacional do Seguro Social (INSS), um Bônus de Desempenho Institucional por Análise de Benefícios com Indícios de Irregularidade do Monitoramento Operacional de Benefícios (BMOB),[45] que três anos depois foi renomeado como Tarefa Extraordinária de Redução de Fila e Combate à Fraude (Terf).[46] O projeto consistia em remunerar os servidores do órgão com o pagamento de uma bonificação de 57,50 reais por análise de processo em que fosse identificado indício de irregularidade ou risco de gastos indevidos na concessão ou na revisão de benefícios administrados pelo INSS, além de seus vencimentos normais.

Tratava-se, assim, de um incentivo atrelado à produtividade individual de cada servidor — um modelo, em teoria, até superior ao dos honorários de sucumbência da AGU e ao do bônus de produtividade da Receita, que, como vimos, estão atrelados aos resultados do órgão. O objetivo final do governo era reduzir a fila de requerimentos de benefícios, problema crônico do instituto que gerencia o sistema geral da Previdência Social.

Ao auditar a execução do programa do INSS e o pagamento do adicional BMOB/Terf aos servidores do órgão, os auditores da CGU verificaram, entre outros achados, que o projeto não tinha critérios de priorização, risco e economicidade, o que levou os servidores a cumprirem suas metas com trabalhos menos relevantes, como ajustes em dados cadastrais, que têm baixíssimo impacto em termos de economia de recursos ou descoberta de fraudes e irregularidades. Além disso, os processos submetidos ao programa de combate a fraudes apresentavam um grau de revisão pelas instâncias superiores maior do que os benefícios submetidos à fila ordinária do INSS, indicando que o bônus poderia estar gerando um incentivo perverso, em que o servidor indefere um pedido do cidadão apenas para ganhar o bônus — e depois, após apresentar recurso, o cidadão consegue o reconhecimento de que aquela decisão inicial estava equivocada.

Em outras palavras, os servidores do INSS beneficiados pelo programa estavam recebendo um adicional salarial para supostamente melhorar a eficiência na análise dos processos e evitar fraudes, mas seu esforço se concentrou sobretudo em tarefas mais simples, com baixo retorno financeiro para o órgão, ou na negativa de benefícios apenas para justificar o batimento da meta. Para a CGU, o incentivo monetário do INSS não representou aumento de produtividade e tampouco a redução de despesas com a concessão de benefícios irregulares ou fraudulentos, gerando inclusive custos de retrabalho decorrentes da necessidade de reversão de decisões tomadas pelos servidores do órgão, além de onerar o cidadão, forçando-o a entrar com mais um recurso administrativo. Para completar, a auditoria da CGU também demonstrou que, durante a vigência do bônus de produtividade, dezenas de servidores do INSS passaram a ganhar mais do que o teto do funcionalismo público federal.[47]

Essa auditoria da CGU sobre a bonificação do INSS revela algo que fica muito claro quando se analisam vantagens como honorários de sucumbência, bônus de produtividade, participação em lucros, adicionais de qualificação e auxílios de toda natureza: regulamentados de maneira inadequada, com controles frouxos e sem uma efetiva avaliação de resultados, esses benefícios não passam de penduricalhos salariais, que turbinam os contracheques de uma classe privilegiada de servidores públicos.

Na competição entre as privilegiadas carreiras da elite do funcionalismo, já faz tempo que o teto virou uma meta a ser superada pela força do corporativismo.

6. Nem marajás, nem parasitas: A necessidade de uma discussão sem preconceitos sobre reforma administrativa

A capa da edição de 12 de agosto de 1987 da revista *Veja* trazia a foto de um homem de terno e gravata usando um turbante indiano na cabeça, com notas de quinhentos cruzados nos bolsos e, nas mãos, miniaturas de um carro e uma casa, ao lado da manchete: "Funcionalismo público: A praga dos marajás".[1]

Título concedido aos antigos príncipes feudais na Índia, o termo "marajá" passou a ser utilizado pela imprensa para designar agentes públicos que tinham rendimentos exorbitantes, completamente fora da realidade brasileira. A reportagem de *Veja* informava que uma auditoria na folha de pagamento do governo paulista havia identificado mais de mil servidores recebendo por mês mais de cem salários mínimos na época. Na origem dessa distorção, que de acordo com a matéria seria comum nas diferentes unidades da federação, estavam a incorporação de vantagens, gratificações, equiparações salariais e um regime de aposentadoria e pensão bastante generoso.

A questão dos abusos na folha de pagamento do Estado acabou se tornando tema da primeira campanha eleitoral para presidente no país desde o fim da ditadura. Retratado por diversos veículos da imprensa como "o caçador de marajás"[2] pela reforma administrativa que teria implementado durante seu mandato como governador de Alagoas, Fernando Collor de Mello empunhou a bandeira da moralização e da reforma do Estado brasileiro. E a estratégia deu certo. Collor foi eleito com 35 090 026 votos (53,03% dos votos válidos), mais de 4 milhões à frente de Lula, seu adversário no segundo turno do pleito de 1989.[3]

Para fazer jus à fama construída na campanha, logo em sua primeira reunião ministerial, no dia seguinte à posse, Collor comunicou à sua equipe:

> Sobre esta base de decência, determinei que o déficit público, neste ano, seja zero. Não há como derrubar a inflação se o governo gastar mais do que arrecada. Portanto, adotamos as seguintes medidas. Número 1: Execução de uma profunda reforma administrativa envolvendo afastamento de maus funcionários, fechamento de ministérios, autarquias e empresas públicas.[4]

Collor bem que tentou aplicar no Estado brasileiro as técnicas de *downsizing* então em voga no setor privado, mas sua estratégia de racionalização da estrutura estatal se mostrou caótica e ineficaz na redução do contingente de servidores e no controle do déficit público. Desde aquele período, todos os presidentes brasileiros levaram adiante, em maior ou menor profundidade (e com variados graus de sucesso), propostas de reformulação do estatuto jurídico do funcionalismo público.[5]

Do Ministério da Administração Federal e Reforma do Estado criado por Fernando Henrique Cardoso[6] à proposta de reforma administrativa encaminhada ao Congresso por Paulo Guedes e Jair Bolsonaro, passando pelas diversas mudanças na previdência dos servidores públicos levadas a cabo por Luiz Inácio Lula da Silva, Dilma Rousseff e Michel Temer, a ideia de reduzir o peso da folha de pagamento do governo federal sempre foi colocada na mesa, independente de o Palácio do Planalto estar sendo ocupado por um presidente mais à esquerda ou à direita.

Com o passar do tempo, cristalizou-se no imaginário de boa parte da sociedade a percepção de que o Estado brasileiro custa muito e entrega serviços públicos de péssima qualidade — e não há como negá-lo. Sejam eles barnabés ou marajás, os servidores públicos são apontados com frequência como causa do problema, dados seus vários privilégios. Mas em que medida essas críticas são pertinentes? Se abusos existem, onde estão localizadas as distorções? E por que é tão difícil modernizar o funcionalismo?

Na verdade, o tamanho do corpo de servidores públicos do país é bem menor do que o apregoado pelos defensores do Estado mínimo. De acordo com o Atlas do Estado Brasileiro, projeto do Ipea destinado a mapear as tendências observadas por nossa burocracia pública nas últimas décadas, em 2021 havia no Brasil 10 829 630 vínculos formais de trabalho no setor público, sem contar as estatais. Em 1985, quando a série histórica se inicia, o Estado empregava 4,8 milhões de pessoas — o que representa um salto de 123,9% em 36 anos.[7]

Essa expansão no quantitativo de recursos humanos empregados pelo setor público, porém, tem dinâmicas diferentes quando dissecamos os dados entre os entes federativos. Enquanto na União o número de servidores ativos chegou a cair 3,3% no período, nos estados houve uma elevação de 38,1%. Já nos municípios o total de servidores mais do que quadruplicou: a variação foi de incríveis 327,3% entre 1985 e 2021.

Esse crescimento acelerado da folha de pagamento no âmbito subnacional tem duas explicações. De um lado, houve uma forte onda de emancipação de novos municípios após a Consti-

GRÁFICO 8
EVOLUÇÃO DOS VÍNCULOS FORMAIS DE TRABALHO NO SETOR PÚBLICO BRASILEIRO (1985-2021)

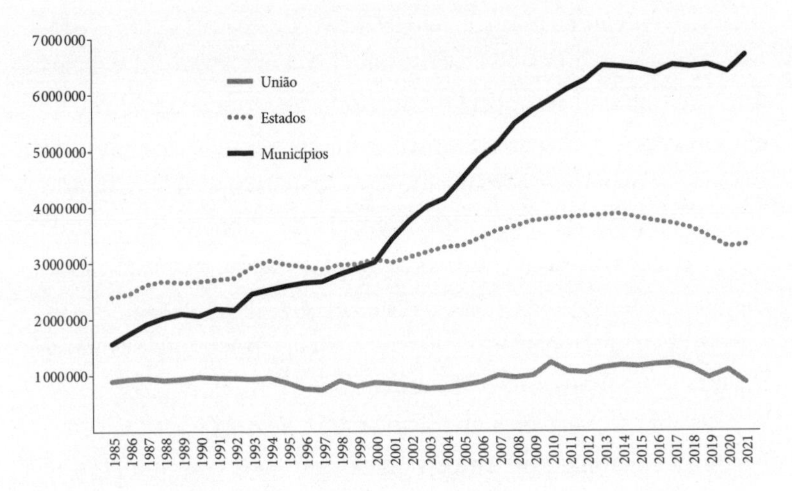

FONTE: Elaboração do autor a partir de dados do Atlas do Estado Brasileiro.

tuição de 1988, o que estimulou a contratação de toda sorte de pessoal; de outro, também em virtude da distribuição de competências da nova Carta Magna, o provimento de parte significativa dos serviços públicos que atendem diretamente o cidadão ficou a cargo dos municípios (educação e saúde) e dos estados (segurança pública). Como essas atividades são bastante intensivas em mão de obra, governos estaduais e municipais tiveram que se estruturar para atender à demanda advinda da universalização da educação e da saúde básicas, assim como da cobrança por um maior combate à criminalidade.[8]

Por mais que esses números sobre o contingente de servidores públicos no Brasil impressionem, ele não é desproporcional à média internacional. A Organização para Cooperação e Desenvolvimento Econômico (OCDE) realiza todo ano um estudo comparativo sobre o tamanho do funcionalismo público entre seus membros — o que torna possível traçar um paralelo entre o Brasil e o famoso "clube dos países desenvolvidos".

Segundo a edição 2021 do anuário *Government at Glance*, Japão e Coreia figuram no pelotão de frente dos países com Estados mais enxutos, exibindo, respectivamente, apenas 5,9% e 8,1% de sua força de trabalho composta de funcionários do setor público. No extremo oposto, os países nórdicos, em que o Estado de bem-estar social se mostra mais abrangente, apresentam mais de um quarto de sua população ativa empregado em órgãos públicos — o recorde é da Noruega, com 30,7%. No bloco das nações avançadas, em média 17,9% da população economicamente ativa era composta de servidores e funcionários públicos em 2020, número que se mantinha mais ou menos estável desde 2007.[9]

Se aplicarmos o mesmo cálculo para o Brasil, de acordo com a Pesquisa Nacional por Amostra de Domicílios Contínua (Pnad Contínua), todo o setor público, em todos os níveis da federação, e incluindo os militares, empregava 12% da força de trabalho do país em dezembro de 2020.[10] Sob essa métrica, portanto, o Estado brasileiro emprega relativamente menos pessoas que a média dos países ricos — num patamar inferior até aos Estados Unidos (14,9%, segundo a OCDE), tidos como um país muito menos estatizante.

Do ponto de vista estritamente do tamanho do funcionalismo público, portanto, não haveria por que o tema da reforma administrativa ocupar com frequência a agenda de discussões no país. Mas quando se mergulha nos dados a respeito do peso da folha de pagamento sobre o Orçamento e o PIB, começam a despontar as distorções envolvendo essa categoria.

Nas últimas décadas, o Fundo Monetário Internacional (FMI) tem feito um grande esforço para harmonizar a forma como cada governo computa e classifica suas receitas e despesas — o que tem melhorado as comparações quanto ao estado das finanças públicas em nível internacional. Essas estatísticas estão compiladas no banco de dados Government Finance Statistics (GFS), que apresenta um campo especial que detalha as despesas dos governos centrais segundo grandes áreas.[11]

Consultando as estatísticas fiscais do FMI para países selecionados, é possível verificar que o valor que cada nação despende com a remuneração dos servidores e empregados públicos segue em geral a mesma lógica apresentada nos dados da OCDE sobre o quantitativo total de servidores.

Segundo os dados de 2019, o funcionalismo no Japão e na Coreia do Sul pesa muito menos no PIB (5,2% e 6,2%, respectivamente) do que na Noruega e na Dinamarca (14,7% e 15,1% do PIB). Entre os dois polos se encontra boa parte dos países europeus mais ricos — Alemanha (onde os salários dos servidores custam 7,6% do PIB), Reino Unido (8,9%), Itália (9,3%) e França (11,8%) — e também os Estados Unidos, com a folha de pagamento de todos os níveis federativos girando em torno de 8,7% do PIB anual, segundo os cálculos do FMI.

Um dos pontos fora da curva é o Brasil. Embora, como vimos, em número de servidores nosso Estado não esteja inchado (com 12% da força de trabalho total, estamos bem abaixo da média das economias avançadas), as despesas com remuneração dos servidores alcançaram 13% do PIB em 2019 — gerando um impacto nas finanças públicas muito mais próximo dos países nórdicos, que fornecem um padrão de atendimento à população notoriamente superior ao brasileiro.

A comparação fica ainda mais gritante quando tomamos como referência nossos vizinhos de continente e de estágio de desenvolvimento. Só para exemplificar, os contracheques dos servidores mexicanos e chilenos representavam, respectivamente, 4,7% e 7,2% do PIB desses países.

Surgem aí, portanto, os primeiros indicativos de que há algo de errado no funcionalismo brasileiro — e é sobre essa vertente fiscal que o debate sobre privilégios e reforma administrativa girou nas últimas décadas.

Embora o funcionalismo público sempre seja apontado como um dos grupos de interesse mais poderosos a operar em Brasília, a categoria sofreu algumas derrotas importantes no passado recente.

Na reforma administrativa de FHC e Bresser-Pereira, a emenda constitucional nº 19/1998 atacou um dos maiores diferenciais do servidor público em relação a seus colegas do setor privado: a estabilidade no emprego. A partir dessa mudança, os servidores poderiam perder o cargo por insuficiência de desempenho, após uma avaliação com critérios técnicos.[12]

Na sequência, a Lei de Responsabilidade Fiscal (LRF) chegou em 2000 impondo um extenso rol de travas e exigências para conter o descontrole das contas públicas por parte da União, de estados e municípios. De acordo com um de seus ditames, se o ente federativo comprometer sua arrecadação com despesas de pessoal além de um certo limite prudencial, deve implementar medidas para normalizar a situação — inclusive com a possibilidade de determinar a redução temporária da carga horária e dos rendimentos dos servidores para pôr em ordem as finanças públicas.[13]

O regime previdenciário talvez seja a dimensão em que a Constituição Federal foi mais generosa com os servidores públicos (na comparação com os trabalhadores do setor privado) — e parte expressiva do déficit fiscal observado nas últimas décadas tem origem aí. Por essa razão, a reforma da previdência do funcionalismo público esteve presente na agenda de todos os presidentes desde a estabilização da economia, com o Plano Real.

Fernando Henrique puxou a fila estabelecendo o tempo de contribuição em lugar do tempo de serviço como medida para se calcular os benefícios e alcançar o equilíbrio atuarial do sistema; seu governo extinguiu a aposentadoria proporcional e definiu a idade mínima de sessenta anos para servidores e de 55 anos para servidoras passarem à inatividade, entre outras providências.[14]

Os privilégios da previdência dos servidores públicos eram tão expressivos que nem mesmo os estreitos laços que o PT tem com o funcionalismo impediram os governos de Lula e Dilma de promover mudanças relevantes na área. Na primeira reforma, de 2003, Lula conseguiu aprovar no Congresso uma alíquota de contribuição sobre os benefícios dos servidores aposentados, a troca do parâmetro de cálculo para a definição dos proventos — passando a levar em conta a média das remunerações ao longo de toda a vida laboral, e não apenas o último salário — e o fim da obrigatoriedade de reajuste dos benefícios dos inativos na mesma proporção dos aumentos dados ao pessoal da ativa.[15]

Coube a Dilma Rousseff, por sua vez, tirar do papel o regime de previdência complementar dos servidores públicos. Inserida na Constituição ainda por Fernando Henrique, a previdência privada passou a se aplicar a todos os servidores que ganhassem acima do teto de remuneração aplicável ao INSS, aproximando ainda mais os sistemas público e privado.[16] Além de aprovar a nova legislação, Dilma lançou a Fundação de Previdência Complementar do Servidor Público Federal do Poder Executivo (Funpresp-Exe), entidade que administra a poupança extra dos servidores do governo federal para sua aposentadoria.[17]

Alçado ao poder após o impeachment de Dilma, Michel Temer tratou de levar adiante um programa fiscal que, no curto prazo, estabelecia um teto de gastos para os três poderes e, visando a estabilização das despesas num horizonte temporal mais longo, tornava mais duras as condições de aposentadoria tanto para os trabalhadores do setor privado quanto para os servidores públicos. Quanto a estes últimos, o mote foi mais uma vez o combate aos privilégios, como se depreende do seguinte trecho de discurso:

De nossa parte, nós temos um duplo objetivo: adaptar a Previdência à nossa realidade demográfica, tornando-a financeiramente sustentável e salvando-a da falência. E, naturalmente, combater privilégios, fazendo com que todos os que recebem valores salariais ou vencimentos, ou subsídios, tenham o mesmo padrão para efeito de aposentadoria.[18]

Embora um encontro com o empresário Joesley Batista na calada da noite no Palácio do Jaburu tenha corroído o capital político de Temer, seu sucessor, Jair Bolsonaro, encampou muitas de suas ideias econômicas no primeiro ano de governo. Assim, o novo Congresso Nacional eleito em 2018 aprovou uma reforma previdenciária que tinha como um dos pontos centrais a elevação da idade mínima de aposentadoria para 65 anos (homens) e 62 anos (mulheres), permitindo a imposição de alíquotas progressivas conforme o rendimento dos servidores — tal como proposto por Temer.[19]

O fato de todos os últimos presidentes da República, da esquerda à direita, terem sido bem-sucedidos em avançar com medidas que atacaram o status do funcionalismo público poderia ser um indicador de que essa categoria não goza mais de força política para defender seus interesses. A realidade, entretanto, não é bem essa.

Todas as reformas administrativas e previdenciárias aprovadas nos últimos trinta anos foram suavizadas, neutralizadas ou, em alguns casos, nem sequer implementadas — e muito devido à pressão exercida por associações e sindicatos de servidores para minimizar as perdas que poderiam sofrer.

Tome-se o exemplo do fim da estabilidade e a possibilidade de demissão por insuficiência do desempenho, aprovados por Fernando Henrique Cardoso. Levantamento da CGU indica que, num universo de mais de 560 mil servidores civis ativos, houve apenas 4418 expulsões no Poder Executivo federal entre março de 2016 e março de 2024; no entanto, por desídia (não "exercer com zelo e dedicação as atribuições do cargo") foram apenas duzentas exonerações. A maior parte dos desligamentos se deu por evidências de corrupção e abandono ou acumulação ilícita de cargos.[20]

A quantidade de demissões por falta de comprometimento e qualidade no trabalho exercido poderia ser bem maior se o Congresso Nacional tivesse regulamentado um dispositivo da emenda constitucional nº 19/1998 para definir os critérios e procedimentos para tal. No entanto, apesar de ter sido aprovado pelos deputados federais, modificado pelo Senado e posteriormente ratificado por todas as comissões pertinentes da Câmara, o projeto de lei elaborado por FHC em 1998 tratando da perda de cargo público por insuficiência de desempenho foi arquivado ao final de 2023 após ficar dezesseis anos aguardando a disposição dos líderes dos partidos para colocá-lo na ordem do dia para votação definitiva pelo plenário.[21] Nenhum parlamentar admitiria isso, mas fica claro que faltam vontade política e coragem para enfrentar a resistência dos servidores.

No caso da LRF e de seus instrumentos para conter a expansão dos gastos com o funcionalismo, o problema não foi a inércia do Legislativo, mas sim o excesso de ativismo judicial. Assim que a lei foi sancionada, uma avalanche de ações chegou ao STF pedindo o travamento das medidas de austeridade na administração das contas públicas. No caso específico da possibilidade de redução da jornada (e dos salários) dos servidores para diminuir o comprometimento das finanças públicas pelos gastos com pessoal, foram movidas oito ações, tendo como patronos partidos políticos — PT, Partido Comunista do Brasil (PCdoB) e Partido Socialista Brasileiro (PSB) —, entidades representativas de servidores públicos — como a Conamp e a Associação dos Membros dos Tribunais de Contas do Brasil (Atricon) — e o estado de Minas Gerais, nas pessoas de seu então governador, Itamar Franco, e do presidente da Assembleia Legislativa à época, Anderson Adauto.

Sensível à pressão vinda da classe política e das entidades representativas de influentes carreiras públicas, o STF concedeu uma liminar, ainda em 2002, suspendendo a aplicação do dispositivo da LRF que dava poder a prefeitos, governadores e ao presidente da República para ajustarem as folhas de pagamento. O processo ainda iria aguardar dezoito anos até ser julgado em definitivo pela corte suprema.[22] E o veredito final foi que uma lei complementar (como é o caso da LRF) não poderia desrespeitar uma determinação de nossa Constituição, que estabelece que os rendimentos dos servidores públicos são irredutíveis — mesmo que, no caso, o salário-hora fosse mantido constante.[23] E, assim, um importante dispositivo a favor da prudência fiscal e contra o inchaço das folhas de pagamento virou letra morta.

Para completar, é preciso reconhecer que foi no campo previdenciário que se deram as principais derrotas do funcionalismo, com a ampliação da idade mínima e dos prazos de contribuição, a elevação das alíquotas e a submissão dos servidores ao teto do INSS. Mas mesmo aqui a potência da aproximação com as regras de aposentadoria dos trabalhadores da iniciativa privada foi enfraquecida pelo atendimento das reivindicações dos servidores (de se estabelecerem regras de transição suaves) e até pela demora na aplicação dos preceitos das mudanças constitucionais. Basta dizer que o fundo de previdência complementar dos servidores do Executivo federal só foi instituído por Dilma Rousseff em 2012, quase uma década após a autorização constitucional conquistada por Lula, no final de 2003.

Em resumo, mesmo quando a maré vira contra os servidores, manobras políticas, vitórias judiciais ou artifícios legislativos são acionados para preservar benefícios, conter perdas ou pelo menos jogar para os servidores futuros o preço do ajuste fiscal.

Não é à toa que, de acordo com um estudo do Banco Mundial, entre 2008 e 2018 o salário médio dos servidores públicos federais subiu, já descontada a inflação, 1,8% ao ano; nos estados, os ganhos reais foram ainda maiores, de 2,8% ao ano. Chamou a atenção dos técnicos do organismo internacional que essas conquistas remuneratórias tenham se dado justamente numa década marcada por crises econômicas e pela queda da arrecadação tributária.[24]

O fato de uma categoria conseguir extrair ganhos reais de salários num contexto de recessão e conjuntura fiscal adversa é indício da força política desse grupo social. E esse poderio tem fundamento teórico e evidências concretas.

> O governo está quebrado. Gasta 90% da receita toda com salário e é obrigado a dar aumento de salário. O funcionalismo teve aumento de 50% acima da inflação, tem estabilidade de emprego, tem aposentadoria generosa, tem tudo. O hospedeiro está morrendo, o cara virou um parasita; o dinheiro não chega no povo, e ele quer aumento automático, não dá mais. A população não quer isso, 88% da população brasileira são a favor inclusive de demissão de funcionário público, de reforma, de tudo para valer.[25]

Era nesses termos, utilizando expressões nada elogiosas, que Paulo Guedes defendia publicamente a proposta de reforma administrativa apresentada ao Congresso pelo governo Bolsonaro em 2020. Ao comparar os servidores públicos a parasitas, o ex-ministro da Economia pretendia angariar apoio de parcela expressiva da população e do empresariado avessa ao tamanho do Estado para as medidas destinadas, em sua concepção, a equilibrar as contas públicas, modernizar o Estado e reduzir os privilégios do funcionalismo.[26] A resistência dos servidores foi ferrenha.

O economista norte-americano Mancur Olson (1932-98) publicou em 1965 uma obra que até hoje influencia a análise dos lobbies e dos grupos de pressão. Combinando elementos da teoria econômica e da ciência política, o livro *A lógica da ação coletiva* sistematiza os modos como certas associações de indivíduos ou empresas são bem-sucedidas na persecução dos objetivos comuns de seus participantes, enquanto outras fracassam.

Na visão de Olson, grupos com interesses bem definidos têm mais chances de garantir vantagens para si — por meio de legislação, regulação ou políticas públicas — do que aqueles que patrocinam causas com interesses difusos, como direitos do consumidor, meio ambiente e proteção a minorias. Assim, quanto mais palpável é o ganho ou a perda potencial para um integrante de um grupo, maior o incentivo para ele se motivar a batalhar em prol daquela conquista ou proteção. Já quando se trata de algo que pode beneficiar ou prejudicar um grupo muito grande ou indeterminado de pessoas, nossa disposição a agir se mostra bem menor.

Os arranjos institucionais também são decisivos; quanto maiores forem o poder de mobilização, a cotização dos custos de participação (financeiros, de tempo ou esforço) e a capacidade de organização, mais provável será a superação do problema do carona (*the free-rider problem*), em que os indivíduos racionalmente decidem não se engajar na busca do objetivo comum, pois os benefícios não justificam o esforço de dedicação à causa.[27]

Os preceitos de Olson ajudam a explicar muito do sucesso dos servidores públicos em defender seus interesses, tanto para obter benesses quanto para evitar ou postergar perdas. Organizados em carreiras, seus integrantes em geral nutrem um forte laço de identificação entre si. Suas associações e sindicatos também são muito organizados e exibem um elevado poderio financeiro, acumulado a partir de contribuições descontadas direto dos contracheques de seus membros todos os meses.

Como sindicatos e associações são entidades de natureza privada, nem sempre é possível medir a capacidade arrecadatória e a aplicação desses recursos na promoção dos interesses de seus membros — isso vale, aliás, também para os grupos de representações de empresas de um determinado setor econômico, como veremos no próximo volume desta série. No entanto, uma prestação de contas de uma associação de servidores públicos postada inadvertidamente na internet dá uma estimativa não apenas de valores, mas também das estratégias utilizadas nos últimos tempos pelo lobby do funcionalismo para barrar a proposta de reforma administrativa concebida pelo Ministério da Economia de Paulo Guedes.

Os documentos revelam que mais de duas dezenas de entidades de defesa de carreiras específicas se cotizaram para bancar uma campanha digital contra a PEC nº 32/2020 apresentada pelo governo Bolsonaro. A campanha consumiu quase 500 mil reais entre novembro de 2020 e novembro de 2021. Essa elevada soma de recursos foi utilizada para a geração de conteúdo (postagens e vídeos), impulsionamento em redes sociais e em aplicativos de mensagens, contratação de influenciadores digitais e tentativa de convencimento de parlamentares estratégicos.[28]

A obtenção de vantagens, porém, costuma vir de outras formas. A proximidade que os servidores em geral desfrutam dos tomadores de decisão aumenta a eficácia da pressão. É comum que governantes e legisladores tenham receio de enfrentar o funcionalismo porque algumas carreiras têm condições de paralisar a máquina pública cruzando os braços, enquanto outras categorias podem azucrinar a vida de políticos com o vazamento de informações ou a abertura proposital de investigações. Há ainda o medo da execração pública, como atestam os outdoors que costumam ser espalhados pelas grandes capitais do país denunciando os parlamentares que votaram contra os interesses de uma determinada corporação.

Também há outro motivo pelo qual a classe política se sente constrangida a não votar medidas contra essa categoria: a gratidão dos servidores públicos pode ser uma fonte quase inesgotável de votos, garantindo a sobrevivência de carreiras políticas por décadas. Prova disso é que na 57ª Legislatura (2023-7) a Frente Parlamentar Mista em Defesa do Serviço Público contava com a participação de 182 deputados e nove senadores, num grupo que unia a bolsonarista Damares Alves (Republicanos-DF) ao lulista Humberto Costa (PT-PE) no Senado, e arregimentava tanto deputados de esquerda (37 filiados ao PT, quinze do PDT, nove do PSB e oito do Partido Socialismo e Liberdade [PSOL], por exemplo) a integrantes do Centrão e da direita (21 deputados do União Brasil, dezoito do Republicanos, dezesseis do Partido Liberal [PL] e catorze do Progressistas [PP]).[29]

Naturalmente o grau de devoção dos congressistas à causa do funcionalismo não é homogêneo, mas o fato de haver tantos parlamentares identificados com a defesa dos servidores públicos demonstra a dificuldade de aprovar mudanças no regime jurídico da categoria no Brasil.

Mas afinal: os servidores públicos ganham mesmo mais do que seus equivalentes na iniciativa privada? O economista Roberto Macedo foi um dos primeiros a se dedicar, com profundidade e utilizando técnicas estatísticas robustas, ao estudo dos diferenciais de salários entre os trabalhadores dos setores público e privado no Brasil. No início da década de 1980, ele mergulhou nos dados da Rais e selecionou dez pares de empresas atuantes no mesmo setor industrial — em cada dupla, uma companhia era estatal e a outra, privada.

A partir daí, o então professor da USP coletou os dados de 335 mil empregados dessas empresas, levando em conta as características de sexo, idade, anos de instrução, ocupação laboral e tempo de serviço para analisar se havia diferença significativa entre os salários recebidos por trabalhadores com o mesmo perfil nas duas amostras, ou seja, funcionários de estatais e de empresas privadas, no mesmo setor econômico.

Os testes realizados por Roberto Macedo revelaram que, no ano de 1981, os trabalhadores de empresas estatais ganhavam quase quatro vezes mais do que seus colegas do setor privado. Além de comprovar a existência de um expressivo hiato salarial em favor dos profissionais do setor público, o professor demonstrou que parte significativa dessa diferença (de 26% a 83%, a depender das simulações feitas) não era explicada por distinções no perfil da mão de obra empregada. Ou seja, havia um prêmio significativo pago pelo Estado a seus funcionários, em comparação com trabalhadores na mesma função, e com semelhantes idade, escolaridade e experiência, trabalhando numa empresa privada similar.[30] Em outras palavras, empregados de estatais ganhavam mais apenas porque trabalhavam no setor público.

Quase um quarto de século depois, Ana Luiza Neves de Holanda fez uma resenha de todas as pesquisas sobre diferencial de salários entre os setores público e privado realizadas no Brasil desde o trabalho pioneiro de Roberto Macedo. Cobrindo períodos e ocupações diferentes, bem como utilizando métodos e bases de dados distintos, os onze artigos científicos submetidos ao escrutínio da pesquisadora do Ipea chegavam a conclusões similares, assim sintetizadas: 1) o setor público paga, em média, salários mais altos do que o setor privado; 2) o diferencial de salários em favor dos trabalhadores do setor público é mais alto no governo federal; e 3) características pessoais (sobretudo educação) são os principais fatores que explicam o hiato salarial público-privado.[31]

Além de reportar o histórico de pesquisas empíricas sobre as diferenças de remuneração entre os setores público e privado, Ana Holanda também colocou a mão na massa. Em outro trabalho, conduzido em parceria com Pedro Souza, seu colega no Ipea, eles demonstraram que o diferencial de salários em favor dos servidores públicos subiu de 26% em 1995 para 71,6% em 2011. Decompondo essa dinâmica, os autores concluíram que a maior parte da diferença é explicada pelo perfil da mão de obra, pois os servidores públicos na média têm mais anos de escolaridade do que os equivalentes no setor privado. No entanto, sobretudo a partir de 2002, a ampliação do prêmio salarial em favor dos servidores públicos é explicada pelo que os pesquisadores chamam de "efeito-preço". Traduzindo do economês, a expressão designa que o diferencial de rendimentos estava se ampliando devido aos reajustes salariais concedidos pelo governo federal em percentuais superiores aos obtidos no setor privado nos dois primeiros mandatos de Lula como presidente.[32]

Mais recentemente, Gabriel Tenoury e Naercio Menezes Filho, do Insper, aprofundando essa investigação no período de 1995 a 2015, confirmaram que o setor público paga mais do que as empresas privadas mesmo após os ajustes de comparação entre trabalhadores de mesmo gênero, cor da pele, idade, anos de escolaridade, experiência no emprego e ocupação. Essa diferença não explicada pelo perfil do servidor é maior no governo federal (93,4%) do que nos estados (27,9%); no caso dos municípios, porém, ela chega a ser negativa (−2,46%).[33] Isso quer dizer que servidores federais e estaduais ganham mais do que seus equivalentes do setor privado, enquanto no município a relação é inversa. E isso tem implicações diretas sobre como o Estado brasileiro presta seus serviços à população.

A professora de administração pública e governo da FGV Gabriela Lotta é a principal representante brasileira de uma agenda de pesquisas que ganhou força no exterior com o livro *Burocracia em nível de rua: Dilemas do indivíduo nos serviços públicos*, de autoria do cientista político americano Michael Lipsky, publicado pela primeira vez em 1980.[34] Na obra, Lipsky destaca como o corpo burocrático na ponta (professores, policiais, assistentes sociais, médicos e enfermeiros do sistema público de saúde, atendentes em repartições públicas etc.) é determinante para a efetividade de uma política pública, uma vez que são responsáveis por sua implementação, no contato direto com o cidadão destinatário dos projetos governamentais.

Desde seu mestrado e doutorado, em que concentrou-se no papel dos agentes comunitários de saúde na implementação do Programa Saúde da Família (PSF),[35] Gabriela Lotta tem desenvolvido uma extensa linha de estudos destinada a mapear os servidores públicos de diferentes carreiras que atuam no corpo a corpo com a população atendida pelos programas sociais nos âmbitos federal, estadual e municipal.[36] Nos resultados de seus trabalhos, fica evidente como esses "burocratas no nível de rua" têm uma missão essencial em termos de seleção, acolhimento, orientação e provimento de políticas públicas voltadas a educação, saúde, segurança pública, entre outras. As pesquisas de Lotta demonstram, aliás, como, nesses últimos tempos (marcados por eventos traumáticos como a pandemia de covid-19[37] e as mudanças bruscas de prioridades governamentais sob Jair Bolsonaro),[38] tem sido cada vez mais necessário capacitar, blindar de influências políticas e remunerar bem essas categorias que estão em contato direto com os destinatários finais dos serviços governamentais. O grande problema, porém, é que, em face do grande contingente de servidores públicos dessas áreas, é sobre elas que costumam recair em maior grau os efeitos dos programas de ajustes fiscais e as iniciativas de terceirização e precarização das relações de trabalho no meio estatal.

Chamando a atenção para essa grande heterogeneidade de rendimentos dentro do setor público, Sandro Sacchet de Carvalho demonstra que as grandes distorções em relação ao setor privado residem no topo e em funções bastante específicas. Profissionais de carreiras jurídicas (como juízes, promotores e advogados públicos), de administração tributária (como fiscais da Receita), gestores públicos e professores de universidades federais, além de trabalhadores ligados à segurança pública (como policiais, inspetores e detetives), respondem pela maior parte da diferença salarial em relação ao setor privado.[39]

Essa disparidade entre cargos, poderes e níveis federativos, captada nas pesquisas mais recentes, lança luz sobre uma importante distinção que precisa ser levada em conta quando se discutem os privilégios do funcionalismo público e a necessidade de uma reforma administrativa no Brasil. De um lado, temos os servidores de âmbito municipal, que geralmente estão na ponta realizando o atendimento direto aos cidadãos, como na educação ou na saúde básicas. Os estudos de diferencial salarial mais recentes apontam que, por exemplo, se compararmos um professor de escola pública municipal com um profissional com qualificação e experiência equivalentes trabalhando num mesmo município em um estabelecimento de ensino particular, o servidor público ganha, na média, um pouco menos do que o trabalhador do setor privado.

Contudo, nas carreiras burocráticas, tanto em âmbito estadual como, e sobretudo, no governo federal, a balança pende para o lado público — profissionais com maior nível de escolaridade encontram no setor público rendimentos muito superiores às suas contrapartes do mundo corporativo. Assim, um advogado público ou um auditor fiscal ganham, na média, mais do que profissionais com exatamente as mesmas características atuando num escritório de advocacia ou numa grande firma de auditoria privada.

Apresentando dados sobre os rendimentos de servidores públicos no âmbito dos três poderes (Executivo, Legislativo e Judiciário) e dos três níveis da federação (União, estados e municípios), o Atlas do Estado Brasileiro do Ipea revela que há também um desnível bastante expressivo no âmbito do próprio setor público. Conforme pode ser visto no gráfico 9, a mediana dos rendimentos mensais (ou seja, o nível de vencimentos que separa os 50% que ganham menos dos 50% mais afortunados) sobe quando se passa do nível municipal para o estadual e depois para o federal. E, na mesma direção, os ganhos dos servidores também avançam conforme se trabalha no Poder

GRÁFICO 9
MEDIANA DE RENDIMENTOS MENSAIS NO SETOR PÚBLICO BRASILEIRO, POR PODER DA REPÚBLICA E NÍVEL FEDERATIVO (2019)

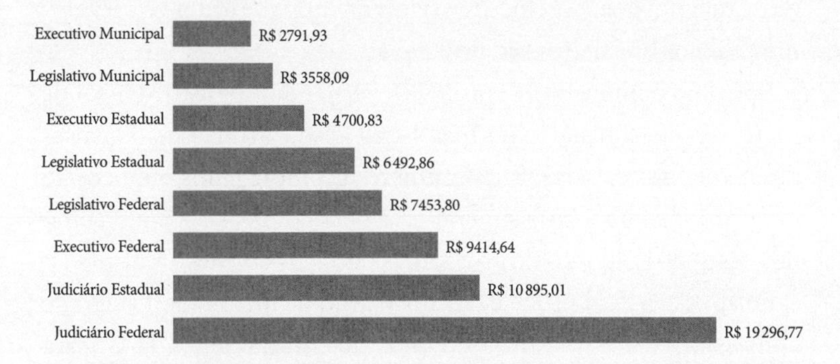

FONTE: Elaboração do autor a partir de dados do Atlas do Estado Brasileiro. Valores deflacionados pelo IPCA até janeiro de 2024.

Executivo (mais baixo), Legislativo (intermediário) ou Judiciário (o mais elevado).

Comparando as medianas do gráfico, percebe-se que um servidor da Justiça Federal (incluindo magistrados e demais carreiras técnicas) ganha por mês quase sete vezes mais do que um trabalhador do Poder Executivo municipal.

Pode-se ver, portanto, que os dados e as evidências empíricas indicam que nem todo servidor público é marajá, como dizia Collor, ou parasita, na visão de Paulo Guedes. E saber fazer a distinção entre um grupo e outro é fundamental quando se coloca na mesa qualquer proposta de reforma administrativa.

Vimos que os servidores públicos gozam de um poder de organização e mobilização elevado, que é amplificado por sua posição estratégica no provimento de serviços públicos e por sua proximidade aos políticos. São inúmeras as ocasiões, desde a elaboração da

Constituição, em que essas vantagens foram utilizadas tanto para obter um tratamento legal diferenciado como para esvaziar ou postergar a aplicação de reformas fiscais que os afetavam. A partir desse diagnóstico, porém, é possível concluir que todos os servidores públicos brasileiros são privilegiados?

Como demonstram o professor Fernando Augusto Mansor de Mattos e o pesquisador do Ipea José Celso Cardoso Jr., os países desenvolvidos expandiram o número de empregados públicos ao longo do século XX para superar crises econômicas e sociais, como nos casos do conjunto de programas públicos do New Deal americano após a crise de 1929 e da construção de um amplo Estado de bem-estar social na Europa depois do fim da Segunda Guerra Mundial. Apesar da difusão de uma visão liberal a partir do final da década de 1970, com a primeira-ministra britânica Margaret Thatcher e o presidente Ronald Reagan nos Estados Unidos, o Estado se mantém forte nos principais centros econômicos mundiais em função de velhas e novas demandas da sociedade.[40]

Esse processo foi construído segundo os preceitos do modelo burocrático concebido pelo alemão Max Weber (1864-1920), baseado no recrutamento de empregados públicos conforme o mérito, com ampla concorrência, e a especialização de carreiras com estruturas remuneratórias e promoções de acordo com níveis de competências e responsabilidades. Para atrair bons quadros e proteger essa burocracia profissional de influências políticas e garantir uma continuidade das políticas diante das alternâncias no poder, foram concebidos incentivos como uma política salarial atraente e garantias contra demissões arbitrárias.[41]

O Brasil, segundo Mattos e Cardoso Jr., viveu essa dinâmica de ampliação das políticas públicas e de profissionalização do quadro de pessoal estatal com maior intensidade a partir da Constituição de 1988, que não apenas estabeleceu as diretrizes de um modelo weberiano de burocracia — com forma de entrada tendo como regra geral o concurso público de ampla concorrência, estrutura em carreiras, incentivos remuneratórios como o regime próprio de previdência e a garantia da estabilidade no emprego após um estágio probatório — como conferiu à União, a estados e municípios atribuições típicas de um Estado de bem-estar social, com a universalização dos serviços de saúde, educação e assistência social.

Na visão desses autores, haveria um preconceito difundido na sociedade de que o Estado brasileiro estaria inchado e ineficiente. Isso, porém, não se dá em todas as áreas de prestação de serviços públicos, como atestam os déficits de fiscais no Instituto Brasileiro do Meio Ambiente e dos Recursos Naturais Renováveis (Ibama) e de médicos e demais profissionais de atendimento básico no Sistema Único de Saúde (SUS) — duas realidades que ganharam destaque na imprensa em tempos recentes, com o aumento do desmatamento e das queimadas na Amazônia e no Pantanal e com a pandemia de covid-19.[42]

O grande problema é que há uma linha tênue entre o que é incentivo e necessária proteção, de um lado, e a geração de privilégios e regalias, de outro. E quando o sistema político é capturado pelo corporativismo, o equilíbrio se rompe em favor da ineficiência e da defesa de interesses individuais, em lugar dos da coletividade.

Os economistas Ana Carla Abrão e Armínio Fraga, hoje em dia executivos de mercado, mas com importantes passagens pelo setor público — ele como presidente do Banco Central e ela, além de ex-servidora, secretária de Fazenda do Estado de Goiás —, têm uma visão bastante crítica sobre o funcionamento do setor público no Brasil. Contando com a contribuição do advogado Carlos Ari Sundfeld, professor titular da Escola de Direito de São Paulo, da FGV, eles elaboraram em 2019 uma proposta apartidária de reforma da estrutura de recursos humanos no Estado brasileiro.

No diagnóstico traçado por Abrão, Fraga e Sundfeld estão apontadas algumas das distorções que geram na sociedade a percepção de que os servidores públicos são uma classe privilegiada: sistema de remuneração desvinculado de produtividade; avaliações meramente formais, que não premiam o bom desempenho nem punem o cumprimento insatisfatório das funções; promoções automáticas na carreira; e a estabilidade, que protege quem, por anos a fio, não corresponde às expectativas da sociedade em termos de qualidade e eficiência no trabalho.

Para exemplificar esses pontos levantados pelos autores, cito minha própria experiência no serviço público. Tendo tomado posse em janeiro de 2000, atingi o mais alto patamar da carreira pouco mais de dez anos depois, em abril de 2010, aos 32 anos, após ser beneficiado por uma série de promoções e progressões automáticas. Ao longo de quase duas décadas de carreira, fui submetido a procedimentos de avaliação, mas eram meramente formais, pois as chefias imediatas me concederam a pontuação máxima permitida — situação similar à da maioria absoluta dos meus colegas. Para completar, desde outubro de 2008 minha carreira é remunerada por subsídios — ou seja, com um valor fixo mensal, sem qualquer componente atrelado ao desempenho ou à produtividade.

No entendimento de Abrão, Fraga e Sundfeld, para atacar esses problemas não basta tentar alterar a Constituição, como muitos governos têm feito. É preciso reformular todo o arcabouço legal e implementar políticas de gestão de pessoas:

> Uma parte dos problemas está na Constituição de 1988, que adotou o regime estatutário como base do serviço público, fazendo com que a estabilidade nos cargos se tornasse a regra. Mas não é só. A competência legislativa em matéria funcional ficou pulverizada no Brasil pelos três níveis da federação. Assim, milhares de leis federais, estaduais e municipais foram multiplicando os problemas. Esse complexo sistema infraconstitucional, incontrolável, deu margem a que, ao longo do tempo, privilégios, proteções e garantias se tornassem regra.

Essas leis — mais até do que a garantia constitucional de estabilidade — são responsáveis por boa parte dos atuais problemas e distorções.

Tal sistema vem comprometendo os resultados, reduzindo a produtividade e influenciando no crescimento desordenado e vegetativo dos gastos com pessoal. Esse conjunto de leis — piorado pela captura corporativista dos processos internos — fez com que, na prática, o regime dos servidores conferisse proteção e benefícios em excesso, impedindo o uso efetivo de ferramentas de gestão de pessoas.[43]

Em teoria, até as entidades que representam os interesses dos servidores públicos concordam com o diagnóstico proposto por Armínio Fraga, Ana Carla Abrão e Carlos Ari Sundfeld. Em documento publicado pelo Fórum Nacional Permanente de Carreiras Típicas de Estado (Fonacate) — sociedade civil formada por 37 associações e sindicatos que, juntos, defendem mais de 200 mil servidores públicos —, o analista político Antônio Augusto de Queiroz e o consultor legislativo Luiz Alberto dos Santos examinaram todos os pontos da reforma administrativa apresentada pelo governo Bolsonaro ao Congresso (PEC nº 32/2020) à luz do ciclo laboral, que vai do concurso público à aposentadoria, passando pela estrutura das carreiras e pelo sistema de capacitação e promoção.[44]

Na conclusão dos autores, a seleção de candidatos precisa ser mais bem regulamentada e as centenas de carreiras devem ser racionalizadas em um número mais restrito, de perfil mais generalista, embora sem perder suas especialidades básicas. A trajetória do servidor até o topo da carreira também deveria ser alongada, acompanhada de ciclos de capacitação e aperfeiçoamento, bem como de avaliações de desempenho para alcançar a progressão por mérito. Com relação ao regime estatutário, Queiroz e Santos recomendam sua restrição a determinadas carreiras, permitindo-se a adoção das regras da CLT para as outras atividades, bem como regulamentando-se a demissão por insuficiência de desempenho, desde que garantidas a transparência e a ampla defesa.[45]

Se há uma aparente convergência entre importantes pensadores do mercado e do corpo técnico de servidores em relação aos objetivos que se pretende alcançar para modernizar o Estado brasileiro, as dificuldades de diálogo e de construção de consensos indicam que há muita resistência à modificação do regime especial conferido atualmente ao funcionalismo.

Na discussão sobre privilégios do funcionalismo público há benesses restritas a carreiras bem específicas, como os penduricalhos salariais de que tratamos nos capítulos anteriores. Há, contudo, uma gama de favores gerais, que beneficiam a todos os servidores, independentemente do cargo ocupado.

É inegável que existe uma estrutura legal e institucional que protege de maneira ampla os servidores públicos. A falta de regulamentação da avaliação periódica de desempenho que possibilite o desligamento de profissionais pouco comprometidos com sua missão institucional ou com comprovada inadequação às competências de seu cargo significa que, na prática, a estabilidade no emprego persiste como um estímulo à ineficiência. Além disso, a remuneração desvinculada da entrega de resultados, a flexibilidade para a obtenção de licenças e afastamentos e os sistemas de promoção automática na carreira são vantagens que não encontram paralelo no setor privado.

Existe ainda uma série de benefícios disponíveis aos servidores públicos em geral que não se sustentam a esta altura do século XXI. Ao se fazer uma varredura na lei nº 8112/1990, é possível identificar alguns desses favores que tão mal fazem à imagem dos servidores e cuja revisão serviria para diminuir a disparidade de tratamento entre trabalhadores privados e públicos. É o caso, por exemplo, do auxílio-funeral (um salário extra pago à família em caso de falecimento do servidor ativo ou inativo), da licença remunerada de três meses para o servidor que quer disputar eleições, ou, ainda, da ajuda de custo de até três contracheques quando ele é transferido de localidade — sem falar nas condições bem mais favoráveis do que as previstas na CLT para a obtenção de licenças e afastamentos pelos mais variados motivos. Servidores públicos federais podem também tirar uma licença não remunerada para tratar de interesses particulares, o que lhes permite passar alguns anos trabalhando no setor privado com sua vaga na administração pública garantida como uma espécie de seguro, desde que não haja conflito de interesses — esse privilégio, aliás, é usufruído pelo autor deste livro desde 2019.

Além dos privilégios que a legislação confere às carreiras com maior poder de mobilização e pressão, assegurando a seus membros rendimentos básicos e penduricalhos salariais que as colocam num patamar muitas vezes superior às categorias que prestam atendimento direto aos cidadãos, a legislação geral também confere, portanto, alguns tratamentos especiais a todos os servidores públicos em relação aos demais trabalhadores da iniciativa privada.

Rever o pacote de benefícios do funcionalismo público passa, portanto, pela necessária coragem de atacar os adicionais que com frequência fazem que os servidores do topo ganhem mais que o presidente da República e os ministros do Supremo, mas também pela adequada discussão de incentivos negativos que desestimulam o conjunto de trabalhadores do setor público a prestar um serviço melhor para a população.

Os números indicam que nosso funcionalismo é oneroso em termos de seu peso sobre o Orçamento público. Há ainda farta evidência de que a legislação atual não estimula a busca pela qualidade e pela eficiência. A necessária discussão sobre uma reforma administrativa, portanto, deve se pautar por uma avaliação criteriosa sobre a eliminação de privilégios e pela adoção de mecanismos mais modernos para se valorizar a dedicação e a capacitação dos servidores. Pautar o debate utilizando rótulos preconceituosos como marajás ou parasitas não é o melhor caminho.

7. Privilegiados de farda: A velha e a nova elite militar

O atual governador de São Paulo, Tarcísio Gomes de Freitas, ganhou prestígio e impulsionou sua carreira política ao comandar o Ministério da Infraestrutura no governo Jair Bolsonaro.

O convite para fazer parte do primeiro escalão bolsonarista já foi uma deferência. Avesso a "contaminar" seu ministério com integrantes que tivessem trabalhado nas gestões petistas, Bolsonaro abriu uma rara exceção para Tarcísio de Freitas. Embora tivesse conduzido o Departamento Nacional de Infraestrutura de Transportes (Dnit) no governo Dilma Rousseff e coordenado o Programa de Parcerias de Investimentos na administração de Michel Temer, sua formação militar driblou a resistência do ex-capitão do Exército eleito presidente em outubro de 2018.

Tarcísio de Freitas estudou na Escola Preparatória de Cadetes do Exército, formou-se em ciências militares na Academia Militar das Agulhas Negras em 1996 e se graduou no Instituto Militar de Engenharia em 2002, onde obteve a maior média no curso de graduação em Engenharia de Fortificação e Construção.[1]

Apesar dos anos dedicados à carreira militar, tendo inclusive chefiado um pelotão na missão brasileira no Haiti, Tarcísio deixou as Forças Armadas em 2008. Aprovado no concurso de analista de finanças e controle para atuar na CGU, o capitão pediu baixa e passou à reserva não remunerada.[2] O motivo de sua decisão foi bastante pragmático: dinheiro. Segundo o edital do concurso, na época o salário inicial na CGU podia atingir 8484,53 reais, mais do que o dobro do soldo de um capitão do Exército, que era de 4053,00.[3]

Assim como Tarcísio de Freitas, muitos dos bons quadros formados nas escolas de elite das Forças Armadas deixaram a carreira militar nas últimas décadas após fazerem concursos para o funcionalismo civil. Mais vantajosos em termos financeiros, outros cargos do Poder Executivo federal passaram a atrair os jovens oficiais com melhores perspectivas para sua vida profissional.

A trajetória de Tarcísio de Freitas ilustra o descrédito vivido pelas Forças Armadas em relação a seu passado glorioso, cujas vantagens vinham sendo reduzidas de maneira gradativa desde que o país se redemocratizou. De certa forma, a eleição de Jair Bolsonaro representou uma tentativa de retorno aos tempos áureos da corporação, quando a farda era símbolo de status e prestígio.

Em 2019, o cientista político José Murilo de Carvalho lançou uma edição atualizada e ampliada de sua obra *Forças Armadas e política no Brasil*, publicada originalmente em 2005. A justificativa para o interesse no livro era óbvia: com a chegada de Jair Bolsonaro ao poder, a recuperação do protagonismo militar na política brasileira carecia de reflexões, e nada melhor do que recorrer às referências clássicas sobre o assunto.[4]

Na publicação original, o professor emérito da Universidade Federal do Rio de Janeiro (UFRJ), falecido em 2023, retratava o poder das Forças Armadas desde a Primeira República (1889-1930), passando, é claro, pelo golpe de 1964 e o regime autoritário que impuseram até 1985, e chegando aos dilemas da relação entre civis e militares na nova ordem democrática após a Constituição de 1988. Entre os textos adicionados à nova edição de 2019 chamou a atenção um interessante capítulo sobre o escritor Euclides da Cunha e sua formação no Exército. Carvalho toma a história pessoal do jornalista e escritor para retratar o momento em que os militares emergem como força política no país.

Nascido em 1866 em Cantagalo (RJ), Euclides da Cunha foi admitido na Escola Militar nos estertores do Império, em 1886. De família sem muitas posses, a opção do jovem de vinte anos pode ter sido estimulada pelo alojamento e pelo pequeno soldo que a instituição proporcionava a seus alunos, tendo em vista que o futuro escritor nunca escondeu que não possuía vocação para as armas.

De acordo com Carvalho, devido à qualidade e à abrangência do ensino, naquela época a Escola Militar da Praia Vermelha tinha a fama de não formar soldados, mas sim bacharéis fardados. Ao final dos cinco anos de curso, obtinha-se o título de bacharel em matemática e ciências físicas e naturais. No último biênio, frequentava-se a Escola Superior de Guerra, de onde o aluno saía primeiro-tenente do Exército Brasileiro.

O cientista político compara a ascensão desses jovens oficiais no final do Império, intelectualmente bem formados e engajados nos ideais abolicionistas e republicanos, com os filhos da elite econômica do país, que costumavam ocupar os principais postos da magistratura e da política nacionais.

> Iguais na formação, nas ideias, na mobilização política, eles diferiam na origem social. Muitos dos alunos que frequentavam as escolas de direito e medicina eram filhos de famílias capazes de sustentá-los longe de casa no Recife, em Salvador, em São Paulo ou no Rio de Janeiro. [...] Outra era a situação dos alunos das escolas militares.

> Em sua grande maioria provinham de famílias militares e de famílias de poucos recursos. [...] Essa inferioridade social, responsável também pelo preconceito contra os militares do Exército, foi compensada pelo nivelamento educacional. Ao final do século [XIX], os bacharéis fardados que permaneciam no Exército desenvolveram a autoimagem de uma contraelite, ansiosa por disputar o poder aos bacharéis civis. A proclamação e os primeiros anos da República constituíram o ponto culminante de sua luta.[5]

Na visão dos professores da FGV Fernando Abrucio e Maria Rita Loureiro, enquanto os principais postos na magistratura e na alta administração pública eram ocupados pelos filhos da elite rural e aristocrática por indicação política, as Forças Armadas e o Itamaraty constituíram as primeiras burocracias do tipo weberiano da história do país, com seleção pública por mérito, além de hierarquia e métodos de profissionalização.[6]

Euclides da Cunha decidiu abandonar a farda um ano antes de partir para sua célebre cobertura da Guerra de Canudos, já como repórter de *O Estado de S. Paulo*, em 1897. Os conhecimentos adquiridos na Escola Militar, contudo, são bastante evidentes no detalhismo das célebres descrições sociológicas e da natureza em sua obra máxima, *Os sertões* (1902).

Desde a proclamação da República, a influência dos militares na política brasileira só fez crescer. Para José Murilo de Carvalho, as Forças Armadas foram a alavanca estabilizadora que garantiu o Estado Novo de Getúlio Vargas e estão no centro da concepção da política de industrialização que perdurou até o golpe de 1964. Durante as duas décadas em que comandaram o país, os militares se fortaleceram como corporação — a "mais conspícua, mais coesa, mais poderosa" do país, segundo o saudoso professor emérito da UFRJ.[7]

Com a redemocratização e a nova Constituição de 1988, esse poder dos militares foi sendo esvaziado. Ao contrário do primeiro-

-tenente Euclides da Cunha, que pediu para passar à reserva por entender que não possuía o espírito militar, a despeito do prestígio que as Forças Armadas haviam adquirido, o capitão Tarcísio Gomes de Freitas deixou a caserna após passar num concurso para uma carreira civil que oferecia melhores salários.

A despeito da desvalorização dos soldos e da perda de prestígio político, contudo, o auge da influência militar legou a seus integrantes pelo menos dois privilégios que perduram até os dias atuais: a Justiça Militar e um regime especial de previdência.

Desde pelo menos Adam Smith (1723-90), considerado o pai das ciências econômicas, a divisão do trabalho é entendida como uma ferramenta importante para aumentar a produtividade e a eficiência na execução das tarefas. Tendo isso em mente, na estrutura do Poder Judiciário brasileiro a Constituição Federal adota o critério da especialização para determinar quem será competente para julgar os processos submetidos à sua apreciação.

São cinco os principais ramos da Justiça no Brasil: Justiça Federal (que cuida das causas em que a União figura como uma das partes, além de conflitos federativos e outras matérias), Justiça do Trabalho, Justiça Eleitoral, Justiça Militar e Justiça Estadual, que é residual — ou seja, trata de todas as matérias que não são privativas das demais.

Embora a especialização do sistema judiciário brasileiro seja baseada em critérios materiais, relativos ao tipo de assunto em disputa, essa estrutura traz consigo vieses que acabam por criar privilégios para grupos específicos. E o caso mais flagrante é o da Justiça Militar.

As historiadoras Adriana Barreto de Souza, professora da Universidade Federal Rural do Rio de Janeiro (UFRRJ), e Angela Moreira Domingues da Silva, da FGV, num dos raros trabalhos que analisam a estrutura e o funcionamento da Justiça Militar em perspectiva, demonstram como a atribuição e os contornos jurídicos dessa instituição se mostraram fluidos desde a chegada da corte portuguesa ao Brasil em 1808.[8]

Essa característica híbrida da instituição, moldada pelas formalidades do mundo jurídico, mas definida pelo espírito militar, foi se acentuando ao longo de nossa história, sobretudo por causa do crescente envolvimento político das Forças Armadas nos destinos do país. Assim, tanto a legislação específica — Código Penal Militar, Código de Processo Penal Militar e as várias leis de segurança nacional — quanto a própria estrutura da Justiça Militar foram sendo alargadas para abranger não apenas questões específicas da carreira militar (atos de indisciplina, quebra de hierarquia e deserção), mas até o julgamento de civis em questões consideradas de defesa nacional.

Apesar da queda do regime militar em 1985 e da subsequente aprovação de uma nova Constituição civil em 1988, a estrutura da Justiça Militar foi mantida, a ponto de o Brasil ser um dos poucos países democráticos da América Latina a manter um foro militar. Na visão das historiadoras Adriana Souza e Angela Domingues da Silva, essa condescendência brasileira com um tratamento judicial diferenciado para os membros das Forças Armadas reflete a "tradição de pertencimento distinto e aristocrático que ainda caracteriza a instituição militar", um privilégio claramente corporativista.

A composição do Superior Tribunal Militar (STM) já demonstra para que lado pende a balança em seus julgamentos. De acordo com a Constituição, dos quinze ministros que compõem a cúpula da Justiça Militar, dez são oficiais-generais das Forças Armadas (sendo três da Marinha, quatro do Exército e três da Aeronáutica); apenas cinco são civis.[9]

A questão sobre a possibilidade de a Justiça Militar ser conivente com abusos cometidos pelos quadros da corporação assumiu contornos mais significativos nos últimos anos, na medida em que as Forças Armadas vêm sendo convocadas para atuar na função de segurança pública, como nas operações de Garantia da Lei e da Ordem (GLO) ou mesmo em intervenções federais, como a ocorrida no Rio de Janeiro em 2018.

De acordo com a lei complementar nº 136, militares que tenham cometido crimes durante ações realizadas sob o amparo da GLO, como ações em favelas contra o tráfico de drogas ou o crime organizado, por exemplo, deverão ser julgados pela Justiça Militar, e não pela Justiça comum, como previa a legislação até 2010.[10] Trata-se de uma mudança de orientação que acabou estimulando o uso excessivo da força nessas ações militares, pois os integrantes das Forças Armadas convocados para atuar em áreas urbanas sabem que, em caso de mortes de civis, serão julgados por seus pares da Justiça Militar, e não por magistrados civis. O corporativismo, nesse caso, é um estímulo ao uso excessivo da violência militar.

Três anos após a sanção da norma, o procurador-geral da República à época, Roberto Gurgel, ingressou no STF com um pedido de declaração de inconstitucionalidade desse dispositivo legal. Em sua petição, argumentava que alargar a competência da Justiça Militar para abarcar também a atuação das Forças Armadas como órgão de segurança pública — o que não é sua função precípua — representaria um obstáculo para a responsabilização dos militares e a reparação das vítimas em casos de violações de direitos humanos ocorridas nessas operações.[11]

Embora o representante do Ministério Público não tenha utilizado essas palavras diretamente em relação à Justiça Militar brasileira, as dúvidas em relação à independência e à imparcialidade dessa corte para julgar os integrantes das Forças Armadas estão implicitamente presentes na referência a casos similares ocorridos no Peru e no México citados em sua petição, em que os respectivos tribunais militares absolveram integrantes do Exército acusados de crimes praticados contra civis. Apesar das tentativas de julgamento da ação nos últimos anos, o processo foi suspenso em março de 2023.[12]

Um dos exemplos mais flagrantes de como a existência e a composição do STM agem a favor da impunidade dos militares brasileiros ficou evidente no julgamento dos réus pelos assassinatos dos músicos Evaldo Rosa dos Santos e do catador de material reciclável Luciano Macedo, numa operação de patrulhamento do Exército na área da vila militar de Guadalupe, zona norte do Rio de Janeiro.

Na tarde do dia 8 de abril de 2019, um domingo, o músico seguia com a sua família para um chá de bebê quando seu automóvel foi alvejado por nada menos que 62 tiros de fuzil e pistola disparados por doze militares. Evaldo morreu na hora e seu sogro, que estava no banco do passageiro, também foi ferido, mas sobreviveu. O catador de latinhas Luciano, que passava pelo local e tentou ajudar, também foi morto pelos 257 disparos feitos pelos militares.

A defesa dos militares utilizou a tese de que se tratou de um engano, pois minutos antes a patrulha havia presenciado um roubo em que os criminosos fugiram num veículo de mesmo modelo e características semelhantes às do carro da família de Evaldo. No julgamento em primeira instância, contudo, oito fardados envolvidos na operação foram condenados a até 31 anos em regime fechado pelo homicídio doloso de Evaldo e Luciano, além de tentativa de homicídio contra o sogro Sergio Gonçalves de Araújo.

Quando o caso subiu para apreciação do STM, porém, o relator do recurso, ministro Carlos Augusto Amaral, propôs a absolvição dos acusados do homicídio de Evaldo por falta de provas, cogitando a possibilidade de o músico ter sido morto durante uma troca de tiros entre os militares e os verdadeiros criminosos. Já no caso do assassinato de Luciano, o integrante da corte militar descaracterizou o crime para homicídio culposo (sem intenção de matar), sob a hipótese de que os membros do Exército teriam agido em legítima defesa putativa, situação em que disparam os tiros por se julgarem, ainda que erroneamente, em perigo. A pena máxima sugerida pelo ministro foi de três anos e dez meses, a ser cumprida em regime aberto.

Mesmo que, quando este livro foi finalizado, o processo ainda estivesse em aberto — uma vez que houve pedido de vistas da ministra Maria Elizabeth Rocha —,[13] o posicionamento do relator explicita como o corporativismo impera naquele tribunal. Não obstante o excesso de evidências sobre a responsabilidade dos militares envolvidos numa ação desproporcional que resultou na morte de dois inocentes, o ministro responsável pelo processo no STM opinou por abrandar significativamente as penas, colaborando para a impunidade dos réus. Não por acaso, o relator do caso é egresso das Forças Armadas.

Além da prevalência de militares sobre civis no STM, o que pode favorecer membros da corporação em seus julgamentos, o privilégio da Justiça Militar também tem implicações fiscais. Conforme pode ser visto no gráfico 10, a corte consumiu em 2022 em torno de 600 milhões de reais, valor que é totalmente desproporcional ao seu volume de casos em tramitação. A título de comparação, a estrutura do STJ custa quase o triplo (1,6 bilhão de reais), mas o número de processos pendentes lá é mais de setenta vezes superior ao do estoque do tribunal militar.[14]

A péssima relação custo-benefício do STM (para cada processo em análise a estrutura de pessoal, equipamentos, material de consumo e serviços terceirizados consome 162,5 mil reais por ano) explicita como esse privilégio judicial para os militares sai caro para o contribuinte e traz pouco retorno para a sociedade.

Fenômeno similar acontece com o sistema de previdência para os integrantes das Forças Armadas.

GRÁFICO 10

DESPESAS TOTAIS E NÚMERO DE PROCESSOS PENDENTES NOS TRIBUNAIS SUPERIORES BRASILEIROS EM 2022

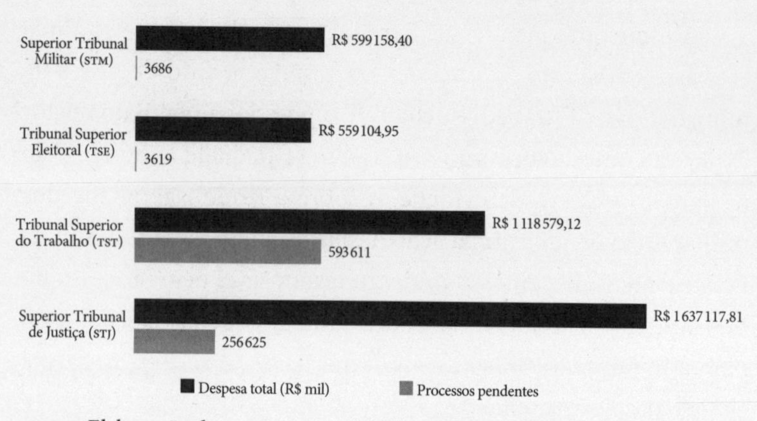

FONTE: Elaboração do autor a partir de dados do Conselho Nacional de Justiça.

Desde 1º de abril de 1999 a atriz Regina Duarte recebe do governo federal uma pensão que em junho de 2023 lhe garantia 7709,06 reais brutos ao mês. Trata-se de um quarto do montante que lhe é de direito pelo falecimento de seu pai, o primeiro-tenente do Exército Jesus Nunes Duarte, sendo as outras três partes seguramente pagas a suas irmãs.

Ao contrário dos trabalhadores do setor privado ou mesmo dos servidores públicos federais civis, os militares usufruem de um sistema privilegiado de previdência social que é herança dos velhos tempos em que a carreira era ainda mais poderosa.

Regina Duarte se beneficia até hoje de uma lei aprovada em 1960 que concedia às viúvas, aos filhos de até dezoito anos e às filhas (nesse caso, sem qualquer limite de idade) uma pensão no valor dos proventos do militar enquanto vivo.[15]

Note-se que, à época em que o regime de pensão para herdeiros de militares foi instituído, a regra já era mais vantajosa do que a dos servidores civis, que concedia o benefício apenas às filhas que permanecessem solteiras[16] — possibilidade que foi extinta em 1990.[17] No caso das filhas de militares, a pensão era paga mesmo se a herdeira contraísse matrimônio.

Foi só em 2001, numa medida provisória editada pelo presidente Fernando Henrique Cardoso, que foram extintas as pensões destinadas às filhas de militares maiores de 21 anos (ou 24, se estudantes). No entanto, a norma só passou a valer para aqueles admitidos nas Forças Armadas depois de 29 de dezembro de 2000.[18] Assim, a pensão paga a Regina Duarte e a todas as filhas de militares que serviram no Exército, na Marinha ou na Aeronáutica até essa data, solteiras ou não, continuou assegurada.

A real dimensão das distorções dos contracheques das pensionistas militares só ficou conhecida do grande público pelo trabalho engajado da Fiquem Sabendo, uma agência independente de dados especializada na Lei de Acesso à Informação, fundada pelos jornalistas Léo Arcoverde, Maria Vitória Ramos, Luiz Fernando Toledo e Bruno Morassutti.

Em 2019, a organização apresentou uma denúncia ao TCU argumentando que o governo federal estaria descumprindo a Lei de Acesso à Informação ao não divulgar os dados detalhados dos pensionistas do Poder Executivo federal. Depois de uma decisão do tribunal, o Poder Executivo divulgou os contracheques apenas das pensões de civis e dos ex-militares dos antigos territórios federais, poupando da exposição os herdeiros dos antigos integrantes das Forças Armadas.

A agência Fiquem Sabendo não cedeu à resistência do governo Bolsonaro e interpôs novo recurso ao TCU, registrando o descumprimento da determinação do órgão pela CGU e pelo Ministério da Defesa. Após uma segunda decisão favorável, o governo afinal abriu a "caixa-preta" das pensões militares, numa vitória da sociedade civil.[19] A partir de então, a relação dos beneficiados e os valores recebidos se encontram disponíveis no Portal da Transparência do governo federal para consulta de qualquer interessado.[20]

As pensões para as filhas de militares constituem, contudo, apenas uma parte do déficit causado às contas públicas pelo regime de previdência especial das Forças Armadas.

De acordo com o *Relatório Resumido da Execução Orçamentária*, publicado pela Secretaria do Tesouro Nacional, o governo federal encerrou 2022 com um déficit previdenciário total de 368,8 bilhões de reais. Nesse valor estão incluídas as contas do Regime Geral de Previdência Social — relativo aos trabalhadores do setor privado vinculados ao INSS —, do regime próprio dos servidores civis do Poder Executivo federal e também do denominado Sistema de Proteção Social dos Militares das Forças Armadas.

Como se pode ver na tabela 1, todos os regimes previdenciários estavam no vermelho em 2022.

A parcela mais expressiva (73,3%) do déficit da Previdência Social do governo federal está no INSS. A tabela indica que as contribuições recolhidas por empresas e trabalhadores em 2022 (534,3 bilhões de reais) não foram capazes de arcar com os pagamentos de benefícios previdenciários daquele ano (804,5 bilhões de reais), que incluem também auxílios, cobertura de acidentes e assistência social.

Logo em seguida, em percentuais bastante próximos, vêm os déficits do regime dos servidores federais civis (13,7% do total) e o sistema previdenciário dos militares (13%).

Embora o INSS seja o mais oneroso em termos absolutos, quando se leva em consideração o total de aposentados e pensionistas contemplados em cada modelo, é possível verificar com mais destaque onde as distorções são mais gritantes. O déficit do INSS, de 270,2 bilhões de reais em 2022, atendia 22 210 078 aposentados e 8 193 454 pensionistas, além do pagamento de 1 163 764 auxílios (doença, acidente e reclusão), salários-maternidade para 68 342 mulheres, benefícios acidentários para 777 240 pessoas e

TABELA 1

DISCRIMINAÇÃO DO DÉFICIT PREVIDENCIÁRIO DO GOVERNO FEDERAL, POR REGIME (2022)

	RECEITA (R$ MILHÕES)	DESPESAS (R$ MILHÕES)	DÉFICIT (R$ MILHÕES)	CONTRIBUIÇÃO PARA O DÉFICIT	APOSENTADOS E PENSIONISTAS	% DE BENEFICIÁRIOS
Regime Geral de Previdência Social (setor privado)	R$ 534 274,00	R$ 804 475,00	R$ 270 201,00	73,3%	30 403 532	95,9%
Regime Próprio de Previdência Social (servidores federais civis)	R$ 39 456,00	R$ 900 229,00	R$ 50 573,00	13,7%	772 103	2,4%
Sistema de Proteção Social dos Militares das Forças Armadas	R$ 8787,00	R$ 56 778,00	R$ 47 991,00	13%	519 041	1,6%
TOTAL	R$ 582 517,00	R$ 951 282,00	R$ 368 765,00	100%	31 694 676	100%

FONTE: Elaboração do autor a partir de dados do *Relatório Resumido da Execução Orçamentária* (dez. 2022), do projeto de lei de Diretrizes Orçamentárias 2024 e do *Boletim Estatístico da Previdência Social* (dez. 2022).

assistência social (idosos e portadores de deficiência de baixa renda) para 5 195 802 indivíduos.[21]

No caso da previdência das Forças Armadas, o rombo de quase 48 bilhões de reais nas contas públicas beneficia apenas 166 169 militares da reserva e 352 872 pensionistas[22] — ou apenas 1,6% do contingente total de pessoas amparadas pelo sistema de aposentadorias e pensões do governo federal.

A tabela 1 também indica que, além de desproporcional, o Sistema de Proteção Social dos Militares das Forças Armadas é subfinanciado por seus participantes. As contribuições pagas pelos militares da ativa e da reserva, bem como pelos pensionistas (que arrecadaram 8,8 bilhões de reais em 2022), cobrem menos de um sexto do pagamento de suas aposentadorias e pensões (uma despesa total de 56,8 bilhões de reais). Esse rombo de quase 48 bilhões é coberto pelo pagamento de tributos cobrados de todos os brasileiros — razão pela qual seria fundamental incluir os militares numa ampla reforma da previdência.

Isso chegou a ser cogitado em 2019, quando o Congresso discutiu mudanças nas regras previdenciárias, mas havia um capitão reformado do Exército ocupando a Presidência da República.

Na edição de 3 de setembro de 1986 da revista *Veja*, na época o semanário de maior circulação no país, um capitão de artilharia paraquedista escreveu um artigo em que reclamava da "crise financeira que assola a massa de oficiais e sargentos do Exército Brasileiro".

Dizia o relato publicado na coluna "Ponto de Vista", que ocupava a última página da revista: "um capitão com oito a nove anos de permanência no posto recebe — incluindo soldo, quinquênio, habitação militar, indenização de tropa, representação e moradia, descontados o fundo de saúde e a pensão militar — exatos 10 433 cruzados por mês". Em sua visão, se não fosse a isenção do imposto de renda de que os militares gozavam naquela época, um oficial ("homem de elite e cheio de sonhos de carreira", segundo o autor do texto) ganharia menos do que funcionários sem qualificação de estatais como o Banco do Brasil ou a Petrobras.[23]

O autor do manifesto se chamava Jair Messias Bolsonaro, e o rendimento líquido de 10433 cruzados que ele dizia receber na época, corrigido pela inflação (IPCA) e pelas diversas mudanças monetárias que tivemos até o real, equivaleria em janeiro de 2024 a 10118,19 reais.

A manifestação pública de insatisfação com seu soldo rendeu um processo disciplinar ao capitão, agravado por outra reportagem na mesma revista, publicada em outubro de 1987, revelando que o mesmo Bolsonaro estaria por trás de um plano de atentado à bomba em unidades militares para pressionar os superiores por aumentos.[24]

O STM acabou absolvendo o capitão Jair Bolsonaro em junho de 1988 — numa evidência do instinto de autoproteção corporativa fomentado pela Justiça Militar, mesmo em questões eminentemente disciplinares, descrito algumas páginas atrás.[25]

O risco de ser desligado da corporação parece não ter afligido Bolsonaro — muito pelo contrário. No mesmo ano o capitão solicitou a transferência para a reserva e, diante da popularidade alcançada entre seus pares pela coragem de expor a situação financeira de praças e oficiais, lançou-se na carreira política.

Em nota publicada no *Jornal do Commercio* às vésperas das eleições municipais de novembro de 1988, os colunistas Aziz Ahmed e Roberto Hillas cantaram a bola:

> A força do voto militar, no Rio de Janeiro, será medida nas eleições municipais de novembro próximo. É candidato a vereador, pelo PDC [Partido Democrata Cristão], o capitão Jair Bolsonaro. Desde 1986, esse jovem oficial paraquedista vem se notabilizando pelas suas posições em defesa de melhores salários para a classe militar.[26]

Respondendo à questão levantada pela dupla de jornalistas, as urnas efetivamente comprovaram a força do voto militar. Jair Bolsonaro foi eleito para a Câmara Municipal do Rio de Janeiro com 11 062 votos, alcançando um surpreendente 16º lugar no pleito.[27]

Dois anos depois, Bolsonaro iniciou sua longa trajetória como deputado federal. Chegou a Brasília respaldado por 67 041 votos em 1990, numa expressiva sexta posição entre os preferidos dos eleitores fluminenses.

Em 1994, foi reeleito com 111 927 votos, atrás apenas de Francisco Silva, popular radialista evangélico, e do experiente político Francisco Dorneles.

Quatro anos depois, seu desempenho nas urnas começou a cair, embora tenha mantido a marca de mais de 100 mil votos (102 893, para ser preciso), e a décima colocação no Rio de Janeiro.

Em 2002, Bolsonaro foi o 21º colocado no estado, com 88 945 votos.

Em busca de mais uma reeleição, seu desempenho voltou a subir em 2006, e a vitória veio sacramentada por 99 700 votantes, o 14º maior apoio entre os candidatos a deputado federal fluminenses.

Em 2010, alcançou a 11ª posição no Rio de Janeiro, com 120 646 votos.

Por fim, num prenúncio da virada de ventos a favor de sua popularidade, em sua sétima eleição para a Câmara dos Deputados, 464 572 eleitores lhe concederam mais um mandato em 2014, a terceira maior votação do país, atrás apenas do apresentador de TV Celso Russomanno e de Francisco Everardo Oliveira Silva, o humorista Tiririca.[28]

Apesar de seu sólido desempenho nas urnas, em consulta ao histórico de Jair Bolsonaro na Câmara dos Deputados, constata-se que, para além das polêmicas, sua atuação ao longo de sete mandatos é marcada pela defesa de interesses corporativos da classe militar e pela baixa efetividade na aprovação de projetos de lei.

Analisando o teor de seus 162 projetos de lei propostos, os dados demonstram que mais de um terço tratava de valor dos rendimentos, pensões, anistia de penalidades, moradia, atendimento médico e hospitalar para militares, além da criação de colégios militares. Nenhuma dessas propostas, porém, chegou a ser convalidada em lei.[29]

O cientista político Octavio Amorim Neto, da FGV, em artigo escrito com Igor Acácio (doutorando em ciência política pela Universidade da Califórnia em Riverside), assim define a atuação legislativa de Jair Bolsonaro: "Ex-capitão do Exército tido pelo ex-presidente Ernesto Geisel como um 'mau militar', sempre foi o representante 'sindical' das Forças Armadas durante seus 28 anos como parlamentar, lutando por seus interesses salariais e corporativos".[30]

O sucesso eleitoral de Bolsonaro, porém, está longe de ser um fenômeno isolado. Nas últimas décadas, o envolvimento de militares, da reserva e da ativa, assim como de membros das forças policiais estaduais e de guardas municipais, só cresceu. Computando o número de candidatos que se apresentaram à Justiça Eleitoral declarando ter como ocupação principal a atuação nas Forças Armadas ou nas polícias Civil e Militar, bem como aqueles que utilizaram patentes militares em seu nome de urna, é possível constatar esse duplo processo de militarização da política e de politização das tropas.[31]

A formação de verdadeiras "bancadas" militares no Poder Legislativo dos três níveis federativos tem reflexos nas políticas de segurança pública. O pesquisador Lucas Novaes, professor do Insper, utilizou um modelo de regressão descontínua para comprovar que um aumento na eleição de candidatos militares para as câmaras municipais leva a um aumento nos orçamentos para a segurança pública e à queda nos crimes contra o patrimônio, mas são acompanhados também de uma elevação no número de homicídios de jovens negros.

Numa evidência de como a presença de militares na política municipal distorce as decisões de políticas de segurança, utilizando

GRÁFICO 11

EVOLUÇÃO DE CANDIDATURAS DE MEMBROS DAS FORÇAS ARMADAS, POLICIAIS MILITARES, CIVIS E FEDERAIS E GUARDAS MUNICIPAIS NAS ELEIÇÕES GERAIS BRASILEIRAS

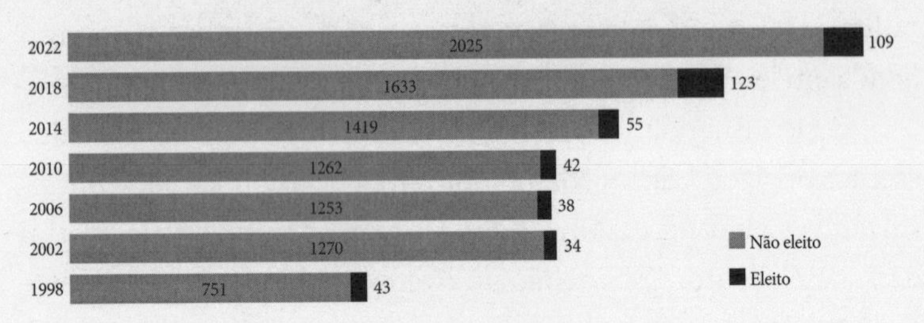

FONTE: Elaboração do autor a partir de dados do TSE para os cargos de deputados distrital, estadual e federal, senador, governador e presidente da República. Estão incluídos candidatos que se registraram como militares ou servidores da segurança pública ou utilizaram essas denominações em seus nomes de urnas.

dados georreferenciados de ocorrências de roubos e assassinatos no estado de São Paulo, Novaes demonstrou que regiões que votaram em maior peso em candidatos da bancada militar observaram uma redução na incidência de crimes, ao contrário daquelas áreas onde houve pouco apoio aos políticos oriundos dos quartéis.[32]

Segundo os resultados da pesquisa de Novaes, a eleição de vereadores identificados com patentes militares aumenta a taxa de homicídios em média em vinte mortos por 100 mil habitantes. Quando se leva em conta a cor da pele das vítimas, os efeitos dessa suposta política de "tolerância zero contra o crime" levada a cabo pelos políticos eleitos com uma plataforma de segurança pública ficam evidentes: o aumento na média de assassinatos se concentra nas pessoas pretas, enquanto a eleição de vereadores da "bancada da bala" na prática não altera a taxa de homicídios de brancos.[33] Além dos efeitos sobre políticas públicas e sobre a violência urbana, uma maior prevalência de militares na política brasileira também gera maior pressão pela concessão de benefícios para essa categoria.

E a passagem de Jair Bolsonaro pelo Palácio do Planalto foi pródiga nesse sentido.

Na alentada pesquisa que realizou para retratar o envolvimento dos militares com a política depois do fim da ditadura, o jornalista Fabio Victor destaca como a politização das Forças Armadas acabou resultando na militarização do governo depois da vitória de Jair Bolsonaro nas urnas em 2018.

Num dos capítulos de *Poder camuflado: Os militares e a política, do fim da ditadura à aliança com Bolsonaro*, Victor afirma que a ascensão de Bolsonaro ao poder significou não apenas um governo *de* militares, mas também *para* militares. Na visão do jornalista, isso se explica pelo número de egressos das Forças Armadas, da reserva e da ativa, convocados para ocupar postos-chave em sua gestão, e também pela quantidade de benesses concedidas para a categoria.[34]

Ao tomar posse, Bolsonaro nomeou sete militares ou ex-militares para seu Ministério.[35] Ao longo do governo, porém, houve um momento em que nada menos do que onze das 25 pastas da esplanada chegaram a ser comandadas por ministros egressos das Forças Armadas ou com formação militar.[36] Como destacam os cientistas políticos Octavio Amorim Neto e Igor Acácio, trata-se do maior índice de participação de ministros provenientes da caserna desde a redemocratização, e significativamente superior a seus antecessores imediatos. Os autores lembram que Dilma Rousseff havia sido a primeira presidente a não ter ministros militares em toda a história republicana e Michel Temer contara apenas com os generais Sérgio Etchegoyen (no Gabinete de Segurança Institucional) e Joaquim Silva e Luna, após a inédita e polêmica decisão de nomear um militar para o Ministério da Defesa.

Amorim Neto e Acácio atribuem a decisão da cúpula das Forças Armadas de embarcar no governo Bolsonaro à perspectiva de os militares voltarem a ter protagonismo nos destinos do país, mesmo que sob o comando de um capitão que não gozava de boa reputação junto aos generais, almirantes e brigadeiros. Ao assumir o controle de pastas estratégicas como Defesa, Minas e Energia, Ciência e Tecnologia, Infraestrutura e até a Saúde, num cenário de pandemia, as Forças Armadas teriam a oportunidade de recuperar a imagem cultuada ao longo da história de "guardiões da nação".

A expressiva presença de militares não se restringiu ao primeiro escalão do governo. A pesquisadora do Ipea Flávia de Holanda Schmidt, cruzando dados do Portal da Transparência e do Sistema Integrado de Administração de Recursos Humanos, do governo federal, identificou que o número de cargos em comissão de natureza civil ocupados por integrantes das Forças Armadas subiu de 638 em 2018 para 1085 em 2021 — um incremento de 70% depois que Bolsonaro assumiu a Presidência.

As informações compiladas por Schmidt indicam que essa elevação se deu de forma generalizada, representando uma ampliação de 37,7% em estatais (de 138 em 2018 para 190 em 2021), 81% nas agências reguladoras (de 21 para 38) e 94,8% nos cargos em comissão dos ministérios (de 381 para 742). Fato digno de nota é que, na administração direta, as funções de maior responsabilidade (os famosos cargos DAS 4, 5 e 6 na hierarquia dos ministérios) observaram uma expansão da ocupação de espaço por militares de 146% depois da chegada de Jair Bolsonaro ao poder (de 137 postos em 2018 para 337 três anos depois).[37]

Além de ocupar cargos de confiança, Bolsonaro também tratou de criar outros espaços para as Forças Armadas em seu governo. Com a justificativa de reduzir a fila de atendimento do INSS, o Ministério da Economia autorizou a contratação temporária de servidores aposentados e militares da reserva para a análise de processos de aposentadorias e outros benefícios, além da execução de serviços administrativos.[38] Segundo contagem realizada por Flávia Schmidt,

1969 funções foram criadas para o emprego, por até dois anos, de reservistas para a execução desse trabalho, que foi, em 2023, considerado irregular pelo TCU.[39]

Outro exemplo foi a decisão, bastante questionada pelos especialistas em educação, de criar o Programa Nacional das Escolas Cívico-Militares.[40] Segundo a iniciativa, militares inativos poderiam ser contratados para o desempenho de atividades didáticas, pedagógicas, administrativas e de gestão nas instituições que aderissem ao projeto. De acordo com o Ministério da Educação, entre 2020 e 2022 a iniciativa envolveu 202 escolas municipais e estaduais em todo o país.[41]

Questionado por meio de solicitação feita pela Lei de Acesso à Informação, o Ministério da Defesa reportou que o programa das escolas cívico-militares começou com a contratação de 309 reservistas ao final de 2020 (ao custo de 7,3 milhões de reais naquele exercício financeiro) e atingiu um contingente de 635 ex-militares no ano seguinte (perfazendo uma despesa de 22,9 milhões de reais em 2021). Em 30 de junho de 2022 o efetivo de militares "aposentados" empregados nas escolas chegou a 1230, onerando os cofres públicos em 64,3 milhões de reais nos primeiros seis meses daquele ano.[42]

Como se não bastasse convocar tantos militares para atuar em cargos de confiança e criar espaço para reservistas exercerem funções civis no Poder Executivo, seja no INSS, seja nas escolas cívico-militares, o governo Bolsonaro também tratou de encontrar uma autorização legal para driblar o teto remuneratório do funcionalismo público e ampliar os ganhos dos fardados.

Em matéria de remuneração, o entendimento sempre foi de que o subsídio dos ministros do STF funcionava como o limite máximo para o pagamento dos servidores civis e militares, incidindo mesmo se eles tivessem dois vínculos com a União. Segundo essa interpretação, se um oficial ou praça reservista ou reformado "abandonasse o pijama" e fosse nomeado para um cargo comissionado no governo, o governo deveria computar a soma de sua "aposentadoria" militar com a remuneração do posto civil e todo o valor que ultrapassasse os vencimentos dos ministros do STF seria deduzido em seu contracheque — numa alínea denominada "abate-teto".

Em meados do governo Bolsonaro, porém, o Ministério da Economia baixou uma portaria adotando uma visão muito mais flexível sobre os limites remuneratórios no governo federal. A partir de maio de 2021, passou-se a entender que o "abate-teto" deveria ser aplicado não mais sobre a soma dos rendimentos, mas de forma isolada para cada fonte de pagamentos.[43] Assim, se um aposentado ou militar inativo era convidado para ocupar um cargo em comissão no governo, a limitação do teto seria aplicada sobre cada rendimento isoladamente, e não em conjunto. Em termos práticos, com a nova regra o militar não sofreria desconto algum em seu contracheque, pois nem sua aposentadoria nem a remuneração do cargo comissionado ultrapassariam isoladamente o teto. Foi por isso que no novo entendimento para a questão dado pela pasta de Paulo Guedes ficou instituído o "teto duplex", pois permitiria o acúmulo de rendimentos em valor superior ao subsídio dos ministros do STF, algo que não era admitido antes.

A medida, que atingiu também servidores civis aposentados e profissionais de saúde ou professores que tinham dois cargos no Poder Executivo federal, representou um benefício considerável para os militares do governo. Tome-se o caso do próprio Bolsonaro. Como capitão da reserva, ele tinha em abril de 2021 uma remuneração de 10 703,78 reais; a ela, somava-se o subsídio de presidente da República, que era de 30 934,70 reais. Como na época o teto do funcionalismo era de 39 293,32 reais, todo mês Bolsonaro tinha um desconto de 2345,16 reais em seu contracheque a título de "abate-teto" para se adequar ao limite. Com a mudança de entendimento de seu ministro da Economia, ele passou a embolsar a diferença a partir do mês seguinte, dado que nenhuma das duas fontes de pagamento, isoladamente, ultrapassava o teto.

No caso de oficiais de patente mais alta que foram nomeados para cargos no governo, o impacto financeiro foi muito maior. O general Augusto Heleno, por exemplo, recebia uma "aposentadoria" de 32 153,77 reais do Exército e, como ministro do Gabinete de Segurança Institucional, ganhava mais 30 934,70 reais por mês, o que implicava um desconto "abate-teto" mensal de 23 795,15 reais. Após a adoção da tese do "teto duplex" no governo federal, os ganhos do general passaram de 39 293,32 para 63 088,74 reais mensais.

Com relação aos membros das Forças Armadas na ativa, durante a presidência de Bolsonaro também houve manipulação das normas para permitir sua acomodação em cargos comissionados. O jornalista Fabio Victor menciona, por exemplo, a edição de decretos que estenderam o prazo de afastamento dos quartéis para que militares da ativa exercessem cargos civis[44] e também a ampliação da lista de órgãos nos quais sua atuação seria considerada de "natureza militar" — incluindo aí o STF e demais Tribunais Superiores, a AGU e os Ministérios da Defesa e, no caso dos integrantes da Marinha, também o de Minas e Energia (que, aliás, era comandado por um almirante).[45]

Com essas medidas, Bolsonaro expandiu o leque de possibilidades para a militarização de seu governo. Esse aparelhamento também veio acompanhado de proteção corporativa. Conforme entendimento firmado pelo ministro da Defesa logo no início do mandato, caso algum militar trabalhando em funções civis cometesse algum ilícito, ele seria processado e julgado pelas normas castrenses, e não de acordo com a legislação civil.[46]

E como no Brasil reservas de mercado, privilégios de tratamento e benefícios remuneratórios costumam andar juntos, não foi diferente no caso do retorno dos militares ao protagonismo da política brasileira durante o governo de Jair Bolsonaro.

Além dos cargos e da proteção contra processos, a gestão bolsonarista na Presidência da República tratou de resguardar os militares das duas principais reformas econômicas propostas por Paulo Guedes durante seus quatro anos à frente do Ministério da Economia.

Como vimos, o sistema de "aposentadoria" dos militares é responsável pela maior distorção no rombo previdenciário brasileiro, quando se comparam o número de contemplados e o déficit entre as contribuições pagas e os benefícios concedidos. Apesar disso, a PEC nº 06/2019, apresentada pelo Poder Executivo ao Congresso logo no segundo mês do governo Bolsonaro, deixou a questão da previdência dos militares para ser tratada à parte.[47]

Os militares utilizam uma série de argumentos para justificar um tratamento privilegiado do Estado brasileiro, embora não sejam exclusivos de seu ofício. Algumas explicações se baseiam na natureza de seu trabalho, que envolve alto risco, dedicação exclusiva e transferências frequentes para áreas do território nacional às vezes distantes — situações a que estão sujeitas outras carreiras do serviço público civil, em maior ou menor grau. A categoria também recorre à possibilidade de convocação em caso de guerra para alegar que um membro das Forças Armadas não se aposenta, mas continua à disposição da pátria enquanto estiver na reserva. É preciso reconhecer, porém, que felizmente essa é uma ocorrência bastante improvável em um país de tradição pacífica em suas relações internacionais.

Quando, logo no início do mandato de Bolsonaro, seu ministro da Economia, Paulo Guedes, resolveu retomar as discussões sobre a reforma da Previdência iniciadas no governo Temer, recorreu-se de novo às chamadas "peculiaridades da profissão militar" para tratar os fardados de forma distinta dos demais servidores públicos e dos trabalhadores da iniciativa privada. Assim, enquanto as regras para os cidadãos comuns foram insculpidas na Constituição, por meio da PEC nº 06/2019, o governo encaminhou para o Congresso o projeto de lei nº 1645/2019 para cuidar dos militares.

No escopo da proposta, o governo insistiu na diferenciação entre o sistema de aposentadoria e pensão dos militares e a Previdência Social, mantendo a denominação de Sistema de Proteção Social dos Militares das Forças Armadas. É preciso reconhecer que a proposta até procurou endurecer as regras a fim de reduzir o déficit previdenciário dos militares, na linha defendida por Paulo Guedes, ainda que com regras de transição mais suaves do que as aplicadas ao INSS e aos servidores civis. Nesse sentido, propôs a ampliação do tempo de atividade antes da passagem para a reserva (de trinta para 35 anos) e da idade mínima (que subiu de 44 para cinquenta anos), bem como a elevação da alíquota de contribuição para o custeio das pensões (de 7,5% para 10,5%). As medidas saneadoras, contudo, vieram acompanhadas de consideráveis compensações financeiras.

No âmbito da "reforma da previdência" da categoria, o governo Bolsonaro embutiu a ampliação de diversos penduricalhos salariais para oficiais ou praças, como o aumento do adicional de habilitação — um bônus dado ao militar que realizou atividades de capacitação (como cursos de aperfeiçoamento e treinamentos), que variava de 12% a 30% do salário e agora pode chegar a 73% —, a duplicação da ajuda de custo recebida quando da transferência para a reserva (o benefício era de quatro salários e agora chega a oito) e a criação de um adicional de disponibilidade militar, um bônus criado para compensar os membros da corporação por estarem sempre a postos para defender o país quando convocados, que turbina seus vencimentos entre 5% e 41%, a depender da patente.[48] A proposta ainda manteve vantagens que não estão mais disponíveis para servidores civis e trabalhadores da iniciativa privada, como a remuneração igual ao último salário (integralidade) e a concessão automática de reajustes das aposentadorias e pensões sempre que o governo conceder um aumento para os militares da ativa.

Foram tantos os benefícios concedidos à categoria pelo governo Bolsonaro como compensação pela elevação da idade mínima de "aposentadoria" e da contribuição para seu sistema "previdenciário" que o resultado líquido em termos financeiros e fiscais foi praticamente irrisório. Segundo cálculos do Ministério da Economia à época da discussão do projeto de lei nº 1645/2019, o aperto nas regras do Sistema de Proteção Social dos Militares das Forças Armadas geraria uma redução de despesas esperada de 97,3 bilhões de reais em dez anos. Os vários benefícios salariais concedidos (com os adicionais de habilitação e de disponibilidade militar somados à nova ajuda de custo para a transição à reserva), por sua vez, levariam a um aumento de gastos de 86,85 bilhões de reais em uma década. Em termos líquidos, portanto, a economia seria de apenas 10,45 bilhões em dez anos.[49] Para efeitos de comparação, a proposta encaminhada pelo mesmo governo Bolsonaro para reformar o INSS e o regime dos servidores civis previa uma redução de despesas de 1,07 trilhão de reais no mesmo período — cerca de cem vezes mais.[50]

A proposta da "reforma" do sistema de pagamentos para militares reservistas, reformados e seus pensionistas passou no Congresso Nacional sem muitas dificuldades ainda no primeiro ano do mandato de Bolsonaro. E a maior prova de que sua aprovação agradou às Forças Armadas está no rito de sanção. Após ser referendado pelos plenários da Câmara e do Senado, o projeto de lei nº 1645/2019 foi remetido à sanção presencial em 10 de dezembro de 2019.[51] Embora a Constituição estabeleça um prazo de quinze dias úteis para o presidente da República avaliar se ratifica ou não a proposta,[52] Jair Bolsonaro levou apenas três dias úteis para remeter a nova lei nº 13954/2019 ao *Diário Oficial*, aprovando-a em sua totalidade, sem um veto sequer.[53]

O substantivo aumento salarial promovido pelos penduricalhos contrabandeados na pseudorreforma da previdência dos militares não foi o único agrado de Bolsonaro a seus antigos colegas de farda no que se refere às principais iniciativas econômicas propostas por Paulo Guedes. Durante o primeiro ano da pandemia, o governo encaminhou ao Congresso Nacional a PEC nº 32/2020, uma polêmica proposta de reforma administrativa.[54] Com regras bem restritivas referentes à estrutura de carreiras, avaliação de desempenho e possibilidade de redução de salários e demissão de servidores, a proposta passou longe dos militares, poupados junto com magistrados, membros do Ministério Público e as carreiras do Poder Legislativo.

Até o final de seu mandato, Bolsonaro ainda faria outro agrado para a categoria que constituía sua mais importante e poderosa base eleitoral. Em setembro de 2021, o presidente editou a medida provisória nº 1070/2021, que criava um programa de incentivo à aquisição de casa própria para policiais e bombeiros militares, membros das polícias Federal, Rodoviária e Civil, assim como guardas municipais, agentes penitenciários e integrantes de institutos de criminalística e medicina legal.[55]

Segundo justificaram os ministros Paulo Guedes, Anderson Torres (Justiça e Segurança Pública) e Rogério Marinho (Desenvolvimento Regional), por estarem sujeitas a "elevado grau de exposição a riscos, exigindo singular especialização e ampla adaptabilidade às circunstâncias de trabalho adversas, muitas vezes em cenários hostis e insalubres", essas carreiras seriam merecedoras de "melhores condições de habitação, trabalho e promoção de qualidade de vida".

Nesse sentido, o governo federal autorizaria a destinação de 280 milhões de reais do orçamento do Fundo Nacional de Segurança Pública nos anos de 2021 a 2023 para subvencionar a aquisição ou a construção de imóveis pelos profissionais da segurança pública, com taxas de juros subsidiadas pela Caixa Econômica Federal.[56]

Com a distribuição de cargos no governo federal, tetos duplex, penduricalhos salariais, regime previdenciário mais generoso e outras benesses, Jair Bolsonaro seduzia os militares e profissionais da segurança pública com um tratamento privilegiado que remontava aos velhos tempos do regime militar. Os acontecimentos que vêm sendo revelados depois de sua derrota nas eleições de 2022 mostram que havia um propósito claro em toda essa deferência aos profissionais da farda e das armas.

Quando a campanha presidencial de 2022 começou a esquentar, Lula disse num comício na Uerj: "Exército não serve para política; ele deve servir para proteger a fronteira e o país de ameaças externas".[57] Uma semana depois, o petista subiu o tom, em encontro na Central Única dos Trabalhadores (CUT): "Nós vamos ter que começar o governo sabendo que vamos ter que tirar quase 8 mil militares que estão em cargos de pessoas que não prestaram concursos".[58]

Se na campanha Lula dizia que mandar os militares de volta aos quartéis seria uma de suas prioridades caso fosse eleito, a missão se tornou urgente menos de uma semana após sua posse, quando, no dia 8 de janeiro de 2023, a ação e a omissão do comando das três Forças Armadas, de militares do Gabinete de Segurança Institucional, da guarda do Palácio do Planalto e da polícia militar do Distrito Federal contribuíram para a invasão dos edifícios-sede dos três poderes da República pelas hordas bolsonaristas.

A despeito das medidas judiciais tomadas até o momento, o processo de desmilitarização do governo Lula vem ocorrendo de forma lenta. Cruzando dados da folha de pagamento do Poder Executivo federal com os cadastros de militares da ativa e da reserva, disponíveis no Portal da Transparência, seis meses depois da posse o petista havia cortado apenas 19,4% do contingente de militares em cargos civis em seu governo. O próprio Lula ainda se via cercado de integrantes das Forças Armadas, afinal, dos 2248 militares que ainda ocupavam cargos no governo, quase a metade deles (1050) estava em exercício na própria Presidência da República. No Ministério da Defesa, órgão que voltou a ter no comando um ministro civil (José Múcio Monteiro), havia ainda 907 militares em funções estratégicas e administrativas, que idealmente deveriam ser conduzidas por civis.

Esses números indicam quão difícil é a missão de fazer com que os militares retornem aos quartéis. Muito mais complicada que a desmilitarização da política, porém, será a despolitização das tropas militares.

8. Privilegiados no palanque: Os políticos

O religioso mineiro Frei Betto abre seu livro de reflexões sobre a política[1] transcrevendo uma poesia de Machado de Assis; uma parábola sobre um plebeu que certo dia se deparou com uma mosca azul, de asas cor de ouro e granada, que refulgia ao clarão do sol. Deslumbrado pela beleza de seus movimentos, o plebeu percebeu que o inseto era encantado. Ao se aproximar dele, em meio à vibração de suas asas, teve uma visão: enxergou-se como o rei da Cachemira, vestido com roupas finas e adornadas por pedras preciosas, rodeado por cem mulheres de seios nus, e tendo a seus pés catorze reis, representando trezentas nações, a render-lhe glórias.

Na fábula de Machado de Assis, o plebeu se enamorou a tal ponto pela ilusão do poder proporcionada pelo mágico inseto que, inebriado, acabou sufocando-o, de tantas as vezes que o acionava para que lhe desse prazer. Desesperado pela morte de seu brinquedo mágico, "dizem que ensandeceu, e que não sabe como/ Perdeu a sua mosca azul", concluiu o bruxo do Cosme Velho.[2]

O poder vicia e é por isso que, uma vez picado pela mosca azul, quase ninguém quer largá-lo. Frei Betto diz que ele é mais tentador do que sexo e dinheiro — até porque o poder costuma tornar essas delícias mais acessíveis.

Em 2022, 29 262 cidadãos brasileiros buscaram um cargo como deputado distrital, estadual ou federal, senador, governador ou presidente da República. Nas eleições municipais de 2020, com muito mais posições em disputa, 558 295 pessoas tentaram um lugar ao sol na política, seja como vereador no município mais longínquo, seja como prefeito da maior cidade da América do Sul.

A cada ano, mais e mais brasileiros se lançam à procura da mosca azul da política. Em duas décadas, de 2000 a 2020, o número de candidatos a vereador cresceu 40,7%. A procura por uma vaga nas assembleias legislativas subiu 61,8% em 2022, comparada com 1998. E na disputa por uma cadeira no plenário da Câmara dos Deputados a variação foi ainda mais impressionante: o número de candidatos mais do que triplicou entre 1998 (3449) e 2022 (10 630).

Os motivos para um cidadão se lançar na política são os mais variados. Muitos o fazem por idealismo, por acreditar na possibilidade de melhorar as condições de vida de seus concidadãos. Outros pretendem defender os interesses de uma classe, grupo social ou setor econômico. E há ainda aqueles que veem na política um modo de vida, combinando poder, dinheiro e sexo, como diz Frei Betto.

Os salários não são desprezíveis. Em fevereiro de 2024, o presidente da República, deputados federais e senadores tiveram um reajuste de seus vencimentos básicos para 44 008,52 reais.[3] De acordo com a Constituição brasileira, esse valor baliza os ganhos máximos de governadores e prefeitos. Deputados estaduais recebem no máximo 75% dos subsídios de seus pares federais (logo, 33 006,39 reais em 2024). A depender do porte do município, os rendimentos mensais de um vereador variam de 20% a 75% dos subsídios de um deputado estadual. Assim, nas localidades de até 10 mil habitantes um vereador ganhava em 2023 até 6601,28 reais mensais, enquanto nas cidades com mais de 500 mil habitantes,

TABELA 2

EVOLUÇÃO DO NÚMERO DE CANDIDATOS NAS ELEIÇÕES BRASILEIRAS

ANO	VEREADOR	VARIAÇÃO ACUMULADA
2000	368 546	-
2004	369 024	0,1%
2008	349 767	−5,1%
2012	450 695	22,3%
2016	463 438	25,7%
2020	518 525	40,7%

ANO	DEPUTADO ESTADUAL E DISTRITAL	VARIAÇÃO ACUMULADA	DEPUTADO FEDERAL	VARIAÇÃO ACUMULADA
1998	10 720	-	3449	-
2002	12 319	14,9%	4372	26,8%
2006	12 873	20,1%	5269	52,8%
2010	15 265	42,4%	6015	74,4%
2014	18 039	68,3%	7138	107%
2018	18 954	76,8%	8607	149,6%
2022	17 347	61,8%	10 630	208,2%

FONTE: Elaboração do autor a partir de dados do TSE.

como Rio de Janeiro e São Paulo, um membro da Câmara Municipal auferia um subsídio máximo de 24 754,79 reais mensais.[4]

Para um país em que o rendimento médio da população empregada é de 3078 reais mensais, segundo a Pnad Contínua de fevereiro de 2024,[5] esses valores constituem um ótimo salário, não há como negar. São, porém, funções com um grau de responsabilidade elevado — embora seja preciso dar razão aos críticos que apontam que muitos dos representantes eleitos não fazem por merecer os rendimentos que a sociedade lhes paga.

Engana-se, contudo, quem acredita que os privilégios mais evidentes da classe política estão nos salários dos eleitos. Há muitos outros benefícios que fazem com que a carreira política seja tão atraente, a ponto de, picadas pela mosca azul, milhares de pessoas se lançarem a uma ferrenha disputa para se verem dignas de desfrutar das delícias do poder.

Eliot Nelson cobriu política por muitos anos em Washington, DC. Entre 2010 e 2017, editou a newsletter HuffPost Hill, que analisava diariamente, com profundidade e bom humor, os bastidores do principal centro de poder mundial. Apesar do reconhecimento profissional, o jornalista decidiu largar tudo para se dedicar por completo a um projeto bem diferente: criar um video game.

Na verdade, nem tão diferente assim. De acordo com o suplemento *On Politics* do *New York Times*, Nelson está desenvolvendo um jogo que emula as artimanhas, acordos e trapaças da disputa pelo poder.[6] Contando com a colaboração de analistas políticos com experiência em acompanhar a Casa Branca, e de ex-assessores de deputados e senadores, o projeto do Political Arena (esse será o nome do game) arrecadou mais de 100 mil dólares numa campanha de financiamento coletivo e sua primeira versão está prevista para ser lançada em 2024.

A sacada de Nelson é genial. Os jogadores utilizam um volume inicial de moedas para compor as habilidades e os traços de personalidade do político que vão encarnar. Desde o princípio, em seu distrito eleitoral, precisam decidir sobre financiamento eleitoral, contratação de assessores, alianças com políticos tradicionais e, claro, táticas de campanha. Uma vez eleitos, terão que lidar com votações polêmicas e se posicionar em relação a escândalos sexuais ou casos de corrupção ao longo da carreira.

Haverá três tipos de moedas no jogo: dinheiro, popularidade e influência política. O desafio dos políticos virtuais será fazer as melhores escolhas possíveis e utilizar esses recursos para acumular poder e alcançar cargos mais altos. A depender do perfil escolhido, seu objetivo pode ser chegar à Presidência da República, tornar-se um mandachuva no Congresso ou apenas seguir como um parlamentar de baixo clero que se reelege indefinidamente.

Haverá ainda disputas de prévias eleitorais e debates televisionados para todo o país. Em suma, Political Arena promete ser um misto de outros jogos de sucesso como SimCity e Clash of Clans, com pitadas de Street Fighter e Grand Theft Auto.

Como num video game, candidatos na vida real possuem pacotes diferentes de habilidades, alcançadas ao longo da vida. Alguns herdam a influência política de seus pais e avós, o que em geral facilita bastante as chances de entrar no jogo. Outros dispõem de fama, e cada vez mais temos visto no Brasil ex-jogadores de futebol, celebridades e influenciadores de redes sociais ocuparem cargos públicos.

Há também os empresários ou aqueles bem conectados com a elite econômica que conseguem bancar suas campanhas com doações polpudas. Também costuma largar na frente quem fez carreira defendendo interesses corporativos de sindicatos, quartéis ou igrejas. E existem candidatos que ascendem ao poder pela via partidária, depois de assessorar políticos mais experientes.

Além de contar bastante, para ser eleito, a dotação adequada de influência política, fama, dinheiro, suporte partidário e carisma, a política é um jogo de interação com múltiplas fases. Além das habilidades iniciais (os *skills*, na linguagem dos gamers), à medida que se muda de nível mais poderes são obtidos. Quem consegue se eleger adquire automaticamente vantagens que aumentam sua visibilidade, seu potencial de arrecadação ou seu capital político, tornando-se um jogador cada vez mais difícil de ser derrotado.

Transpondo a lógica do jogo do jornalista Eliot Nelson para a política brasileira, é possível imaginar que os players desse game perseguem três objetivos distintos, mas muitas vezes inter-relacionados: dinheiro, proteção e poder.

Em outubro de 2022, Átila Lins (PSD-AM) venceu sua nona eleição consecutiva para deputado federal. Antes de tomar posse em Brasília pela primeira vez, em 1º de fevereiro de 1991, ele já havia exercido por três mandatos o cargo de deputado estadual na Assembleia Legislativa do Amazonas, entre 1979 e 1990. Ao todo, já são 44 anos ininterruptos no poder. Não restam dúvidas de que o parlamentar amazonense é um vencedor na política brasileira.

Como vimos, a cada ciclo eleitoral milhares de candidatos se lançam em busca de uma vaga no Congresso Nacional, fazendo campanha em territórios muito grandes e populosos. Para piorar, temos dezenas de partidos, poucos deles com identidade própria. Destacar-se nessa multidão não é fácil — e muito menos barato.

As características de nosso sistema eleitoral induzem à pulverização de candidaturas, o que em tese deveria gerar uma grande competitividade nas eleições. No entanto, a alternância de mandatos é muito inferior à que seria de esperar. Apesar de as regras eleitorais incentivarem a concorrência, outros mecanismos atuam na direção contrária, criando vantagens para aqueles que já ocupam um cargo, chamados na ciência política de "incumbentes".

Em qualquer lugar do mundo políticos em busca de reeleição largam na frente na briga por um novo mandato contra os muitos desafiantes. O próprio exercício do poder é um anabolizante natural de suas candidaturas, pois garante visibilidade na mídia durante quatro anos e permite levar obras e benefícios a seus redutos eleitorais.

Mas no Brasil nossa classe política trata de turbinar essas vantagens. Além de seus salários, os 513 deputados federais têm direito a uma cota parlamentar que hoje varia de 36 852,46 a 51 406,33 reais mensais para custear passagens aéreas, aluguel de veículos, publicidade, pesquisas e consultorias e a manutenção de escritórios em seus redutos eleitorais durante todo o mandato.[7] Com acesso a essa significativa ajuda de custo para divulgar suas atividades, os parlamentares acabam fazendo campanha eleitoral em tempo integral durante toda a duração de seu mandato. E tudo isso financiado pelo orçamento da Câmara dos Deputados. Benefícios semelhantes existem no Senado Federal, nas assembleias legislativas e na maioria das câmaras municipais espalhadas pelo Brasil.

O deputado Átila Lins, decano do Legislativo brasileiro, por exemplo, utilizou 1 746 317,13 reais de cota parlamentar entre janeiro de 2019 e dezembro de 2022.[8] Nesse último ano, quando tentava mais uma reeleição, concentrou seus gastos em passagens aéreas (51,3%), locação e fretamento de aeronaves (28,4%) e material de divulgação do mandato parlamentar (15,7%). Há fortes indícios, portanto, de que Átila Lins se valeu de boa parte dos 477 086,75 reais que recebeu de cota parlamentar em ano eleitoral para fazer campanha, ainda mais num estado de grandes dimensões e com difíceis condições de locomoção como é o Amazonas.

A cota parlamentar, portanto, é um instrumento poderoso a serviço do continuísmo na política brasileira. Mas o Congresso

Nacional tratou de ampliar as facilidades para os incumbentes e também para aqueles aspirantes a desfrutar as delícias do poder que cultivam boas relações com as cúpulas partidárias.

Por vinte anos, entre as eleições de 1994 e 2014, a classe política havia se habituado a recorrer a grandes empresários para custear campanhas eleitorais cada vez mais caras, conduzidas por marqueteiros contratados a peso de ouro. Na esteira de escândalos de corrupção envolvendo o financiamento de campanhas por parte de grandes empresas, em 2015 o STF decidiu pôr fim à principal forma de arrecadação eleitoral de partidos e candidatos.

Na visão do Supremo, o financiamento empresarial era inconstitucional, já que corrompia os valores republicanos duplamente. Num primeiro momento, as doações de grandes empresas desequilibravam a disputa eleitoral, pois permitiam que seus escolhidos tivessem maior chance de vitória; e depois de eleitos, os favorecidos tendiam a retribuir a "generosidade" dos grandes doadores com obras, contratos, benefícios fiscais e outras benesses.[9]

A decisão do STF de banir as doações empresariais caiu como uma bomba sobre o mundo político brasileiro. Para se ter uma ideia do impacto da proibição, nas últimas eleições em que as contribuições de empresas eram admitidas (2014), do total de 6,9 bilhões de reais (em valores de janeiro de 2024, atualizados pelo IPCA) arrecadados por todos os candidatos e partidos, mais de 70% havia sido doado por grupos como o frigorífico JBS; as construtoras Odebrecht, Andrade Gutierrez, Camargo Corrêa, OAS, Queiroz Galvão, UTC, Carioca e Galvão Engenharia; instituições financeiras como Bradesco, Itaú, BMG e BTG Pactual; as siderúrgicas Gerdau e CSN; e produtores de bebidas como Cervejaria Petrópolis, Cutrale e Recofarma — para citar apenas as primeiras colocadas no ranking de maiores doadores privados.[10]

Apesar de a proibição do financiamento pelo Supremo ter feito secar, da noite para o dia, a principal fonte de dinheiro que alimentava as máquinas eleitorais dos partidos, os políticos não se abalaram. Na verdade, fizeram desse amargo limão uma deliciosa limonada.

Se a intenção do STF ao proibir as doações de empresas era tornar o processo eleitoral mais equilibrado, forçando o barateamento das campanhas, o tiro saiu pela culatra. Em pouco tempo, o Congresso Nacional tratou de contornar o risco de escassez de recursos para as campanhas eleitorais por meio da elevação da dotação orçamentária destinada ao Fundo Partidário[11] e pela criação, em 2017, do Fundo Especial de Financiamento de Campanha, ou Fundo Eleitoral — o famoso Fundão.[12]

Como pode ser visto no gráfico 12, deputados e senadores passaram a destinar um volume crescente de recursos públicos para o financiamento de partidos e candidatos desde que o STF proibiu as doações de empresas. Nas eleições de 2022, os fundos Partidário e Eleitoral injetaram nos partidos quase 6 bilhões de reais (4,9 bilhões do Fundão e pouco mais de 1 bilhão do Fundo Partidário), sendo responsáveis por 88,9% do custo total das campanhas de todos os candidatos. Em outras palavras, a classe política tratou de substituir de forma quase integral o financiamento privado por recursos públicos, tornando muito mais cômodo o processo de captação de recursos para bancar a propaganda eleitoral — afinal de contas, de cada dez reais gastos na campanha, praticamente nove provêm dos cofres públicos por intermédio dos fundos mencionados.

Além de poupar candidatos e lideranças partidárias do trabalho de pressionar executivos e grandes empresários por doações a cada ciclo eleitoral, a substituição ampliou ainda mais os poderes daqueles que dão as cartas na política brasileira.

Em vez de equilibrar o jogo eleitoral, suprindo a carência de recursos dos candidatos que não têm como bancar campanhas caras e estimulando a competição, os bilionários fundos Eleitoral e Par-

GRÁFICO 12
EVOLUÇÃO DO FINANCIAMENTO PÚBLICO A PARTIDOS E CANDIDATOS NO BRASIL

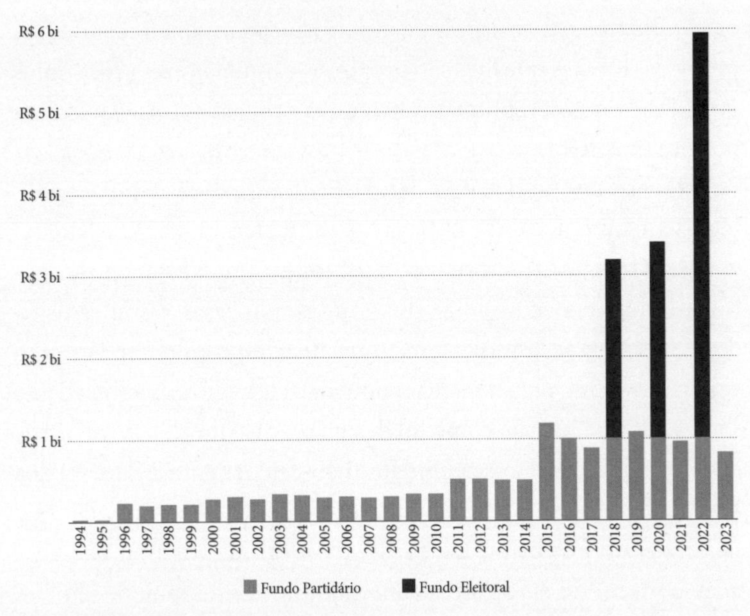

FONTE: Elaboração do autor a partir de dados do Tribunal Superior Eleitoral. Valores corrigidos pelo IPCA até janeiro de 2024.

tidário se tornaram um potente instrumento de concentração de dinheiro nas mãos de políticos tradicionais.

A legislação que regula os dois fundos confere um elevado grau de liberdade para que os dirigentes distribuam os recursos recebidos por suas legendas entre seus milhares de candidatos. Recentemente até houve a imposição de reservas de dotações para mulheres e negros, mas mesmo essa regra é bastante frouxa: em tese, um partido pode alocar todo o valor da cota feminina de seu partido em uma única candidata, o que vale também para algum correligionário negro. Muitos partidos descumpriram essas determinações, e enquanto este livro era concluído o Congresso Nacional convenientemente estudava uma forma de conceder um perdão a essas legendas em 2023.[13]

Com ampla discricionariedade para alocar os recursos entre os candidatos, os caciques partidários acabam favorecendo a si próprios, aqueles que lhes são próximos e muitas vezes seus cônjuges, filhos e netos, reproduzindo feudos e dinastias oligárquicas na política brasileira.

O caso dos fundos Partidário e Eleitoral expõe como os privilégios atuam em nossa política. Apesar de terem justificativas razoáveis para existir — tornar os partidos e candidatos menos sujeitos à influência econômica de grandes empresas e empresários doadores —, o instituto assume um valor desproporcional e acaba sendo distorcido para beneficiar poucos à custa de toda a sociedade.

A tabela 3 retrata como foi desigual a distribuição de recursos dos dois fundos para os candidatos nas eleições para a Câmara dos Deputados em 2022. Ela demonstra que políticos experientes, que já ocuparam postos no Executivo ou no Legislativo no passado, acabaram sendo agraciados com quantias muito maiores do que seus concorrentes que nunca haviam sido eleitos ou eram novatos em disputas eleitorais.

Como se vê na tabela, ex-governadores ou senadores em busca de um mandato na Câmara dos Deputados ou ainda deputados federais em campanha pela reeleição receberam entre doze e quinze vezes mais recursos dos fundos Partidário e Eleitoral do que um candidato que nunca havia disputado uma eleição antes no pleito de 2022.

Esse privilégio na alocação do financiamento público de campanhas para quem já detém mandato pode ser visto por muitos como algo natural, que premia quem tem maior vivência política ou maior experiência na vida partidária. O argumento é válido, embora possa ser questionado por dois motivos. De um lado, a desproporção nos valores distribuídos, em que os políticos mais

TABELA 3
DISTRIBUIÇÃO DE RECURSOS DOS FUNDOS ELEITORAL E PARTIDÁRIO NAS ELEIÇÕES PARA A CÂMARA DOS DEPUTADOS EM 2022

CARGO MAIS ALTO OCUPADO DESDE 1998	NÚMERO DE CANDIDATOS	RECURSOS RECEBIDOS DOS FUNDOS PARTIDÁRIO E ELEITORAL (MÉDIA)
Governador ou vice	16	R$ 2051916,32
Deputado federal	555	R$ 1734152,15
Senador ou suplente	27	R$ 1619624,74
Deputado estadual	211	R$ 1036523,25
Prefeito ou vice	202	R$ 526572,78
Vereador	1108	R$ 363993,73
Disputou eleição antes, mas nunca foi eleito	1842	R$ 188494,98
Nunca havia disputado eleição antes	5496	R$ 133334,43
Total	9457	R$ 301089,98

FONTE: Elaboração do autor a partir de dados do Tribunal Superior Eleitoral.

graduados recebem milhões a mais do que os novos entrantes, cria uma barreira muito grande à competição — e é bom lembrar que os defensores do financiamento público no lugar das doações de empresas argumentavam que a criação do Fundo Eleitoral se fazia necessária para nivelar o jogo, reduzindo a vantagem de quem tinha conexões mais fortes com a elite empresarial brasileira.

Uma evidência de que os recursos dos fundos Partidário e Eleitoral são, em grande parte, acessíveis só aos políticos tradicionais surge quando analisamos a lista dos candidatos novatos nas eleições para a Câmara em 2022 e quanto eles receberam de seus partidos. Maria Arraes, herdeira da tradicional família de políticos pernambucanos e neta do patriarca Miguel Arraes, nunca havia disputado uma eleição antes e, ainda assim, ganhou do Solidariedade o valor máximo permitido naquele pleito: 3,17 milhões de reais. Enquanto isso, 1363 candidatos que também disputavam sua primeira eleição, mas não tinham sobrenome de político famoso, obtiveram não mais do que 10 mil reais.

Muito já se falou sobre a alta taxa de renovação das eleições de 2018, mas, apesar dos efeitos devastadores da Operação Lava Jato, do forte movimento antipolítica e da onda de candidatos novatos eleitos na esteira de Bolsonaro, 58,6% dos deputados federais que tentaram um novo mandato saíram vitoriosos. Em 2022, a taxa de reeleição subiu para 62,7% e muito desse resultado se deve aos valores milionários recebidos dos fundos Eleitoral e Partidário naquele ano.[14]

O decano Átila Lins não teve muita dificuldade em se reeleger em 2022. Se tudo correr bem, ele completará ao final desta legislatura 48 anos consecutivos de cargos nos legislativos estadual e federal. Sem levar em consideração suas qualidades como político ou seu carisma pessoal, contar com uma ajuda de 1 662 500 reais disponibilizada por seu partido por meio do Fundo Eleitoral, mais os 1 746 317,13 recebidos de cota parlamentar durante seu mandato, facilitaram muito a conquista do título de parlamentar que está há mais tempo no poder em Brasília.[15]

Na manhã do dia 29 de março de 2017, o então presidente do Tribunal de Contas do Estado do Rio de Janeiro (TCE-RJ), Aloysio Neves, e mais quatro conselheiros — Domingos Brazão, José

Gomes Graciosa, José Maurício Nolasco e Marco Antônio Alencar — foram presos pela Operação Quinto do Ouro. Segundo a Polícia Federal, aqueles que eram encarregados de fiscalizar o uso de recursos públicos pelo governo e pelas prefeituras fluminenses estariam envolvidos num esquema de pagamento de propina por parte das empreiteiras Andrade Gutierrez, Carioca Engenharia e Odebrecht. O objetivo do cartel de construtoras era conseguir o aval do órgão de controle para contratos superfaturados de obras como a linha 4 do metrô do Rio e a concessão do Maracanã.

Um sexto conselheiro do TCE-RJ, Jonas Lopes de Carvalho, já estava afastado das atividades no tribunal e havia firmado um acordo de colaboração premiada que proporcionou elementos para a realização da operação policial.[16] Do quorum de sete membros, portanto, apenas a conselheira Marianna Willeman não estava envolvida no suposto esquema de corrupção.

Tal suspeita, porém, não havia sido a primeira levantada contra o órgão responsável pelo controle externo da administração pública fluminense. Quase uma década antes, a revista *Veja* publicara uma reportagem com evidências colhidas por uma investigação da Polícia Federal que indicava que uma empresa de consultoria estava subornando os integrantes do TCE-RJ para aprovar as prestações de contas de determinados prefeitos.[17]

Motivados pelos dois casos envolvendo o tribunal, os professores André Feliciano Lino, da Universidade Federal do Pará (UFPA), e André Carlos Busanelli de Aquino, da USP, ambos contadores, realizaram uma pesquisa mais aprofundada para identificar eventuais problemas na tomada de decisões por esse órgão.[18]

Os pesquisadores então promoveram, em 2018, uma série de entrevistas com auditores, conselheiros titulares e substitutos do TCE-RJ e ex-membros do Ministério Público de Contas do estado. Além disso, rastrearam a base de notícias sobre o tribunal publicadas em mais de cem jornais fluminenses entre 1970 e 2018, assim como analisaram o conjunto de deliberações tomadas durante a gestão dos conselheiros afastados.

A partir dessa pesquisa, Lino e Aquino identificaram a recorrência de práticas não adequadas adotadas pelo TCE-RJ, como baixa transparência, reversão frequente de recomendações de punições feitas pela equipe técnica, processos "engavetados" até prescreverem, composição seletiva da pauta de julgamentos, determinações de redução do escopo das auditorias, entre outras medidas contrárias ao devido processo legal e ao interesse público.

No caso específico das recomendações feitas pelos técnicos do órgão, os pesquisadores da UFPA e da USP concluíram que, das 143 decisões de rejeição de contas feitas pelos auditores do TCE-RJ, apenas 42 (ou seja, menos de 30%) foram mantidas pelos conselheiros — as demais foram revertidas, absolvendo os responsáveis pelas supostas irregularidades e desvios de recursos públicos.

Se as dúvidas sobre o padrão ético de comportamento dos conselheiros fossem limitadas ao TCE-RJ, teríamos um caso isolado que poderia ser resolvido por medidas judiciais. Outro trabalho, contudo, dessa vez com entrevistas conduzidas por Rogério Abrantes, Fernando Abrucio e Marco Antonio Carvalho Teixeira com atores sociais que interagem com Tribunais de Contas de todo o país, revelou que paira sobre essas instituições um grau elevado de desconfiança.[19]

Os acadêmicos aplicaram um questionário com perguntas objetivas e dissertativas a 919 entrevistados, entre deputados estaduais e vereadores, gestores estaduais e municipais, magistrados, membros do Ministério Público e representantes da sociedade civil (imprensa, academia, OAB, organizações não governamentais e conselhos profissionais de engenharia, contabilidade e administração) de todos os estados brasileiros e do Distrito Federal. Em comum, todos eles lidavam com as decisões dos Tribunais de Contas, como auditados, como usuários de suas decisões para fins judiciais ou como interessados pelo lado da representação social.

Embora de maneira geral os entrevistados tenham demonstrado uma visão positiva em relação à competência técnica dos funcionários dos Tribunais de Contas e à estrutura física e tecnológica dos órgãos, a principal crítica se situou no caráter político dessas instituições.

Indagados sobre o que nortearia as decisões dos Tribunais de Contas, mais da metade dos respondentes cravou que são "critérios políticos" ou "uma mescla de critérios políticos e técnicos, mas com predomínio das injunções políticas". No caso dos entrevistados ligados ao Ministério Público, que em tese têm a competência legal para conduzir na esfera criminal os processos contra administradores que lesaram o erário, a avaliação é ainda mais dura: 57,3% dos participantes do Ministério Público apontaram que a conveniência política pauta as decisões dos Tribunais de Contas, e um terço dos promotores ou procuradores ouvidos ainda disse que os julgamentos desses órgãos são "inadequados" (22,2%) ou "péssimos" (11,1%).

Uma das respostas captadas nas entrevistas é bastante emblemática, e foi destacada pelos autores no relatório. Indagado sobre qual seria a maior qualidade do Tribunal de Contas, um parlamentar afirmou: "Não vejo nenhuma, apenas o abrigo de casos de nepotismo, de má gestão e apadrinhamento político, sem ajudar a cortar gastos, sem serventia para a sociedade, gerando apenas despesa para o Estado". Mais direto, impossível.

Muitas das críticas sobre a politização das decisões nesses órgãos podem ser colocadas na conta da Constituição de 1988, que estabeleceu um regime de escolha dos membros do TCU que foi replicado para todos os estados e ainda para os remanescentes Tribunais de Contas dos municípios da Bahia, Goiás e Pará e também das capitais São Paulo e Rio de Janeiro.

A opção da Assembleia Nacional Constituinte foi dividir a responsabilidade pela escolha dos ministros do TCU (no caso dos Tribunais de Contas subnacionais, o ocupante do cargo equivalente foi batizado de "conselheiro") entre o presidente da República (ou o governador de estado) e o Congresso Nacional (ou as assembleias legislativas). Ao chefe do Poder Executivo cabe a indicação de um terço dos membros (alternadamente entre uma escolha livre e um técnico do órgão, que pode ser um auditor ou um membro do Ministério Público de Contas); já os parlamentares apontam os outros dois terços das vagas.

Em termos dos pré-requisitos para se tornar ministro do TCU ou conselheiro de Tribunal de Contas subnacional, valem os mesmos critérios vagos para a definição dos ministros do STF: idade mínima de 35 anos e máxima de setenta anos, idoneidade moral, reputação ilibada e notório saber (jurídico, contábil, econômico, financeiro ou de administração pública). A única exigência diferente reside na experiência mínima de dez anos de exercício de função ou atividade profissional que utilize esses "notórios saberes".[20]

Com requisitos bastante frouxos e o poder da escolha nas mãos da classe política, não surpreendeu o resultado de um levantamento realizado em 2016 pela Transparência Brasil, associação da sociedade civil que realiza um trabalho muito importante no controle social do poder público.[21] Após analisar, um a um, os perfis e biografias de 233 ministros e conselheiros em exercício nos 34 Tribunais de Contas do país, as pesquisadoras Juliana Sakai, atual diretora-executiva da organização, e Natália Paiva constataram que 80% já haviam exercido cargos políticos: 107 tinham sido deputados estaduais, 62, secretários estaduais, e 48, vereadores; outros 37 dirigiram estatais ou autarquias, 29 haviam sido secretários municipais e 22 eram ex-prefeitos, enquanto 48 exerceram outros cargos, inclusive de governador, senador, deputado federal ou ministro.

Outra constatação do levantamento foi identificar que quase um terço dos integrantes das cúpulas dos Tribunais de Contas de todo o país (32%, para ser mais preciso) tinha relações de parentesco com políticos ou autoridades públicas de outros poderes. Nesse quesito, aliás, nem a única conselheira do TCE-RJ que saiu ilesa na Operação Quinto do Ouro escapou da estatística: Marianna Willeman é filha do presidente do Tribunal de Contas do Município do Rio de Janeiro (TCM-RJ), Thiers Montebello.

Essa prevalência de políticos ou seus parentes ocupando os principais cargos dos órgãos responsáveis por "julgar as contas dos administradores e demais responsáveis por dinheiros, bens e valores públicos da administração direta e indireta", como determina a Constituição, contribui para outro objetivo muito valorizado no jogo da política brasileira: a proteção contra condenações por crimes praticados durante o exercício do poder, ou mesmo antes da eleição.

Os áudios vazados de uma conversa entre a cúpula do então PMDB com o ex-presidente da Transpetro, Sérgio Machado, durante a Operação Lava Jato, entraram para os anais da politicagem brasileira. E a frase "um grande acordo nacional, com o Supremo, com tudo", virou uma espécie de slogan da impunidade da classe política em casos de corrupção.

As conversas de Machado com os todo-poderosos Romero Jucá, Renan Calheiros e José Sarney são uma aula de como o velho sistema político patrimonialista brasileiro se move para se manter a salvo de qualquer ameaça.

Registrado de modo secreto por Machado, que havia celebrado um acordo de colaboração premiada com a força-tarefa da Operação Lava Jato, o encontro se deu em março de 2016, semanas antes da votação para a abertura do processo de impeachment de Dilma Rousseff na Câmara. Num momento de grande incerteza, com a classe política amedrontada com as sucessivas fases da ação judicial iniciada em Curitiba, os diálogos revelam como o poder estabelecido considerava todos os movimentos possíveis naquele xadrez político: as possibilidades de impeachment, renúncia e licença da presidente Dilma; a perspectiva de adoção de um parlamentarismo branco com Lula na figura de "primeiro-ministro", caso Dilma sobrevivesse à turbulência; a realização de uma reforma política para implementar o semipresidencialismo ou mesmo o parlamentarismo no Brasil; mudanças legais para esvaziar o instituto da delação premiada; entre outros temas. Durante a troca de ideias, são feitas referências a negociações em curso com diversas figuras-chave da República brasileira: Dilma, Lula, Temer, Aécio, ministros do STF, generais, donos de empresas de comunicação, entre outros.

Diversas opções, muita insegurança, vários personagens, mas um único objetivo: manter a elite política brasileira livre da cadeia, por meio de "um grande acordo nacional", "com o Supremo, com tudo", "um acordo que a turma topa", para "passar uma borracha no Brasil", "como foi feito na Anistia, com os militares, um processo que diz assim: 'Vamos passar o Brasil a limpo, daqui para frente é assim, pra trás...' [bate palmas]", "uma solução à la Brasil, como a gente sempre conseguiu".[22]

O escândalo envolvendo grandes vultos da República brasileira popularizou a expressão "um grande acordo nacional, com o Supremo, com tudo". A junção de trechos de frases ditas de forma subsequente por Sérgio Machado e Romero Jucá acabou virando o símbolo das estratégias que figurões da política costumam adotar para se blindar e permanecer impunes.

A menção ao STF não foi fortuita. Segundo a Constituição brasileira, em vez de se submeterem ao escrutínio de um juiz de primeiro grau, o presidente da República, o vice, seus ministros, deputados e senadores e o procurador-geral da República são submetidos a julgamento por infrações penais perante o STF.[23] Essa determinação, conhecida popularmente como "foro privilegiado", é apontada por muitos como uma fonte de proteção para políticos envolvidos em crimes comuns e práticas de corrupção.

Concebido para proteger altas autoridades da República de processos meramente persecutórios iniciados por seus adversários políticos na Justiça de primeiro grau, a "prerrogativa de foro" (esse é o nome técnico hoje adotado, para evitar a referência a privilégio) assumiu ao longo da história uma previsão bastante elástica.

Segundo levantamento feito pelos consultores legislativos do Senado Federal João Trindade Cavalcante Filho e Frederico Retes Lima, a Constituição Federal prevê tratamento especial para 38 431 autoridades políticas, eleitas ou não; descendo para o nível das constituições estaduais, os autores identificam mais 16 559 ocupantes de cargos públicos amparados pelo foro nas 27 unidades da federação.[24] Embora previsto também em diversos outros países, desconhece-se outra nação que tenha um instituto tão abrangente quanto o brasileiro, como atesta Newton Tavares Filho, outro consultor legislativo que conduziu uma pesquisa comparando a legislação brasileira com a experiência internacional.[25]

O instituto do foro privilegiado é apontado como uma proteção para políticos corruptos porque, por não terem estrutura nem vocação para processar e julgar processos criminais referentes a mais de 55 mil autoridades, as cortes superiores (STF e STJ) e os Tribunais de Justiça não conseguem lidar com a demanda, facilitando desse modo a prescrição e a impunidade.

Assim, a combinação de elementos institucionais — como a forma de escolha dos ministros e conselheiros dos Tribunais de Contas e o foro privilegiado — com as relações de parentesco e camaradagem entre autoridades dos três poderes gera uma espécie de blindagem para a classe política brasileira. Uma evidência nesse sentido é que, desde a Constituição de 1988, são raros os casos de condenação de políticos por crimes de corrupção, lavagem de dinheiro ou improbidade administrativa. E mesmo nas poucas vezes em que isso acontece, mudanças de jurisprudência têm abreviado o período na cadeia de autoridades ou até anulado condenações.

Para ilustrar a proteção que políticos obtêm do sistema de controle externo ou judicial no Brasil, voltemos ao caso dos conselheiros do Tribunal de Contas do Rio de Janeiro presos na Operação Quinto do Ouro em 2017. Em 2021, com o processo relatado pelo ministro Kassio Nunes Marques, a Segunda Turma do STF decidiu que, em face dos quatro anos e seis meses transcorridos sem o julgamento definitivo dos processos, o conselheiro Domingos Brazão poderia reassumir seu cargo no TCE-RJ.[26] Após decisões do mesmo ministro Nunes Marques estendendo o entendimento para os quatro outros réus do processo, a relatora do caso no STJ, ministra Maria Isabel Gallotti, expediu a ordem para que todos voltassem a ocupar suas cadeiras no órgão.[27] O processo continua a correr na Justiça, mas os conselheiros indiciados voltaram a julgar as contas do governador e dos prefeitos fluminenses, com uma grande chance de estarem engrossando as estatísticas da impunidade no Brasil.

Na sessão ordinária de 24 de janeiro de 2024, o Conselho Superior de Administração do TCE-RJ reconheceu o direito a férias dos conselheiros José Maurício Nolasco e Domingos Brazão referentes ao período em que estiveram presos em função da Operação Quinto do Ouro. A partir dessa decisão, Nolasco e Brazão, que durante sua temporada na cadeia continuaram recebendo religiosamente os seus salários, poderão usufruir de 360 dias de descanso remunerado, que poderão ser convertidos em dinheiro.[28] Como diz o ditado, o Brasil realmente não é para principiantes.

Prova maior do desvirtuamento de um cargo que deveria estar a serviço da moralidade e passa a ser usado como escudo para crimes da pior natureza veio na manhã de 24 de março de 2024, quando o conselheiro Domingos Brazão e seu irmão, o deputado federal Chiquinho Brazão, foram presos pela Polícia Federal como suspeitos de serem os mandantes dos assassinatos da vereadora Marielle Franco e de seu motorista, Anderson Gomes.

A literatura especializada sobre o sistema político-eleitoral brasileiro indica que encontramos uma maneira razoavelmente estável de funcionar. A Constituição de 1988 atribuiu grandes poderes ao presidente da República (medidas provisórias, controle sobre o Orçamento, milhares de cargos em comissão, centenas de estatais), enquanto os líderes partidários conseguem garantir uma alta disciplina partidária distribuindo a deputados e senadores espaço em postos-chave no Congresso e no governo, assim como recursos orçamentários para aplicação em suas bases eleitorais.

Tal qual descreveu Frei Betto na fábula da mosca azul, o poder é o grande anabolizante que garante uma vida pública longeva, perpetuada muitas vezes por gerações. Quanto maior a influência de um parlamentar, maiores as chances de ele alcançar as duas outras moedas almejadas na política, descritas anteriormente: dinheiro para financiar sua reeleição e proteção contra ações judiciais.

Uma das formas mais utilizadas para medir o cacife de um político no tabuleiro político se refere à sua capacidade de indicar aliados para cargos na estrutura do governo. Quanto maior sua habilidade de nomear ministros, secretários e diretores de órgãos públicos, assim como dirigentes de autarquias e estatais, maior a margem para influenciar políticas públicas e extrair outras benesses, lícitas e ilícitas, que o elixir do poder oferece.

Embora de modo geral a admissão de pessoal no serviço público se dê por meio de concurso público, a Constituição brasileira admite a criação de cargos "de livre nomeação e exoneração", destinados a atribuições de "direção, chefia e assessoramento". Trata-se de uma exceção pensada para que representantes eleitos possam compor suas equipes com pessoas de sua estrita confiança, que exercerão suas responsabilidades por tempo determinado, sem possuir as mesmas garantias do servidor concursado.

Tomado de maneira objetiva, o percentual de cargos de livre nomeação no Poder Executivo ante o total de servidores públicos parece residual: em janeiro de 2024, os comissionados eram apenas 15,9% do contingente total de ativos no governo federal.[29] Apesar disso, os 35 040 cargos e funções comissionados, definidos de modo discricionário pela classe política, afetam a qualidade do provimento de políticas públicas.

Cargos de livre nomeação e demissão estão mais sujeitos a rotatividade, na medida em que trocas de ministros trazem consigo mudanças no corpo diretivo dos órgãos a eles subordinados. Além disso, apesar de a possibilidade de atrair pessoas do setor privado tenha o potencial de arejar a burocracia com práticas inovadoras, o elevado turnover compromete a continuidade de projetos e programas governamentais.

Mais do que isso, poder ocupar cargos-chave da administração pública, como o comando de secretarias e diretorias de órgãos importantes com indicações políticas, abre uma grande possibilidade para o desvirtuamento de políticas públicas, muitas vezes em favor de quem nomeia — e não raro para fins nada republicanos.

O cientista político e jornalista Sérgio Praça é um dos mais atentos observadores do "mercado" de distribuição de cargos no presidencialismo de coalizão brasileiro. Por meio do cruzamento de informações extraídas das nomeações nos diários oficiais com listas de filiados a partidos políticos, bem como entrevistas com parlamentares e autoridades elevadas do Poder Executivo, o professor do Centro de Pesquisa e Documentação de História Contemporânea do Brasil (CPDOC) vem publicando nos últimos anos o resultado de suas pesquisas numa série de artigos e capítulos de livros escritos em parceria com colegas de outras instituições.

Na visão de Praça, as regras de nosso sistema político incentivam o personalismo na lógica de atuação dos parlamentares. Como as decisões de gestão do Orçamento estão concentradas em Brasília, indicar cargos para o Executivo é uma estratégia para influir nas políticas públicas, levando mais recursos e tendo maior controle sobre o uso desse dinheiro em suas bases eleitorais. A ocupação dos cargos em comissão, contudo, não ocorre apenas segundo critérios estritamente políticos. Para o pesquisador, não há uma lógica inequívoca nas motivações das nomeações: a depender do órgão e do posto, fatores como conhecimento técnico e experiência, relacionamentos pessoais e afinidade ideológica muitas vezes se sobrepõem ou interagem com a filiação partidária.[30]

Num trabalho escrito por Sérgio Praça em parceria com Fernanda Odilla (Universidade de Bolonha) e João Victor Guedes-Neto (Universidade Kean), o peso de cada uma dessas variáveis foi medido levando em consideração a ocupação dos cargos de alto escalão no governo federal entre 2011 e 2019.[31] O exercício do trio de pesquisadores foi classificar as 12538 nomeações para os cargos classificados como de direção e assessoramento superior (DAS) nos níveis mais altos (4 a 6) de acordo com quatro perfis diferentes. A escolha desse estrato hierárquico se deveu ao fato de que esses funcionários costumam ter acesso privilegiado a informações e poder decisório na concepção e na implementação de políticas públicas, com considerável capacidade de influenciar decisões governamentais.[32]

De acordo com o levantamento dos autores, 57,8% das nomeações para os cargos mais altos do governo federal durante as presidências de Dilma Rousseff, Michel Temer e no início do mandato de Jair Bolsonaro contemplaram servidores públicos sem vínculos partidários. A prevalência desses "tecnocratas programáticos", como foram classificados pelos pesquisadores, revela, de um lado, que há áreas do governo mais blindadas da influência política (como as secretarias da Receita Federal e do Tesouro Nacional, no Ministério da Fazenda) e, também, que políticos procuram se valer do conhecimento técnico e da experiência de funcionários de carreira para operacionalizar seus projetos — o que não significa, necessariamente, que não haja um alinhamento ideológico ou mesmo um oportunismo de servidores ao tentarem galgar postos de comandos mais elevados em seus órgãos.

Essa alta prevalência de técnicos sem vínculo partidário nas posições mais altas dos ministérios e demais órgãos do Poder Executivo é explicada, pelos autores, por uma baixa profissionalização dos quadros nos partidos políticos brasileiros. Segundo seu levantamento, apenas 7,3% das nomeações contemplaram servidores com filiação partidária, atingindo um máximo de 10% no primeiro mandato de Dilma Rousseff e um mínimo de 5% no começo do governo Bolsonaro.

O conjunto de nomeados para cargos de coordenadores-gerais (DAS-4), diretores e secretários adjuntos (DAS-5) e secretários (DAS-6) que não são servidores de carreira pode ser dividido em dois grupos: 8,5% do total de nomeações contemplou filiados a partidos políticos e outros 26,4% eram pessoas sem vínculo partidário. Nesse bloco, representando pouco mais de um terço dos ocupantes dos cargos em comissão mais altos dos ministérios, estão aqueles que a imprensa se habituou a denominar de "apadrinhados políticos": escolhas feitas pelos políticos levando em conta sobretudo relações de confiança, formalizadas ou não pela filiação partidária.

Outra pesquisa realizada por Sérgio Praça, dessa vez ao lado do pesquisador Felix Lopez, do Ipea, concluiu que a influência política de caciques partidários se dá nos escalões médio e alto de setores mais frágeis da burocracia estatal — em especial nos órgãos setoriais que não possuem carreiras bem estruturadas e em que as exigências técnicas são menores. O fenômeno também é observado em áreas políticas periféricas, sobretudo nos órgãos com grande capilaridade territorial, onde é possível levar recursos e serviços para as bases eleitorais dos políticos.[33] Assim, ministérios da área econômica (como Fazenda, Planejamento, Relações Exteriores, Desenvolvimento) costumam ser mais blindados contra o apadrinhamento político, enquanto os partidos mais fisiológicos do Congresso, ao serem convidados a integrar a base do governo, fazem questão de pastas finalísticas, em especial aquelas dotadas de grandes orçamentos ou de presença local, como os ministérios ligados a infraestrutura, transportes, desenvolvimento regional e até turismo.

O senso comum indica que quanto mais servidores concursados, maiores o preparo para a concepção e a implementação de políticas públicas de qualidade e, por conseguinte, também menor corrupção.

As pesquisas sobre o perfil de ocupação dos cargos de confiança indicam um promissor caminho para demonstrar como opera a influência partidária no governo. A prerrogativa de indicar livremente os ocupantes de cargos estratégicos do Estado é sem dúvida um privilégio especial concedido à classe política. Até porque junto com os cargos vem também o acesso a recursos públicos cada vez mais volumosos.

Em qualquer lugar do mundo, político adora uma obra pública. Seja no lançamento da pedra fundamental, seja no descerramento da placa de inauguração, não podem faltar o discurso das autoridades, a banda de música, a entrevista para a rádio local, as fotos para as redes sociais e aquele "banho de povo" que pode render muitos votos nas próximas eleições.

Enquanto educação, saúde e segurança são políticas públicas difíceis de serem atribuídas a um político em particular — pois resultam da cooperação entre União, estados e municípios e apresentam resultados apenas no médio e no longo prazos —, obras são entregas concretas que levam a marca de quem conseguiu os recursos em Brasília e viabilizou a construção da ponte ou do açude, o asfaltamento da estrada ou o embelezamento da praça da igreja matriz.

Houve uma época, nos Estados Unidos, em que ter uma despensa cheia de carne de porco era sinal de fartura e boa situação financeira. Daí vem a expressão "*pork barrel*", usada na ciência política para designar a prática em que parlamentares tentam garantir recursos para agradar a suas bases eleitorais. Assim, na discussão do Orçamento cada parlamentar tenta "puxar a sardinha para sua brasa" — outra expressão alimentícia que talvez faça mais sentido em português do que o "barril de carne de porco" dos americanos.

No Brasil, graças ao desenho da Constituição de 1988, o processo orçamentário se dá em três etapas: 1) o Poder Executivo elabora a proposta de orçamento anual e a remete ao Congresso Nacional; 2) deputados e senadores a analisam, podendo modificá-la por meio de emendas; e 3) a bola retorna ao Executivo, que libera os recursos conforme aprovado pelos parlamentares, de acordo com o ritmo de arrecadação de tributos durante o ano.[34]

Dadas as características desse arranjo constitucional, a pesquisa sobre o presidencialismo de coalizão sempre atribuiu papel central a essa dimensão para analisar o cabo de guerra entre os poderes Executivo e Legislativo no Brasil. Como é o presidente da República quem, em última instância, tem a chave do cofre, escolhendo em que área aplicar os escassos recursos arrecadados, isso vira uma moeda de troca valiosa nas negociações com deputados e senadores. Atire a primeira pedra o presidente que nunca liberou dinheiro para a execução de emendas parlamentares nas vésperas de votações importantes no Congresso.

A prática do "é dando que se recebe" tem origem em tempos imemoriais. O clássico *Coronelismo, enxada e voto*, publicado pelo jurista Victor Nunes Leal em 1948, descreve com riqueza de detalhes e dados como essa prática funcionava nas primeiras décadas do século XX.[35] Durante a ditadura militar, os generais ressuscitaram o antigo Ministério do Interior dos tempos do Império e colocaram sob seu controle as autarquias e estatais criadas para atuar em âmbito local, como as superintendências do Desenvolvimento do Nordeste (Sudene), da Amazônia (Sudam) e do Centro-Oeste (Sudeco), o Departamento Nacional de Obras contra as Secas (Dnocs), a Companhia de Desenvolvimento dos Vales do São Francisco e do Parnaíba (Codevasf), os bancos da Amazônia (Basa) e do Nordeste (BNB) e o Banco Nacional da Habitação (BNH), entre outros órgãos. O objetivo era centralizar a decisão sobre a distribuição de recursos ao longo do território nacional, tendo condições de mediar conflitos políticos e aliciar o apoio de deputados e senadores interessados em realizar obras em seus "currais eleitorais".

Já na Nova República, o balcão de distribuição de verbas foi rebatizado por Itamar Franco como Ministério da Integração Regional. Desde então, os nomes variam de acordo com a preferência do presidente do momento — Integração Nacional, Desenvolvimento Regional — e, a depender das negociações políticas, suas funções costumam ser repartidas com outra pasta com objetivos semelhantes, o Ministério das Cidades. Mas a lógica permaneceu a mesma: o governo concede o ministério a algum partido ou político com forte influência regional, que decide onde alocar o orçamento para obras de infraestrutura, em geral com fins eleitoreiros ou de barganha legislativa. E essa estratégia sempre deu resultado para as partes envolvidas.

O cientista político Fernando Meireles defendeu em 2019 a tese intitulada *A política distributiva da coalizão*, que lhe valeu menção honrosa no Prêmio Capes de melhor pesquisa de doutorado em ciências sociais.[36] Utilizando técnicas econométricas avançadas, Meireles demonstrou relações de causalidade que comprovam que: 1) prefeitos do mesmo partido dos ministros da Integração ou das Cidades recebem mais dinheiro público federal, sobretudo em anos de eleição, 2) ministros tendem a favorecer municípios de seus estados; e, fechando o ciclo, 3) localidades contempladas pelas políticas distributivas tendem a entregar mais votos para os partidos do prefeito e do ministro nas eleições seguintes para a Câmara dos Deputados.

Esse modelo perdurou por décadas, com políticos indicando suas preferências para aplicação dos recursos públicos em suas regiões, mas com a decisão final de efetivamente liberar o dinheiro cabendo ao Poder Executivo, que detinha o poder de autorizar o empenho e a execução financeira da despesa.

Nos últimos anos, porém, o Congresso resolveu declarar sua independência e tornar-se ele próprio cotitular da conta-corrente que administra os recursos públicos. Trata-se de uma longa história, contada em minúcias por Rodrigo Oliveira de Faria em sua obra *Emendas parlamentares e o processo orçamentário no presidencialismo de coalizão*.[37] Valendo-se de longa experiência no Tribunal de Contas do Município de São Paulo e como analista de planejamento e orçamento do governo federal, Faria demonstra como deputados e senadores vêm se assenhoreando de parcelas cada vez maiores do orçamento público, alterando o balanço de forças no cabo de guerra com o governo federal.

Embora comumente se atribua a origem desse processo ao ex-deputado Eduardo Cunha, o autor argumenta que o ímpeto inicial começou um pouco antes, na gestão de Henrique Eduardo Alves na presidência da Câmara, em 2013, com a apresentação de uma proposta que obrigava o governo a executar uma parte das emendas orçamentárias individuais dos parlamentares.[38]

Numa passagem de seu livro, Faria destaca o desabafo do ex-presidente da Câmara ao colocar em votação em primeiro turno a PEC nº 358/2013:

> As emendas que nós trazemos aqui são direito nosso. Elas não chegam às mesas ministeriais. Uma pequena adutora, uma pequena praça de esportes, uma obra pequena que seja de uma passagem molhada vai chegar à mesa de um ministro aqui quando? Nunca! E o pobre do

> Prefeito fica a mendigar a vida inteira, sendo desrespeitado, humilhado, enxovalhado! E o único caminho que ele tem é a interlocução legítima do seu representante deputado federal de qualquer estado deste país. [Muito bem!] Então, eu faço um apelo a esta Casa. Esta é uma das propostas mais importantes que esta Casa vai votar e que diz respeito à sua altivez, à sua independência! E eu falo em relação aos governos de ontem e aos governos de hoje. Eu fui líder, deputado Eduardo Cunha, por seis anos da bancada do PMDB. Quando eu ia despachar as emendas do meu estado, vinha o constrangimento: no corredor, dez, doze, quinze deputados para serem atendidos por um funcionário que ia dizer "sim" ou "não", o quanto "sim" e o quanto "não"! Isso é uma falta de respeito ao parlamentar, ao parlamento e ao Legislativo! [Muito bem! Palmas] Isso tem de acabar![39]

Aproveitando-se da fragilidade política do governo Dilma II, o novo presidente da Casa, Eduardo Cunha, conseguiu a promulgação da emenda constitucional nº 86/2015.[40] Pela primeira vez na Nova República, estavam instituídas, na norma mais importante do país, as emendas orçamentárias impositivas.

Quatro anos depois, já sob o governo Bolsonaro, os parlamentares aprovaram outra mudança, a emenda constitucional nº 100/2019,[41] que incluiu as emendas de bancadas estaduais também como de execução obrigatória. De acordo com essas novas regras, o Poder Executivo é obrigado a gastar parte dos recursos conforme determinado pelos parlamentares, sem contingenciamentos ou alegações de frustrações de arrecadação. Dessa forma, o poder do presidente da República ficou enfraquecido na queda de braço com os deputados e senadores pela liberação de verbas.

Divididas de modo igualitário e impessoal, qualquer que fosse seu proponente, as emendas individuais disponibilizaram para cada deputado federal a possibilidade de destinar 17,6 milhões de reais a obras e projetos públicos somente em 2022. Aos senadores coube uma cota de 19,7 milhões de reais. Há ainda as emendas de bancadas estaduais, que dependem do número de parlamentares em cada unidade federativa.

Ao garantirem uma fonte perene de recursos para os parlamentares, as emendas do orçamento impositivo também reduziram a margem de manobra do presidente de privilegiar sua base de governo. Sem uma importante moeda de troca, ficou mais difícil governar desde então. Mas eis que o governo de Jair Bolsonaro resolveu abusar da criatividade e desvirtuar uma tecnicalidade, transformando-a numa arma de grande potencial político e eleitoral.

As chamadas "emendas de relator" não estão previstas na Constituição. Elas foram instituídas por uma resolução do Congresso Nacional para corrigir erros e omissões no Orçamento, ou recompor dotações canceladas, sem o propósito de distribuir recursos para fins específicos.[42]

Premido por dezenas de pedidos de impeachment mesmo antes da eclosão da pandemia de covid-19, o presidente que se gabava de não se render ao toma lá dá cá no Congresso autorizou que se passasse a rotular dezenas de bilhões de reais do Orçamento anual como emendas de relator (classificadas como RP9, no jargão orçamentário do Congresso). Assim, os parlamentares que controlavam a Comissão Mista de Orçamento, em conluio com a Presidência da República, passaram a ter o poder de decidir a aplicação de um volume imenso de recursos públicos de modo discricionário, a partir de indicações de parlamentares aliados. Como esse subterfúgio tornava difícil rastrear quem estava sendo contemplado pelas emendas, o procedimento ganhou na imprensa o apelido de "orçamento secreto".

O novo instituto se mostrou muito conveniente para Bolsonaro e em especial para o Centrão, que passou a controlar o Congresso com a ascensão de Arthur Lira (PP-AL) à presidência da Câmara. A distribuição de bilhões de reais por recomendação de deputados e senadores da base do governo levantou inúmeras suspeitas de desvios de dinheiro público, blindou Bolsonaro de pedidos de impeachment e desequilibrou a disputa eleitoral de 2022.

O orçamento secreto distribuiu mais de 40 bilhões de reais entre 2020 e 2022. Convertido em obras e equipamentos como tratores, caminhões de coleta de lixo e implementos agrícolas, ele funcionava como um doping para a reeleição de deputados e senadores. Seja pela via dos votos dados em gratidão pela população atendida, seja pela possibilidade de desviar parte dos recursos para o financiamento ilegal de suas campanhas, políticos agraciados com mais verbas passaram a ter mais chances de se reeleger.

Em memorial entregue ao STF no processo que questionava a constitucionalidade das emendas de relator, as associações Contas Abertas, Transparência Brasil e Transparência Internacional mostraram que, entre os cinquenta parlamentares que mais haviam sido agraciados com as emendas de relator, a taxa de reeleição foi superior a 90% em 2022. Sem surpresa alguma, a maioria deles pertencia ao Centrão.[43]

O problema dessa sistemática em que se transformou o orçamento público brasileiro é que as reais necessidades da população acabam não sendo devidamente contempladas na alocação dos recursos. Num mundo ideal, tanto o Poder Executivo quanto o Legislativo deveriam aplicar técnicas de identificação dos problemas a serem atacados, priorização das necessidades mais preocupantes e urgentes e definição dos critérios de elegibilidade para elencar os beneficiários dos programas e obras. Em seguida, deveriam passar à etapa de discussão do desenho mais adequado para a intervenção estatal e avaliação contínua de seus impactos e resultados.

Quando a conveniência política se sobrepõe à técnica, perpetua-se o ciclo de pobreza e de baixa qualidade dos serviços públicos providos pelo Estado e se privilegiam o encastelamento e a manutenção das elites partidárias. Com o orçamento secreto, esses problemas foram potencializados, pelo volume e pela falta de transparência.

Como Fernando Meireles alerta em sua tese, ao distribuir recursos orçamentários de forma estratégica, buscando conquistar votos ou apoio no Congresso, o governo acaba criando distorções. Sem dados ou evidências, aplica o dinheiro público nos lugares que dão maior retorno eleitoral aos políticos que patrocinam as emendas, e não onde é de fato necessário. E abrem-se as portas para a corrupção — tema que não é objeto da pesquisa do professor.

Esse fato também foi constatado pelos órgãos de controle. Uma auditoria da CGU constatou que o volume de execução de emendas individuais entre 2014 e 2018 tem uma correlação muito baixa com indicadores socioeconômicos, assinalando que a destinação de recursos públicos pelos parlamentares tem baixa efetividade em sanar os imensos problemas sociais da população brasileira.[44]

Numa votação apertada, de seis votos a cinco, o orçamento secreto foi declarado inconstitucional pelo STF em dezembro de 2022.[45] Votaram contra as emendas de relator a ministra Rosa Weber (presidente da corte e relatora do caso), Ricardo Lewandowski, Cármen Lúcia, Luiz Fux, Roberto Barroso e Edson Fachin. Pela constitucionalidade e manutenção das emendas de relator posicionaram-se, sob diferentes argumentos, os ministros André Mendonça, Nunes Marques, Alexandre de Moraes, Dias Toffoli e Gilmar Mendes.

Quem acreditou que a liberalidade na destinação de recursos públicos do orçamento secreto se encerrou naquele momento, porém, acabou se frustrando. Num acordo com os presidentes da Câmara, Arthur Lira, e do Senado, Rodrigo Pacheco, e o presidente Luiz Inácio Lula da Silva, eleito em outubro de 2022, decidiu-se deslocar o montante distribuído nos anos anteriores pelas emendas de relator para emendas individuais ainda mais generosas: se até então os deputados tinham direito a 1,2% da receita corrente líquida, após a decretação da inconstitucionalidade do orçamento secreto pelo STF os parlamentares aprovaram uma emenda constitucional aumentando seu quinhão para 2% da receita corrente líquida.[46]

De acordo com o levantamento feito por Rodrigo Oliveira de Faria, os valores antes alocados nas emendas de relator foram redistribuídos entre emendas individuais, estaduais e de comissão. Juntas, elas receberam, em 2023, 17,3 bilhões de reais a mais do que no ano anterior, valor até superior ao despendido por meio do "orçamento secreto", declarado inconstitucional pelo Supremo, no ano anterior (16,5 bilhões). Mudou-se o rótulo, portanto, mas o controle do dinheiro foi mantido nas mãos da cúpula da Câmara e do Senado.[47]

Seja secreto, seja impositivo, se não houver critério de aplicação dos recursos em áreas consideradas prioritárias pela população o orçamento se transforma num privilégio para políticos, intensificando a tríade de dinheiro, proteção e poder que garante a sobrevivência do "patronato político brasileiro".

9. Privilegiados de balcão: As minas de ouro dos cartórios brasileiros

O município de Praia Grande, na Baixada Santista, viveu um boom imobiliário nas últimas décadas. Tendo se tornado um dos destinos de veraneio prediletos dos paulistas, sua população saltou de 19 694 habitantes, medida no Censo Demográfico de 1970,[1] para 349 935 moradores em 2022, segundo o Censo do IBGE.[2]

No final dos anos 1980, quando o país discutia a refundação do Estado brasileiro em bases democráticas com a Assembleia Constituinte, uma reportagem do jornal *O Estado de S. Paulo* chamava a atenção para a lucrativa atividade dos cartórios de imóveis. Discutindo os possíveis efeitos da "privatização" dos serviços notariais, em pauta no Congresso, o *Estadão* utilizava como exemplo justamente o cartório de imóveis de Praia Grande, que, dada a intensa atividade de compra e venda de terrenos, casas e apartamentos naquela região do litoral paulista, faturava mais de 80 milhões de cruzados por mês — em torno de 5 milhões de reais em valores atuais, corrigidos pelo IPCA.

Segundo a reportagem, a renda do cartório era tão alta que a serventuária interina, Guiomar Carvalho Berçot, planejava lançar o filho, Eduardo Berçot, candidato à prefeitura do município. "Ele vai ter muita facilidade para se eleger com o dinheiro que a mãe ganha", reclamava um adversário político.[3] Eduardo acabou não concorrendo, mas seu irmão Edmundo Berçot Júnior tentou se eleger para uma cadeira de deputado federal em 1990 — sem sucesso, todavia. Com 11 514 votos, ficou longe de obter uma vaga.[4] Mas algo muito pior do que uma derrota eleitoral estava para acontecer na família.

Alguns meses antes, em dezembro de 1989, o Tribunal de Justiça de São Paulo havia realizado um concurso público para o provimento dos titulares de 93 cartórios de registros de imóveis no estado. José Pimentel Camargo, de 51 anos, foi aprovado e, segundo a ordem de classificação, optou pela vaga de Praia Grande — ocupada em caráter provisório por Guiomar Berçot desde 1984.[5] No dia 8 de março de 1991, uma sexta-feira, Pimentel tomou posse no cargo de escrivão do Cartório do Registro de Imóveis e Anexos da cidade litorânea.

Inconformada com a perda do direito de explorar o cartório, a família Berçot buscou um último recurso — e fora dos limites da lei. Na manhã seguinte, Edmundo Berçot Júnior, oficial-maior na repartição que até dois dias antes era administrada pela mãe, saiu de Praia Grande em seu Monza vermelho rumo a Socorro, localizada a 205 quilômetros de distância, na base da serra da Mantiqueira. Ao chegar à cidade, perguntou a transeuntes onde ficava a residência de José Pimentel. Estacionou o carro em frente, tocou a campainha e, ao ter a porta aberta, sacou um revólver Taurus calibre .38 e desferiu três tiros à queima-roupa no tabelião que tomaria o cartório de sua família. O autor foi preso em flagrante e condenado à prisão pelo Tribunal do Júri alguns meses depois.[6]

No imaginário popular, cartórios são vistos como minas de ouro. E de acordo com dados compilados pelo CNJ, muitos deles são mesmo. O mais rentável do Brasil, o 9º Ofício do Registro de Imóveis do Rio de Janeiro, faturou mais de 75,9 milhões de reais apenas no segundo semestre de 2023 — o que representa uma média de mais de 12,6 milhões de reais mensais.[7]

A explicação para uma receita tão alta está na área atendida pela repartição. Por exigência legal, todas as transações imobiliárias realizadas num determinado território devem necessariamente ser lavradas em um cartório específico. E a região atendida pelo 9º Ofício do Registro de Imóveis abrange alguns dos bairros com o metro quadrado mais caro do país (como Barra da Tijuca, Recreio dos Bandeirantes, Laranjeiras, Cosme Velho, Flamengo e Santa Teresa), assim como boa parte da Zona Oeste da cidade — uma extensa faixa de grandes contrastes e forte crescimento, de Jacarepaguá a Guaratiba, incluindo áreas dominadas pela milícia, como Rio das Pedras e Tanque.[8]

Os titulares dos cartórios do principal centro financeiro do país não ficam atrás. Somados, os 126 estabelecimentos de notas e registros do município de São Paulo faturaram em 2022 quase 2,5 bilhões de reais — o que significa que, se atuassem como uma única empresa, teriam uma receita equivalente à de companhias como a fabricante de calçados Grendene, a varejista Kalunga e a produtora de armas Taurus.[9]

O cartório de imóveis que foi motivo do crime em Praia Grande tem hoje em dia o pomposo nome de Oficial de Registro de Imóveis, Registro de Títulos e Documentos e Cível de Pessoa Jurídica e Tabelião de Protesto. Em outras palavras, ele concentra algumas das atividades notariais mais rentáveis no Brasil — imóveis, títulos, pessoas jurídicas e protestos. Não é à toa que seu faturamento bruto mensal gira em torno de 5,6 milhões de reais ao mês.

O banco de dados Justiça Aberta, divulgado pelo CNJ, congrega dados semestrais da receita bruta de 13 292 serventias espalhadas pelos 26 estados e pelo Distrito Federal.[10] Ao classificar os ofícios por faixa de faturamento mensal, é possível identificar, no gráfico 13, que

4183 cartórios (31,5% do total) recolhem em taxas e emolumentos mais de 100 mil reais por mês — tendo 415 titulares (3,1%) rendimentos brutos mensais que ultrapassam 1 milhão de reais.

GRÁFICO 13
DISTRIBUIÇÃO DOS CARTÓRIOS POR FAIXA DE FATURAMENTO MÉDIO MENSAL NO SEGUNDO SEMESTRE DE 2022

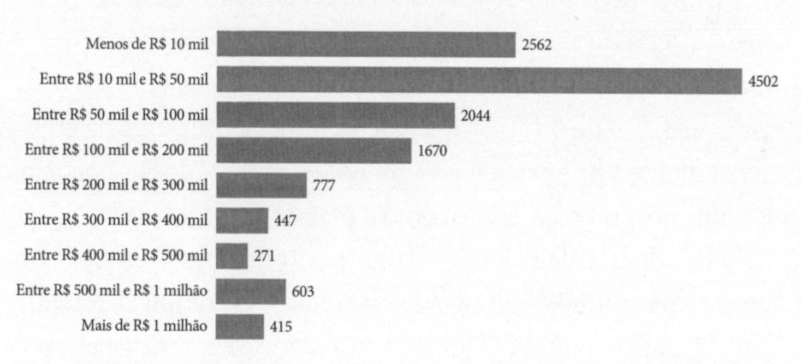

FONTE: Elaboração do autor a partir de dados do Conselho Nacional de Justiça.

Se os dados individuais de faturamento de boa parte dos cartórios impressionam pelos valores estratosféricos, o valor agregado dá a exata noção do peso desse serviço para toda a sociedade. Em 2022, cidadãos e empresas que atuam no Brasil gastaram 23,4 bilhões de reais com registro, autenticação e extração de cópias e certidões — o que representa 0,25% do PIB, valor que se mantém mais ou menos estável desde 2013. Esse é o preço pago pelos brasileiros em nome da garantia da fé pública dos documentos emitidos no país. Para muitos, não vale a pena.

Da maternidade à sepultura ou ao crematório, os principais atos de nossa vida civil precisam ser celebrados "em papel passado". Segundo a lei nº 6015/1973, nascimentos, casamentos e óbitos —

além de adoções, emancipações, interdições e outros fatos jurídicos — precisam ser registrados nos cartórios de pessoas naturais. De forma semelhante, os atos constitutivos, estatutos e contratos que regem o cotidiano de empresas, sociedades e fundações também devem ser apresentados e arquivados num registro de pessoas jurídicas. Afora isso, de uma simples procuração a qualquer documento ou acordo entre particulares que se espera ter valor de prova futura, além de um extenso rol de relações comerciais, tudo deve ser transcrito e conservado em ofícios de notas ou de títulos e documentos. E ainda há a espécie mais rentável de toda a atividade cartorária no Brasil: o registro de imóveis, que não se limita à propriedade em si, mas se estende à promessa de compra e venda e a todos os negócios que a utilizam como garantia, como o penhor e a hipoteca.[11]

O Estado brasileiro é cartorial. A partir de nossa herança portuguesa, construímos ao longo dos séculos uma complexa estrutura para "garantir a publicidade, autenticidade, segurança e eficácia dos atos jurídicos", como estabelece a Lei de Registros Públicos. Acontece que até Portugal vem abandonando, de forma acelerada, a dependência desse sistema arcaico.

Teria sido no reinado de d. Afonso II (1211-23) que surgiu no nascente Estado português a figura do tabelião — um súdito que recebia do próprio monarca o mandato para assegurar que um documento era legítimo e, assim, poderia ser aceito sem questionamentos em todo o reino.[12] Naqueles tempos da baixa Idade Média, quando o analfabetismo era a regra e as instituições jurídicas se mostravam bastante frágeis, fazia sentido designar profissionais para redigir atos celebrados entre terceiros e atestar publicamente sua veracidade. Embora a atividade não fosse exclusiva de Portugal — práticas similares se espalharam por toda a Europa com a emancipação dos Estados nacionais e o florescimento comercial —, foi na península Ibérica que sua influência se manteve mais forte, estendendo-se à América Latina com a colonização.

Ana Maria Fernandes, que desenvolveu sua pesquisa de mestrado sobre a atividade notarial em Portugal no século XX, descreve que

> a atividade exercida por estes profissionais, pelo poder que implicava e pelo estatuto que garantia ao seu titular, sempre foi apetecível. Sendo um cargo de nomeação superior (régia ou senhorial), servia muitas vezes como compensação por outros serviços prestados, o que nem sempre garantiu que o titular do cargo o desempenhasse de acordo com o que a sociedade dele esperava: zelo, honestidade, celeridade, justiça.[13]

Em 1949, o regime do ditador António Salazar tentou corrigir vários desses vícios do sistema notarial português promulgando o decreto-lei nº 37 666, que promoveu uma ampla reformulação no setor, com a exigência de concurso público para o exercício profissional e transformando os notários em funcionários públicos, sujeitos a uma carreira e a uma remuneração determinada pelo governo.[14]

A mudança de status funcional dos registradores portugueses não surtiu o efeito esperado e só neste século, com a ajuda da tecnologia e a pressão competitiva dos demais países da União Europeia, é que Portugal implementou uma reforma muito mais abrangente. Em 2004 a legislação notarial foi toda reformulada, restituindo o caráter privado da atividade, mas rompendo-se as reservas de mercado por território e consagrando-se os princípios da livre escolha e da livre concorrência entre cartórios.[15] Quatro anos depois, após a implementação de uma série de serviços on-line voltados à simplificação e à desburocratização — "Empresa na Hora", "Casa Pronta", "Associação na Hora", "Divórcio com Partilha" e "Heranças", entre outros —, o governo lusitano deu um passo além. Por meio do decreto-lei nº 116/2008, além de estender a filosofia do "balcão único" na internet para os registros de imóveis, a legislação portuguesa decretou o fim da obrigatoriedade de escrituras públicas para um amplo rol de atos, dos contratos de compra e venda de imóveis às fusões entre empresas, passando ainda pela abolição da exigência de arquivo de toda a escrituração mercantil empresarial.[16]

Essas mudanças foram fruto da necessidade. Em 2003, o relatório *Doing Business*, pesquisa conduzida pelo Banco Mundial que media o clima de negócios nos vários países do mundo, indicava que em Portugal eram necessários 95 dias para se abrir uma empresa — uma verdadeira maratona com obstáculos que envolvia em média onze procedimentos diferentes.[17] No ano seguinte, calculou-se que o registro de propriedades envolvia cinco etapas e demorava em média 83 dias.[18] Tanta morosidade espantava os investidores, pois diferia muito das melhores práticas entre os países da União Europeia e da OCDE.

Depois de tantas reformas, os portugueses já colhem os frutos da coragem de ter enfrentado interesses há séculos incrustados na sociedade. De acordo com a última edição do relatório *Doing Business*, referente ao ano de 2020, a abertura de empresas ainda envolvia seis procedimentos diferentes — mas eles são cumpridos, em sua totalidade, em menos de uma semana. O registro de propriedades também se tornou mais fácil e ágil: hoje em dia ele é feito em uma única etapa, o que fez o tempo de espera cair de 83 para apenas dez dias.[19]

Por essas e outras medidas, Portugal ocupava, em 2020, a 39ª posição no ranking dos melhores países para se fazer negócios no mundo.

O escritor Fernando Sabino, então recém-casado com a filha do governador mineiro Benedito Valadares, ganhou do sogro um presente insólito: a titularidade de um cartório. Findo o casamento, o autor de *O encontro marcado* devolveu a delegação, por entender que lhe fora dada não por seus méritos, mas para garantir o sustento e o bem-estar da filha do governador, que havia se casado com um reles aspirante a escritor em início de carreira.[20]

Esse não foi um caso isolado. O engenheiro Lucas Lopes, presidente do Banco Nacional de Desenvolvimento Econômico e ministro da Fazenda na gestão de Juscelino Kubitschek (1956-60), relata em suas memórias que, como sinal de gratidão pelos serviços prestados em seu governo, JK lhe concedeu a titularidade do 4º Ofício de Registro de Imóveis do Rio de Janeiro, cujo "dono" havia acabado de falecer. Seu depoimento diz muito sobre a natureza do ofício:

> Não tive outra alternativa senão aceitar, pois estava vindo de um enfarte em Caxambu, deixando o ministério numa situação extremamente conflituosa com o próprio Juscelino e estava decidido a me recolher a um mínimo de exposição pública. A oferta de um cartório, que todo o mundo considera um prêmio de loteria, a mim me pareceu na época extremamente humilhante, porque eu tinha feito uma vida de engenheiro e administrador na qual havia obtido grande sucesso até aquele momento. Eu me julgava preparado para coisa melhor do que titular de cartório, que é uma atividade nobre, mas exige pouco além da presença para assinar alguns papéis. Sempre há um substituto do titular que é quem realmente conhece bem e executa a atividade cartorial.[21]

O Brasil mudou muito desde essa época. A Constituição de 1988 estabeleceu, em seu artigo 236, que os serviços notariais e de registros não podem mais ser distribuídos a amigos e parentes de políticos, ou transmitidos de pai para filho, mas estão sujeitos a concursos públicos de provas e títulos.[22] Hoje sob nova administração, o 4º Ofício de Registro de Imóveis do Rio de Janeiro teve um faturamento médio de 864 mil reais no segundo semestre de 2023.

A adoção dos critérios de legalidade e impessoalidade no provimento das licenças, contudo, não foi capaz de eliminar as íntimas relações de parentesco e influência entre notários, tabeliães, registradores e a elite política e judiciária no país.

Numa extensiva pesquisa que abrangeu os dezessete maiores municípios do Paraná, o sociólogo Vanderlei Hermes Machado demonstrou como a titularidade dos cartórios mais rentáveis continua sendo mantida no seio das mesmas famílias, apesar da exigência de concursos. Valendo-se de uma brecha na legislação — a possibilidade de provimento das vagas por remoção interna, em que o titular de uma serventia menos atraente pode pleitear a permuta ou a transferência para outra mais atrativa antes que ela seja destinada à ampla concorrência —, muitas famílias conseguem estender a exploração dos serviços por gerações. A prática de nepotismo também continua bastante frequente, agora mediante a nomeação de cônjuges e filhos como substitutos, assim como a contratação de parentes como funcionários do cartório com salários altíssimos.

A pesquisa de doutorado de Machado também indica os estreitos laços familiares entre os "donos" dos maiores cartórios do Paraná e deputados estaduais, federais e senadores, assim como desembargadores do Tribunal de Justiça local. Para o estudioso, esses vínculos são uma barreira para a adoção de medidas legislativas e correcionais para eliminar as inúmeras distorções do sistema.[23]

De maneira geral, mesmo com a tentativa de moralização do setor após a Constituição de 1988, os cartórios continuam sendo um mecanismo burocrático que onera a atividade produtiva e diminui a competitividade das empresas brasileiras.

Em seu primeiro compromisso no exterior depois da posse como presidente da República, Jair Bolsonaro teve a honra de proferir um discurso especial na abertura do prestigioso encontro do Fórum Econômico Mundial, em Davos, na Suíça.[24] Diante de uma plateia que incluía a nata da política, da economia e das finanças internacionais, o chefe de Estado brasileiro usou as palavras com parcimônia. Bolsonaro deu seu recado em pouco mais de seis minutos,[25] o que provocou certo constrangimento na organização do evento, pois líderes mundiais não costumam desperdiçar a chance de transmitir sua mensagem àqueles que dão as cartas na economia do planeta.

Num dos raros momentos em que foi enfático naquele palco nos Alpes suíços, o presidente brasileiro prometeu uma sensível melhoria no ambiente de negócios no país: "Tenham certeza de que, até o final do meu mandato, nossa equipe econômica, liderada pelo ministro Paulo Guedes, nos colocará no ranking dos cinquenta melhores países para se fazer negócios". Ao assumir o governo, o Brasil estava na 109ª posição.[26] Um ano depois, caímos para o 124º lugar.[27]

Apesar da piora no desempenho, não se pode dizer que nada foi feito durante a gestão de Bolsonaro e Paulo Guedes. Ainda na lua de mel dos primeiros quatro meses após a posse, o governo editou a medida provisória nº 881,[28] depois convertida na lei nº 13 874/2019,[29] conhecida como Lei da Liberdade Econômica. Trata-se de uma declaração de princípios voltada para o estímulo à livre-iniciativa e para a redução das amarras governamentais sobre o empreendedorismo e o investimento. O governo também avançou numa agenda de digitalização de serviços públicos com o portal Gov.br, mas essas medidas se mostraram insuficientes para tornar o Brasil um país atraente para investimentos.

O Brasil tem perdido posições no ranking de clima de negócios não porque seus sucessivos governos têm deliberadamente decidido tornar a vida do empresário pior a cada ano. Nas últimas décadas, medidas pontuais vêm sendo implementadas em todos os níveis da federação, a exemplo de muitos procedimentos que já podem ser feitos pela internet. O grande problema é que nossos concorrentes — inclusive nossos vizinhos da América Latina e demais países em desenvolvimento — têm sido muito mais rápidos nessas transformações. O Brasil avança, mas a passos lentos; e assim é ultrapassado por outros competidores ano após ano.

Para imprimir um ritmo mais ágil de transformações, não é preciso apenas digitalizar e migrar o atendimento para a internet. É preciso quebrar paradigmas, e para isso deve-se acima de tudo enfrentar interesses muito bem estabelecidos, e grupos que lucram com toda essa ineficiência e burocracia.

Além da mina de ouro, outra imagem que a maioria dos brasileiros tem dos titulares de serviços notariais é a do "Carimbador Maluco", personagem-título de uma canção do especial infantil *Plunct, Plact, Zuuum* composta e interpretada por Raul Seixas. No programa, veiculado pela Rede Globo em 1983, um grupo de crianças decide viajar pelo universo após serem proibidas pelos pais de fazerem uma série de brincadeiras. Antes de ganharem o espaço, porém, eles precisam driblar a resistência do Carimbador Maluco, para quem tudo "tem que ser selado, registrado, carimbado, avaliado". Para o foguete das crianças sair viajando pelo universo é preciso, além do pagamento da alta taxa, seu carimbo dando o "sim".

Embora a burocracia seja bastante amaldiçoada nos quatro cantos do mundo, algum grau de formalismo é essencial para o bom funcionamento da economia. A partir do momento em que as sociedades se tornaram mais complexas e o tecido social foi se esgarçando com os processos de urbanização, industrialização e internacionalização das relações econômicas, surgiu a necessidade de se criar instituições das mais variadas naturezas para regular os conflitos que poderiam surgir no cotidiano de pessoas e empresas.

O economista americano Douglass North (1920-2015), agraciado com o Prêmio Nobel de Economia em 1993, construiu sua carreira pesquisando o papel dos direitos de propriedade, dos custos de transação e das instituições jurídicas e econômicas para o desenvolvimento econômico. Em sua obra, North chama a atenção para o fato de que, ao contrário do passado, quando as interações humanas se davam em pequenas vilas onde praticamente todos se conheciam, o mundo evoluiu para um estágio em que as transações se dão entre empresas e indivíduos que sabem muito pouco sobre seus parceiros comerciais, suas reais intenções e sua capacidade de cumprir o que foi acordado.

Num contexto de informação incompleta, incerteza e baixo nível de confiança entre as partes, é necessário o desenvolvimento de instituições que ofereçam um conjunto de "regras do jogo" que garantam previsibilidade às relações sociais e econômicas. Assim, em caso de inadimplência, quebras de contrato ou mesmo fraudes, os agentes saberão exatamente a quem recorrer, com a expectativa de ter seu problema resolvido o mais rápido possível.[30]

O sistema de registros públicos, portanto, em tese atua na direção proposta por North. Ao checar a capacidade dos agentes de praticar atos, atestar a existência e real propriedade dos bens que estão sendo transacionados e verificar se não pairam sobre aqueles ativos quaisquer entraves à sua comercialização, os cartórios oferecem segurança jurídica e têm a capacidade de evitar problemas futuros.

Em tempos mais recentes, numa resposta à crônica morosidade do Judiciário brasileiro, o Congresso Nacional conferiu ao sistema notarial a competência de realizar uma série de atos a fim de desafogar os tribunais. Desde 2007, por exemplo, procedimentos como separação conjugal e divórcio, além de inventários e partilhas, podem ser realizados por escritura pública, desde que não haja litígio entre as partes nem menores envolvidos.[31] Na mesma linha, a Fazenda Pública tem se valido dos cartórios de protesto para cobrar débitos inscritos na Dívida Ativa.[32] Trata-se, porém, de avanços tímidos e insuficientes para as inúmeras demandas da economia brasileira contemporânea.

Quando se observa o desempenho do Brasil em cada dimensão que compõe o ranking do Banco Mundial sobre clima de negócios, o cenário é desanimador. Na última edição do relatório, ocupávamos respectivamente o 133º e o 138º lugares em termos de prazo e custo para o registro de uma propriedade e a abertura de uma empresa, além de uma vexaminosa 170ª posição quando se trata de obter um alvará para construção.[33] E todas essas ações se relacionam diretamente com o trabalho de tabeliães e registradores, além de órgãos governamentais.

Trata-se não apenas de um serviço de qualidade ruim, tendo em vista o panorama internacional, mas ainda por cima bastante caro. No país o preço da fé pública se traduz num componente não desprezível daquilo que se convencionou chamar de Custo Brasil. E aqui não me refiro apenas ao 0,25% do PIB que é pago em custas e emolumentos cartoriais todos os anos, nem tampouco ao tempo perdido em filas e idas e vindas para atender a exigências que muitas vezes parecem uma gincana juvenil — procedimentos que fizeram surgir a figura do "despachante", um profissional especializado em contornar, com uma boa dose de jeitinho brasileiro, os entraves burocráticos de cartórios e órgãos públicos. Esse emaranhado de normas e exigências, aliás, é fonte frequente de esquemas de corrupção e extorsão entre os dois lados do balcão em repartições do país.

Alterar esse cenário não é tarefa simples. Como todo grupo de interesse muito bem articulado, a Associação dos Notários e Registradores do Brasil (Anoreg) realiza um acompanhamento atento no Congresso Nacional e nas assembleias legislativas de todos os projetos de lei que possam afetar seus interesses.[34] Assim, sempre que é apresentada uma proposta que pretende desburocratizar e reduzir os custos de transação no país, logo ela começa a ser seguida com lupa pelos lobistas da entidade, sobretudo se tiver o potencial de afetar os ganhos de seus associados. Nos últimos anos, por exemplo, os poucos avanços observados em termos de agenda microeconômica, como a criação do cadastro positivo[35] ou a reforma nos mercados de crédito e imobiliário,[36] sofreram forte resistência das associações dos titulares de serventias extrajudiciais no Brasil.

Na busca pela manutenção e, de preferência, pela ampliação de sua receita, os cartórios acabam dificultando a aprovação de reformas que poderiam acelerar o crescimento do país. E por trás dessa resistência está uma poderosa engrenagem que tem o efeito colateral de transferir renda da maioria dos cidadãos e empresas para uma minoria de privilegiados — sem falar que o próprio Estado é um sócio nesse processo.

Sempre que são confrontados com os valores estratosféricos de faturamento divulgados pelo CNJ, tabeliães e registradores se defendem dizendo que os dados apresentados aqui no gráfico 13 superestimam seus rendimentos. Na visão dos "donos" de cartório, quando se deduzem os tributos, as taxas judiciais e os custos operacionais (folha de pagamento, energia, equipamentos de informática), seus ganhos líquidos são bem menores.

Segundo informações divulgadas pela Anoreg, os repasses legais para o governo e o Poder Judiciário estaduais variam de 6,54% do arrecadado no Distrito Federal a expressivos 51,70% na Bahia, não havendo no Rio Grande do Sul, em Santa Catarina e em Alagoas qualquer cobrança. Além disso, a entidade estima que as despesas operacionais dos cartórios giram em torno de 35,1% na maioria dos estados.[37]

Ainda que se deduzam as transferências obrigatórias para o caixa dos estados e os custos administrativos, o "lucro" pessoal auferido pelos detentores de cartórios os coloca nos estratos mais altos da pirâmide de distribuição de renda no Brasil.

Segundo o relatório *Grandes Números IRPF da Declaração do Imposto de Renda da Pessoa Física 2022*,[38] elaborado pela Receita Federal com dados das declarações de renda no ano-calendário de 2021, os 10 549 titulares de cartório que acertaram suas contas com o Leão naquele ano figuram como a categoria profissional com a renda (rendimentos tributáveis e isentos) per capita mais alta do país, com proventos mensais de 141 884,25 reais — valor quase três vezes superior ao ganho médio de integrantes do Ministério Público e membros do Poder Judiciário e de Tribunal de Contas, funções que ocupam o segundo e o terceiro lugares no pódio, com valores de 56 508,60 e 55 226,91 reais mensais, respectivamente.

Assim, mesmo após deduzirmos todos os custos dos notários, seus proventos se encontram no topo da escala de renda do país. E ainda que desagreguemos os dados por unidade da federação, as disparidades com a realidade brasileira continuam gritantes. Como pode ser visto na tabela 4, se tomarmos o estado da Bahia, onde notários e registradores têm seu pior desempenho financeiro, os cartórios rendem para seus "donos", na média, quase 43 784,60 reais mensais. No outro extremo, na capital federal notários e registradores auferem um rendimento mensal de mais de meio milhão de reais por mês.

Além de instrumentos para garantir a autenticidade de documentos, cartórios são, sob qualquer métrica, uma máquina de concentração de renda.

Poucos países no mundo têm um sistema cartorial tão abrangente quanto o Brasil. Na maioria das nações, fatos civis como nascimento, casamento e morte são reconhecidos e arquivados em órgãos públicos. Da mesma forma, os procedimentos de criação e encerramento de empresas e outras sociedades civis, que por aqui são realizados em juntas comerciais e cartórios de pessoas jurídicas, em boa parte dos países são oficializados nos órgãos equivalentes à nossa Receita Federal, que já tem o encargo de gerar o número do Cadastro Nacional da Pessoa Jurídica (CNPJ) e controlar a regularidade fiscal.

Esses registros administrativos de natureza estatal, inclusive, foram utilizados para identificar as mudanças demográficas ocorridas em países como Áustria, Bélgica, Holanda, Espanha, Suécia, Noruega, Dinamarca, Finlândia e Turquia durante a pandemia de

TABELA 4
RENDIMENTO TRIBUTÁRIO MÉDIO MENSAL DOS TITULARES DE CARTÓRIO POR UNIDADE DA FEDERAÇÃO (2021)

UNIDADE DA FEDERAÇÃO	RENDIMENTO MÉDIO MENSAL
Distrito Federal	R$ 504 560,83
Rio de Janeiro	R$ 276 544,98
São Paulo	R$ 276 386,24
Roraima	R$ 217 136,13
Goiás	R$ 217 026,39
Mato Grosso	R$ 180 236,10
Amazonas	R$ 170 018,31
Mato Grosso do Sul	R$ 160 603,48
Rio Grande do Sul	R$ 157 735,93
Santa Catarina	R$ 151 277,54
Pará	R$ 145 608,54
Rondônia	R$ 135 347,76
Espírito Santo	R$ 113 013,68
Minas Gerais	R$ 94 668,98
Amapá	R$ 91 874,16
Sergipe	R$ 90 898,50
Maranhão	R$ 87 042,83
Paraná	R$ 84 794,82
Pernambuco	R$ 83 146,98
Acre	R$ 81 768,00
Rio Grande do Norte	R$ 77 054,15
Ceará	R$ 75 608,86
Tocantins	R$ 69 383,08
Paraíba	R$ 68 557,99
Alagoas	R$ 61 848,05
Piauí	R$ 61 374,19
Bahia	R$ 43 784,60
Média Brasil	R$ 141 884,25

FONTE: Elaboração do autor a partir de dados da publicação *Grandes Números da Declaração do Imposto de Renda da Pessoa Física 2022*, referente ao ano-calendário 2021.

covid-19. Segundo a Divisão de Estatísticas do Departamento Econômico da ONU,[39] esses países possuem dados cadastrais tão confiáveis de seus cidadãos que, para evitar o contágio e a disseminação do novo coronavírus, decidiram substituir as visitas de recenseadores às residências de seus habitantes por um levantamento nos arquivos públicos mantidos pelo próprio Estado — sem a administração de particulares, como acontece no Brasil.

Com relação aos atos e contratos que indivíduos e empresas firmam cotidianamente, inclusive o registro de propriedades, muitos depositam suas esperanças na tecnologia para contornar a burocracia e o alto custo dos cartórios brasileiros. Certificação digital e registros descentralizados como o blockchain deixaram de ser apostas futuristas e já são utilizados para o registro de imóveis em países tão díspares como Suécia, Geórgia, Gana e Honduras, como atestou Georg Eder numa conferência do Fórum Global Anticorrupção e Integridade da OCDE em 2019.[40]

Ao proporcionar a rastreabilidade dos registros, com baixíssimo custo de consulta e menores riscos de manipulação e fraudes, muitos especialistas preveem em breve a morte dos cartórios. A questão, entretanto, não é tão simples. Além da complexidade técnica e do alto consumo de energia requerido para essas tecnologias, o problema de fundo permanece: quem garantirá que as propriedades e contratos registrados em sistemas criados por blockchain ou similares são verídicos?

Aqui no Brasil, o Banco Central tem avançado numa agenda regulatória e tecnológica que pretende implantar, nos próximos anos, o "real digital". Batizada de Drex, a moeda oficial brasileira poderá ser transacionada em formato digital utilizando a tecnologia de registro distribuído, que incorpora os princípios da tokenização que fundamentam o blockchain. De acordo com o BC, a adoção do Drex permitirá a confecção de contratos inteligentes, em que a transferência de recursos financeiros entre, por exemplo, um comprador e um vendedor só ocorrerá a partir do momento em que ambas as partes confirmarem a transação comercial. Outro benefício da plataforma em desenvolvimento pelo Banco Central e as instituições financeiras será a capacidade de se rastrear o encadeamento das transações e a comprovação da autenticidade dos agentes envolvidos. Essas promessas de segurança, rastreabilidade e veracidade são a razão de ser dos cartórios — e a possibilidade de virem a ser garantidas pelo órgão responsável pela estabilidade monetária e financeira do país, a um custo baixo, com tecnologia de ponta e reduzindo drasticamente a burocracia é um sinal promissor no horizonte.[41]

Há, porém, uma agenda de mudanças que poderiam ser adotadas desde já para minorar as imensas distorções do sistema cartorial brasileiro antes mesmo da chegada dessa revolução digital.

Uma dimensão fundamental a ser tratada é a questão do preço dos serviços. Os emolumentos relativos aos atos cartoriais são fixados em nível estadual, o que gera grandes distorções ao longo do território nacional. Um exemplo: os municípios brasileiros de Dionísio Cerqueira, em Santa Catarina, e Barracão, no Paraná, fazem fronteira com Bernardo de Irigoyen, na província de Missiones, na Argentina. As malhas urbanas dessas cidades gêmeas são tão integradas que é possível atravessar dois estados brasileiros e dois países diferentes conforme o trajeto da caminhada diária. Dependendo de onde escolher morar, contudo, um cidadão pagará 935,70 reais pelo registro de uma casa avaliada em 300 mil reais na cidade de Barracão[42] ou 1611,92 se o imóvel de mesmo valor estiver situado na vizinha Dionísio Cerqueira.[43] A discrepância, de mais de 70%, se deve apenas às diferenças nas tabelas de custas e emolumentos de cada jurisdição estadual.

Atribuir aos estados a responsabilidade de definir as taxas cartorárias em suas jurisdições, além de distorcer o custo de transação conforme a região do território nacional em que se reside ou trabalha, facilita a ação dos lobbies dos titulares dos cartórios, pois fica muito mais fácil pressionar os governos locais a lhes conceder reajustes acima da inflação do que se a definição tivesse que partir do Congresso Nacional ou do CNJ, por exemplo.

Outro fator que contribui para o alto custo cartorial no país se deve ao fato de que governos estaduais e Tribunais de Justiça — além de inúmeras outras instituições — pegam "carona" e se tornam sócios na exploração dos ofícios de notas e registros. Isso acontece porque ao longo do tempo foram sendo aprovadas leis estaduais que acrescentaram taxas e contribuições atreladas aos serviços dos serventuários, vinculados a fundos e programas especiais que nada têm a ver com certidões, consultas e autenticações. Tome-se o caso de São Paulo: basta consultar a tabela de custas para verificar que nos emolumentos cartoriais está embutida uma série de taxas destinadas a financiar o estado, a Secretaria de Fazenda, o município em que o ofício está instalado, o Ministério Público, os registros civis, o Tribunal de Justiça e até as Santas Casas de Misericórdia.[44]

Além disso, há muito virou letra morta o disposto no parágrafo único do art. 1º da lei nº 10 169/2000, que disciplina os custos da atividade cartorária, estabelecendo que "o valor fixado para os emolumentos deverá corresponder ao efetivo custo e à adequada e suficiente remuneração dos serviços prestados". Interpretado com rigor esse princípio, não faz nenhum sentido a prática, prevista na mesma norma, de se atribuir o preço de registros com base em seu valor financeiro. Afinal, não haveria justificativa plausível para duas escrituras públicas, com exatamente o mesmo conteúdo, terem preços que podem variar de 318,26 a 58 530,88 reais em razão apenas do valor declarado do bem ou contrato.[45]

Outro problema gerado pela descentralização da regulação dos cartórios tem a ver com a qualidade do serviço. Não são poucos os ofícios instalados em imóveis de tamanho inferior ao necessário para receber com decência o fluxo diário de clientes, com horário de atendimento insuficiente (ainda há repartições que fecham durante o período do almoço) e com filas em virtude do reduzido número de atendentes. Em termos de meios de pagamento, também é bastante frequente encontrar notários e registradores que só trabalham com dinheiro vivo, não admitindo transferências por Pix ou pagamentos com cartões de crédito ou débito. No caso dos cartórios de imóveis e de pessoas naturais, ainda há um agravante: como há uma reserva de mercado territorial para esses serviços, os clientes não têm sequer a opção de escolher algum ofício que ofereça um atendimento melhor.

Não é preciso esperar a chegada do blockchain ou do Drex para atacar os altos custos e a má qualidade dos serviços prestados por boa parte dos serventuários no Brasil. A unificação nacional das tabelas de emolumentos, o fim da vinculação das taxas ao valor dos bens ou contratos e o estabelecimento dos valores com base no custo efetivo do serviço prestado são questões que podem ser resolvidas por meio de legislação ordinária. Outros temas, como a padronização da qualidade no atendimento, nem disso necessitariam: bastaria maior empenho do CNJ para editar exigências mínimas quanto a metragem das salas, número de funcionários, horário de funcionamento e obrigatoriedade de aceite de qualquer meio de pagamento.

Mais do que regular os serviços hoje existentes a fim de reduzir seu custo para cidadãos e empresas, é fundamental que se desburocratize a vida privada no país. Trata-se, porém, de uma tarefa tentada por muitos, e sem grande sucesso. Do general João Batista Figueiredo, que criou em 1979 o Ministério da Desburocratização, a Paulo Guedes e sua Secretaria Especial de Desburocratização, Gestão e Governo Digital,[46] nenhum governo conseguiu eliminar a maioria das amarras que travam nosso desenvolvimento. E boa parte dessa agenda passa pelo enfrentamento das resistências impostas pela classe de notários e registradores.

Muitos dos atos que hoje devem ser levados a cartório poderiam ter essa exigência extinta, reduzindo os custos para se fazer negócios por aqui. Não faz muito sentido, por exemplo, que a compra de um imóvel deva tramitar num cartório de notas e num registro de imóveis para ser concretizada, dobrando o pagamento de emolumentos e taxas — uma única tramitação seria suficiente. Além disso, a falta de interligação dos sistemas e bancos de dados dos registros impõe um pesado ônus de emissão de certidões e autenticações, com prazos de validade exíguos, que sangram os orçamentos de pessoas físicas e jurídicas, mas engordam os cofres dos cartórios. Apesar de alguns avanços recentes, é incrível como em pleno século XXI ainda não conseguimos desenvolver um sistema nacional que propicie a qualquer interessado, sem intermediários e a custo zero, consultar a real situação patrimonial das pessoas com quem se negocia, para não falar da identificação de sonegadores e outros criminosos que praticam lavagem de dinheiro.

Para piorar a situação, a mesma lógica cartorial atinge outras atividades, além dos ofícios de notas e registros. É o caso, por exemplo, dos tradutores juramentados, uma herança varguista,[47] e dos práticos de navios, que remontam ao período colonial,[48] ambas atividades com reservas de mercado asseguradas por lei e cuja exclusividade na prestação dos serviços não faz mais sentido nos tempos atuais. Titulares de cartórios, tradutores oficiais e práticos de navio, cada qual em sua área de atuação, valem-se de monopólios legais para oferecer serviços que poderiam ter custos mais baixos e uma qualidade muito superior — se é que não poderiam ser de todo dispensados —, caso houvesse livre concorrência e uma desregulamentação responsável.

Como se viu na abertura deste capítulo, enfrentar esse Brasil cartorial é questão de vida ou morte para a competitividade da sociedade brasileira.

Conclusão do volume I

O Estado brasileiro é uma máquina de criar e distribuir benesses. E esse mecanismo não para de funcionar. Entre o final de setembro de 2023, quando o manuscrito deste livro foi entregue à editora, e o início de março de 2024, às vésperas de seu envio para a gráfica, novos privilégios foram concedidos, outros ampliados e alguns mais se encontram a caminho.

O apetite de magistrados e membros do Ministério Público em busca de novos penduricalhos e pagamentos retroativos continua irrefreável. Em 19 de dezembro de 2023, às vésperas do recesso judiciário, o ministro do STF Dias Toffoli concedeu um presente de Natal para os juízes, desembargadores e ministros do Judiciário brasileiro. Atendendo a um pedido da Associação de Juízes Federais (Ajufe), Toffoli cassou uma medida cautelar do Tribunal de Contas da União (TCU) que havia suspendido o pagamento do Adicional por Tempo de Serviço (ATS) para magistrados que ingressaram na carreira antes de 2006.

Também conhecido como quinquênio, o ATS era um adicional salarial de 5% pago a integrantes da magistratura a cada período de cinco anos de exercício de suas atividades. Embora o benefício tenha sido extinto pelo Conselho Nacional de Justiça (CNJ) em 2006,[1] quando se instituiu a forma de pagamentos por subsídios no Poder Judiciário e se regulamentou o teto do funcionalismo, uma decisão do Conselho da Justiça Federal (CJF) restituiu o adicional salarial em novembro de 2022.

Segundo entendimento expresso pela conselheira Mônica Sifuentes e seguido pela maioria de seus pares, os juízes federais que tomaram posse antes de maio de 2006 possuem direito adquirido ao quinquênio e poderiam não apenas pleitear a reintrodução do adicional em seus contracheques como solicitar os valores não recebidos desde a sua extinção, acrescidos de juros e correção monetária. A medida valeria inclusive para magistrados aposentados e pensionistas.[2] Importante deixar claro que a própria conselheira Sifuentes, desembargadora do TRF da 6ª Região, ingressou como juíza federal em 1993 e, assim, se beneficiará diretamente da determinação proferida por ela e seus colegas do CJF.

Na sanha de ressuscitar um antigo privilégio, os membros do CJF chegaram a atropelar, com uma simples medida administrativa, decisão unânime do STF que julgou inconstitucional pretensão anterior de outra entidade de magistrados (Anamages) sobre o mesmo tema. Na ADI 4580, o Supremo havia firmado a jurisprudência de que o regime de subsídios havia absorvido o adicional de tempo de serviço em seu cálculo e por isso não haveria razão para, sob alegação de direito adquirido, pleitear seu restabelecimento ou o pagamento de parcelas retroativas.[3]

Quem assumiu a tarefa de tentar barrar o interesse dos juízes federais de fazer ressurgir o quinquênio foi o Tribunal de Contas da União, órgão responsável por fiscalizar a boa aplicação dos recursos públicos. Provocados por uma representação do deputado Kim Kataguiri (União Brasil-SP), os técnicos do TCU estimaram em 870 milhões de reais o impacto financeiro mínimo dos passivos referentes ao quinquênio. Diante do risco de um dano quase bilionário às contas públicas, o ministro Jorge Oliveira propôs, e o plenário do Tribunal de Contas referendou, a adoção de uma medida cautelar suspendendo os pagamentos do quinquênio até que houvesse um melhor estudo de seus efeitos.[4]

Eis que entra em cena o ministro Dias Toffoli. Relator de um mandado de segurança apresentado pela diretoria da Ajufe ao STF, Toffoli considerou que o TCU não poderia se imiscuir na competência do CJF e concedeu uma liminar revogando a suspensão do creditamento do ATS nas contas dos juízes federais.[5]

Na prática Toffoli, em ato isolado, deu sinal verde para que os órgãos do Poder Judiciário reinstituam um benefício que foi extinto há quase duas décadas por determinação constitucional já referendada pela jurisprudência da Suprema Corte. Num efeito cascata, outros tribunais já estão reintroduzindo o quinquênio e autorizando o pagamento retroativo. A pressa para restabelecer mais um privilégio salarial é tanta que o Conselho Superior da Justiça do Trabalho chegou ao ponto de interromper o recesso judiciário de seus integrantes em janeiro para convocar uma reunião extraordinária telepresencial que sacramentou o pagamento do quinquênio para os juízes trabalhistas de todo o país.[6] E em breve a novidade se espalhará para todos os tribunais nacionais.

Pelo lado do Ministério Público, o recém-empossado procurador-geral da República, Paulo Gonet, já apresentou seu cartão de visitas na seara remuneratória. No exercício de sua função de presidente do Conselho Nacional do Ministério Público (CNMP), Gonet assinou uma resolução em 5 de fevereiro de 2024 ampliando o valor do auxílio-moradia. Embora o pagamento indiscriminado dessa ajuda de custo tenha sido contido em 2018, a partir de decisão do Supremo relatada no capítulo 2, ele ainda é autorizado em casos especiais avaliados pela direção administrativa das unidades do Ministério Público.

A norma baixada por Gonet substitui a antiga regra, que fixou o valor do auxílio em 4377,73 reais, passível de atualização anual por ato do presidente do CNMP,[7] por um critério automático. A partir de agora, a ajuda de custo para a moradia dos promotores e procuradores está limitada a 25% do subsídio do procurador-geral da República, definido em 44 008,52 reais a partir de 1º de fevereiro de 2024.[8]

Assim, nos casos em que a administração do Ministério Público julgar imprescindível o pagamento do auxílio-moradia, o valor da indenização poderá superar o patamar de 10 mil reais mensais. Não será surpresa alguma se, no futuro, alguma deliberação do CNMP determinar que se trata de um direito irrestrito a todos os integrantes do Ministério Público brasileiro.

No governo federal, continua valendo o ditado popular segundo o qual "farinha pouca, meu pirão primeiro". Mesmo diante das limitações orçamentárias e das incertezas quanto à sustentabilidade do arcabouço fiscal, as carreiras com maior poder de barganha e pressão continuam sendo atendidas. Num dos últimos atos de 2023, o Ministério da Gestão e Inovação em Serviços Públicos anunciou um reajuste escalonado até 2026 que fará com que os subsídios de delegados e peritos da Polícia Federal sejam elevados de 33 721 para 41 350 reais ao final do mandato presidencial.[9]

Como mencionado anteriormente, no início de 2024, após 81 dias de paralisações, os auditores da Receita Federal conseguiram arrancar do governo Lula o compromisso de elevar seu bônus de eficiência, que passará do patamar vigente de 3 mil para 11 500 reais mensais até 2026.

A concessão do bônus para os auditores fiscais despertou a indignação dos servidores do Banco Central em relação ao governo, dado que o Ministério de Gestão e Inovação em Serviços indeferiu sua reivindicação de serem contemplados com gratificação semelhante. Uma alternativa que vem sendo articulada pelo presidente da instituição, Roberto Campos Neto, com alguns senadores é a aprovação de uma PEC concedendo não apenas autonomia operacional (efetuada em 2021), mas também independência financeira e administrativa para o órgão regulador do Sistema Financeiro Nacional.[10] Caso seja aprovada, a medida permitirá, por exemplo, que o BC utilize o lucro que obtém com operações de compra e venda de títulos públicos ou moedas estrangeiras para, por exemplo, remunerar seus diretores em patamar equivalente ao de grandes bancos privados e fixar os vencimentos de seus funcionários em níveis superiores ao teto do funcionalismo — práticas, aliás, vigentes há bastante tempo em instituições como a Petrobras ou o BNDES. Temos, portanto, uma nova fornada de distorções sendo gestada no parlamento.

Já na esfera do Poder Legislativo, outra carreira da elite do funcionalismo estava prestes a também ser contemplada com um novo penduricalho. Em votação simbólica realizada no plenário do Senado Federal, foi aprovada a criação do "adicional de especialização e qualificação" para os servidores do TCU.[11] Antigo pleito de auditores e analistas do órgão, como descrito no capítulo 5, o acréscimo elevará em até 30% seus rendimentos, estendendo-se inclusive a aposentados e pensionistas e aproximando ainda mais o ganho desses servidores do teto do funcionalismo.

Os tratamentos privilegiados se espalham não apenas no âmbito federal, mas servidores de carreiras influentes dos estados e municípios também se articulam rapidamente quando vislumbram uma oportunidade de obter vantagens. Durante a tramitação da reforma tributária, auditores fiscais estaduais e municipais conseguiram equiparar seus rendimentos ao dos integrantes do Fisco federal, possibilitando que furem os subtetos do funcionalismo em seus respectivos níveis federativos. Essa nova realidade levará ao descalabro de servidores de pequenos municípios, onde a atividade econômica é modesta, poderem receber o mesmo que um auditor federal que lida com casos tributários complexos. Em mais um exemplo de como esses benefícios são criados de modo sorrateiro, esse dispositivo foi ratificado num destaque levado à votação às vinte horas, quando os representantes do governo e os parlamentares da base já comemoravam a histórica aprovação do texto principal da reforma dos tributos sobre o consumo.[12] Certamente a maioria dos parlamentares nem tomou conhecimento do conteúdo e principalmente das consequências da proposta que acolheram.

Por falar neles, o Congresso aprovou, na lei orçamentária de 2024, a destinação de 4,96 bilhões de reais para financiar as campanhas das eleições municipais desse ano,[13] um montante muito superior ao valor do fundo eleitoral de quatro anos antes, que ficou em 2,03 bilhões de reais.[14] Com a medida, as lideranças partidárias terão muito mais recursos para destinar aos candidatos de sua preferência, tornando ainda mais desigual a disputa para os cargos de prefeito e vereador. O fundão turbinado, como seria de esperar, teve o apoio de quase todos os partidos, da direita à esquerda, e foi sancionado sem vetos pelo presidente Lula.

Ainda em relação ao Orçamento de 2024, deputados e senadores reservaram para si o direito de aplicar 51,9 bilhões de reais em emendas individuais, de bancadas e de comissões — um recorde histórico. Vendo seu limite de recursos para investimento e outras políticas públicas ser parcialmente apropriado pelos parlamentares, o presidente Lula propôs um veto de 5,6 bilhões às emendas de comissão, inaugurando uma nova crise que não havia sido resolvida quando este livro foi finalizado.[15]

Como se vê, a fábrica de privilégios para a elite do funcionalismo, concursados ou eleitos, trabalha sem parar pelos corredores de Brasília.

O Brasil evoluiu muito desde que Raymundo Faoro publicou *Os donos do poder*, mais de seis décadas atrás. Naquele tempo, o país iniciava seu processo de modernização econômica, e a profissionalização do Estado era um imperativo para o desenvolvimento. Na visão do jurista gaúcho, era fundamental romper com o legado colonial português e o patrimonialismo que dominava as relações entre os setores público e privado mesmo após a Independência e o advento da República.

Desde então, foram criadas estatais poderosas como a Petrobras e o BNDES, assim como órgãos públicos fundamentais como o Banco Central, o Ipea e a AGU, e mais recentemente o Tesouro Nacional e a CGU. Instituições centenárias também foram reformuladas e fortalecidas, como o Ministério Público, o TCU, a Receita Federal e o Itamaraty, além do Banco do Brasil e da Caixa Econômica Federal. Mesmo o Poder Judiciário, tão criticado, vem incorporando métricas de produtividade e a padronização em seu modo de atuar, desde a reforma aprovada em 2005.

Com o fim da ditadura militar e a Constituição de 1988, também o papel das Forças Armadas foi redesenhado, e um novo rol de funções para o Estado e direitos ao cidadão, com aspirações universais, foi incorporado, demandando a construção de novas capacidades institucionais na saúde, na educação, na preservação do meio ambiente e na segurança pública — para citar apenas algumas.

Tendo como guia os princípios da legalidade, da impessoalidade, da moralidade e da publicidade, aos quais mais tarde foi acrescentada a eficiência, a atuação do Estado brasileiro foi reformulada, com o objetivo maior de colocar o interesse público acima das práticas clientelistas e patrimonialistas. Buscando a profissionalização do corpo de servidores públicos, a Constituição estabeleceu a exigência de concurso público, a estruturação de carreiras, garantias contra perseguições políticas e um regime previdenciário atraente.

Transcorridas três décadas e meia de implantação do novo marco constitucional, parte desses instrumentos vem sendo desvirtuada por algumas categorias do funcionalismo público. Com o passar do tempo, prerrogativas foram transformadas em privilégios, tetos viraram pisos e algumas carreiras passaram a auferir rendimentos desproporcionais à realidade brasileira.

Embora em termos de número de postos de trabalho o funcionalismo no Brasil não seja desproporcional em relação à média internacional, o custo fiscal de sua folha de pagamento e de seu sistema previdenciário destoa do de países avançados e em desenvolvimento, evidenciando que há distorções salariais. No entanto, tomando por base diversos estudos que calculam o diferencial de vencimentos entre carreiras dos três poderes e nos três níveis federativos, ou a comparação com cargos similares no setor privado, percebe-se que a discrepância se localiza em poucas categorias que caracterizam uma elite no serviço público brasileiro.

Ocupantes de cargos públicos no Judiciário, no Ministério Público e em carreiras estratégicas dos poderes Legislativo e Executivo se valem de sua influência política, de sua capacidade de organização e do poder de pressão que as competências legais lhes conferem para abusar da criatividade e da boa vontade dos legisladores na obtenção de toda sorte de vantagens e tratamentos especiais. Ao longo deste livro, demonstrou-se, por meio de atos normativos, dados orçamentários e evidências de suas articulações políticas, como esses grupos viabilizam, na linha final de seus contracheques, um valor de rendimentos líquidos geralmente bastante superior à sua contribuição para a sociedade — mesmo porque a avaliação de desempenho até hoje não foi regulamentada no Brasil.

Ao se defenderem das críticas de que essas benesses fazem com que seus ganhos extrapolem o teto salarial do funcionalismo, os integrantes dessas carreiras com frequência argumentam que nenhum pagamento é feito de forma ilegal. É verdade; não ferir a lei, contudo, é o mais básico dos princípios administrativos e constitucionais — e ele, por si só, não basta. A discussão que precisa ser feita é se esses pagamentos e regimes especiais — não apenas salariais, mas também previdenciários e de reserva de competências — são justos e atendem ao interesse público.

Além de explicitar como os privilégios da elite do serviço público brasileiro são gerados, este livro também propôs caminhos para que se realize uma reforma administrativa sensata, evitando tanto os radicalismos daqueles que consideram todos os servidores públicos parasitas como também a resistência ideológica e corporativista de quem bloqueia o debate valendo-se do argumento de que o Estado será precarizado.

Alguns caminhos nem precisariam de mudanças na Constituição, como a regulamentação da demissão por desempenho insatisfatório, aprovada durante o governo Fernando Henrique Cardoso e que está há anos no estágio final de tramitação no Congresso. Uma revisão da lei nº 8112/1990, que disciplina o regime jurídico dos servidores da União, também poderia ser feita para aproximar as regras dos setores público e privado no que diz respeito a licenças e afastamentos, direitos e deveres.

No quesito remuneração, é fundamental e urgente resgatar a autoridade do teto salarial sobre todo o funcionalismo. Nos últimos anos, as carreiras mais poderosas foram criando penduricalhos salariais de toda natureza (indenizações, auxílios, honorários, bônus e afins) que levam juízes, promotores, advogados públicos, fiscais, diplomatas e outras categorias de servidores a ganhar o mesmo ou até mais do que o presidente da República, deputados federais, senadores e ministros do STF.

Para se restabelecer a eficácia do teto, é imprescindível vedar qualquer possibilidade de que os Conselhos que realizam o controle sobre os órgãos do Poder Judiciário e do Ministério Público criem, estendam e reativem aditivos remuneratórios para seus jurisdicionados. Remuneração de servidores públicos só pode ser estabelecida por meio de lei e é preciso dar um basta à instituição de penduricalhos com base nos princípios de isonomia, simetria ou direito adquirido.

A chamada "PEC dos Supersalários" (PEC nº 63/2013) e o projeto de lei nº 2721/2021 tentaram corrigir o problema das verbas que são classificadas como indenizatórias apenas para burlar o teto e não se pagar imposto de renda. Infelizmente, o lobby de determinadas categorias acabou introduzindo tantas exceções que o espírito dessas propostas foi esvaziado e a tramitação empacou.

Além de recuperar o poder do teto do funcionalismo e eliminar a proliferação de verbas adicionais que inflam os contracheques de alguns privilegiados servidores, é preciso promover uma ampla revisão da estrutura remuneratória, alongando a distância entre o vencimento de entrada e o topo. A progressão na carreira, que hoje acontece em poucos degraus e de forma praticamente automática, precisa ser submetida à rigorosa avaliação individual periódica, além de atrelada a metas específicas e exigências de obtenção de capacitações e certificados de proficiência técnica.

Quanto às outras categorias de servidores públicos, em seu sentido amplo, também há medidas colocadas na mesa. Com relação aos militares, à medida que ficam mais evidentes a sua participação e omissão nos atos antidemocráticos de 8 de janeiro de 2023, é preciso aprovar a PEC nº 21/2021, que restringe as possibilidades de integrantes das Forças Armadas exercerem cargos de natureza civil na administração pública, e a PEC nº 42/2023, que dificulta o envolvimento de militares na política. A eliminação de algumas distorções remuneratórias em favor dos militares depende apenas de uma mera portaria, como a revogação do ato do antigo Ministério da Economia que criou o duplo teto para os militares; outras exigem doses consideráveis de vontade e coragem política, como a correção do bilionário déficit da previdência militar.

No caso dos privilégios da classe política, a agenda de reformas começaria repensando os incentivos de nosso sistema eleitoral. Como demonstrado em meu livro anterior (*Dinheiro, eleições e poder: As engrenagens do sistema político brasileiro*), as regras de disputa e de financiamento de campanhas incentivam a seleção adversa e o risco moral na política brasileira: salvo honrosas exceções, as eleições acabam atraindo quadros que não estão à altura dos desafios da atividade política e que representam muito pouco a diversidade da população brasileira.

Ao longo deste livro, indicamos que, além das distorções provocadas pelo financiamento público de campanhas, há um amplo pacote de privilégios que favorecem a classe política atual no jogo eleitoral, das cotas parlamentares aos cargos comissionados, passando pelas emendas parlamentares ao Orçamento e pela proteção contra punições gerada pelo sistema de indicações dos tribunais de contas e pelo foro privilegiado. Para equilibrar a disputa e tornar o sistema político mais representativo, portanto, há uma ampla vertente de possíveis melhorias institucionais.

Fechando as discussões sobre os privilégios criados por e para servidores e funcionários do Estado brasileiro, inclusive aqueles selecionados por concurso público, mostramos como os titulares de cartórios cobram um alto preço pela fé pública de documentos, elevando os custos de transação e onerando as relações empresariais e sociais no país. Da limitação dos rendimentos de cartórios à eliminação de exclusividades territoriais nos registros de imóveis, incluindo a padronização da qualidade do atendimento e a digitalização da escrituração, há um amplo caminho para baratear e elevar a eficiência das trocas na economia brasileira.

Todas essas medidas são essenciais para reduzir os privilégios criados pelos velhos e pelos novos donos do poder no Brasil e devem fazer parte da estratégia para se melhorar a imagem dos servidores públicos e reconstruir a abalada confiança da população nas instituições de Estado. Mas eles são apenas uma parte da história.

O processo de desenvolvimento econômico brasileiro é caracterizado pela concessão de toda sorte de tratamentos especiais para empresas e grupos econômicos. Reservas de mercado, proteção contra importações, benefícios tributários, isenções fiscais, créditos subsidiados e outros tipos de vantagens são distribuídos pelos sucessivos governos sem muito critério e muitas vezes cedendo a todo tipo de lobby e pressão empresarial.

No segundo volume desta série, trataremos dos privilégios concedidos aos novos e velhos donos do dinheiro no Brasil: a classe empresarial. Sem metas e compromissos, avaliação de resultados e cobrança governamental por resultados econômicos ou sociais, regimes privilegiados de natureza variada contribuem para a formação de um Brasil ineficiente.

Agradecimentos

O trocadilho é inevitável. Para mim, o maior dos privilégios é poder desfrutar do amor da minha família. Este livro só foi possível graças à compreensão e ao apoio de minha esposa Léia, companhia feliz de uma vida e fonte constante de estímulo e trocas diárias de ideias (e preocupações), e dos meus filhos Alice e Gustavo, maior razão de tudo o que fazemos — além, claro, da companhia fiel do Spirit.

Como todo privilégio, poder me dedicar a este livro teve um custo elevado, que pode ser medido nas muitas horas de convivência subtraídas de quem eu mais amo e em não raros episódios de mau humor e de pensamentos absortos. Peço perdão pelo tempo desperdiçado (ou, pior ainda, mal vivido) e prometo ser uma companhia mais leve a partir de agora.

Serei sempre devedor da dedicação que recebo dos meus pais, Angela e Jandir, e da torcida de meus irmãos e cunhados.

Este projeto, desenvolvido ao longo dos últimos cinco anos, contou, desde a ideia inicial, com o apoio entusiasmado de Ricardo Teperman. Mais do que um editor, Ricardo se tornou um grande amigo, que pacientemente soube respeitar todas as intercorrências do caminho. Ele também coordenou o incrível time da Companhia das Letras envolvido na preparação do livro, em especial o trabalho criterioso e detalhista de Cacilda Guerra e Willian Vieira (revisão) e Érico Melo (checagem).

Os amigos Alexandre Goldschmidt, João Paulo Brant, Pedro Bozzolla, Reinaldo Luz e Ricardo Miranda acompanharam desde o início a elaboração deste tal "livro dos privilégios", e das nossas conversas constantes no grupo de zap e na mesa do bar surgiram muitos dos argumentos utilizados aqui.

Evandro Sussekind, Bernardo "Opiniudo" Pantaleão, Luciano Da Ros, Rafael Cariello e Leandro Novais leram capítulos iniciais do livro e apresentaram valiosas contribuições. O livro também contou com recomendações de bibliografia vindas de Rogério Arantes, Sérgio Praça, João Victor Guedes-Neto e Rafael Viegas, assim como reportagens de arquivo resgatadas por João Pedroso de Campos, que muito melhoraram o embasamento das minhas reflexões. Como é praxe alertar, nenhum deles tem qualquer culpa pelos erros porventura cometidos.

Também devo agradecer a confiança do jornal *Valor Econômico*, em nome da diretora de redação Fernanda Delmas. Muitos dos temas tratados neste volume foram desenvolvidos ao longo dos mais de trezentos textos que venho escrevendo com total liberdade para o jornal desde janeiro de 2019. É muito estimulante poder interagir, ainda que à distância, com uma equipe tão competente que inclui, entre outros grandes jornalistas, Fernanda Godoy, César Felício, Denise Arakaki, Maria Cristina Fernandes e Cristiane Agostine.

Gratidão também à Fundação Dom Cabral, por garantir um ambiente propício para debates de alto nível nos diversos programas, em especial à sua iniciativa *Imagine Brasil*, coordenada pelos professores Aldemir Drummond, Paulo Paiva e Carlos Primo Braga, e seu louvável propósito de contribuir para um Brasil próspero, sustentável e inclusivo, que tem tudo a ver com o combate aos privilégios que proponho nesta série.

No momento em que este livro estava sendo finalizado, recebi o convite inusitado de Renata Lo Prete, uma das maiores referências no jornalismo brasileiro, para assumir o posto de comentarista de economia no *Jornal da Globo*. Agradecendo à confiança dela e de toda a equipe do programa, espero estar à altura da responsabilidade de transmitir com clareza os desafios econômicos brasileiros para um público tão vasto e exigente. É importante ressaltar que as opiniões expressas neste livro são estritamente pessoais, não refletindo as visões das instituições às quais eu estou profissionalmente vinculado. Gostaria também de homenagear as organizações Transparência Brasil, Fiquem Sabendo e Open Knowledge Brasil pela luta em favor da aplicação da Lei de Acesso à Informação e por trazerem a público bases de dados que viabilizaram a demonstração e a quantificação de muitos dos privilégios expostos aqui. A transparência é fundamental para uma boa gestão dos recursos públicos e para alcançarmos o objetivo de termos um país mais justo.

Embora este livro tenha se dedicado a explicitar e criticar os privilégios da elite do funcionalismo brasileiro, é importante ressaltar que se trata de uma minoria no Estado brasileiro. Nesse sentido, gostaria de expressar a minha gratidão aos milhares de servidores públicos que se dedicam a prestar um bom trabalho à população e não recebem o devido reconhecimento por isso. Entre diversas pessoas que poderia elencar aqui como exemplo de profissionais valorosos com os quais convivi ao longo da vida, presto minha homenagem às queridas professoras de Língua Portuguesa Marlene Cunha e Geralda Pontes (in memoriam) e aos mestres Ronan Tales de Oliveira e Célio Serafim dos Santos (História) por despertarem num jovem aluno de escola pública do interior de Minas o gosto por estudar os problemas do nosso país e escrever sobre eles.

Por fim, meu muito obrigado a quem se dispôs a ler este livro de espírito aberto, reconhecendo que não se trata de uma perseguição a uma classe, mas uma tentativa de trazer dados e argumentos para uma discussão fundamental nos dias atuais. As discordâncias são inevitáveis, mas o debate franco e bem embasado é essencial para construirmos um Brasil melhor.

Notas

INTRODUÇÃO [pp. 9-30]

1. Assembleia Legislativa de Minas Gerais, lei estadual nº 22549, de 30 de junho de 2017. Disponível em: <www.almg.gov.br/legislacao-mineira/texto/LEI/22549/2017/?cons=1>.

2. Mensagem nº 231/2017. Disponível em: <www.almg.gov.br/atividade-parlamentar/projetos-de-lei/texto/?tipo=MSG&num=231&ano=2017>.

3. Instituto Inhotim, *Relatório Institucional 2022*. Disponível em: <www.inhotim.org.br/wp-content/uploads/2023/06/inhotim_institucional_relatorio_2022-1.pdf>.

4. Ministério Público de Minas Gerais, Inquérito Civil nº MPMG-0024.18.015408-0, Coordenadoria das Promotorias de Justiça de Defesa do Patrimônio Cultural e Artístico, Nota Técnica nº 23/2018.

5. Tribunal de Justiça de Minas Gerais, Agravo de Instrumento nº 1.0024.06.203810-4/001, 3ª Câmara Cível, relator Elias Camilo Sobrinho, 9 nov. 2021. Disponível em: <pje-consulta-publica.tjmg.jus.br/pje/ConsultaPublica/DetalheProcessoConsultaPublica/listView.seam?idBin=5475350395&numeroDocumento=bcd89ce1a82e627362ade3ff4f0f3576b6570d8c&nomeArqProcDocBin=documentoProcessual&idProcessoDocumento=5477008025&actionMethod=ConsultaPublica%2FDetalheProcessoConsultaPublica%2FlistView.xhtml%3AprocessoDocumentoBinHome.setDownloadInstance%28row%29>.

6. Procuradoria-Geral da Fazenda Nacional, Termo de Negócio Jurídico Processual, Plano de Regularização Fiscal do Grupo Itaminas, 27 abr. 2021. Disponível em: <www.gov.br/pgfn/pt-br/assuntos/divida-ativa-da-uniao/transparencia-fiscal-1/painel-dos-parcelamentos/termos-njp/1a-regiao/njp-grupo-itaminas.pdf>.

7. "Justiça homologa acordo para que grupo mantenedor do Inhotim quite dívida de R$ 200 milhões com o estado". Advocacia-Geral de Minas Gerais, Notícias, 1 jul. 2021. Disponível em: <advocaciageral.mg.gov.br/justica-homologa-acordo-para-que-grupo-mantenedor-do-inhotim-quite-divida-de-r-200-milhoes-com-o-estado/>.

8. "AGU assina acordo de R$ 1,2 bilhão e evita leilão do Museu de Arte Contemporânea Inhotim". Advocacia-Geral da União, Notícias, 29 abr. 2021. Disponível em: <www.gov.br/agu/pt-br/comunicacao/noticias/agu-assina-acordo-de-r-1-2-bilhao-e-evita-leilao-do-museu-de-arte-contemporanea-inhotim>.

9. Raymundo Faoro, *Os donos do poder: Formação do patronato político brasileiro*. São Paulo: Companhia das Letras, 2021, p. 53.

10. Ibid., p. 177.

11. Ibid., p. 89.

12. Gordon Tullock, "The Welfare Costs of Tariffs, Monopolies and Theft". *Western Economic Journal*, Long Beach, v. 5, n. 3, pp. 224-32, 1967.

13. Anne Krueger, "The Political Economy of the Rent-Seeking Society". *American Economic Review*, Nashville, v. 64, n. 3, pp. 291-303, 1974.

14. George Stigler, "The Theory of Economic Regulation". *The Bell Journal of Economics and Management Science*, Santa Monica, v. 2, n. 1, pp. 3-21, primavera 1971.

15. Daron Acemoglu e James Robinson, *Por que as nações fracassam: As origens do poder, da prosperidade e da pobreza*. Rio de Janeiro: Intrínseca, 2022.

16. Raymundo Faoro, op. cit., p. 303.

17. Ibid., p. 453.

18. Ibid., p. 114.

19. Ibid., p. 634.

20. Ibid., p. 144.

21. Ibid., p. 1134.

22. Constituição da República Federativa do Brasil de 1988, art. 5º, caput. Disponível em: <www.planalto.gov.br/ccivil_03/constituicao/constituicao.htm#art5>.

23. Ibid., art. 37, caput. Disponível em: <www.planalto.gov.br/ccivil_03/constituicao/constituicao.htm#art37>.

24. Fernando Morais, *Chatô: O rei do Brasil*. São Paulo: Companhia das Letras, 2011.

25. Decreto-lei nº 3200, de 19 de abril de 1941. Disponível em: <www.planalto.gov.br/ccivil_03/decreto-lei/Del3200.htm>.

26. Decreto-lei nº 5213, de 21 de janeiro de 1943. Disponível em: <www.planalto.gov.br/ccivil_03/decreto-lei/1937-1946/Del5213.htm>.

1. PRIVILEGIADOS DE TOGA: MAGISTRADOS [pp. 31-54]

1. TV Cultura, *Jornal da Cultura*, 16 de outubro de 2014. Disponível em: <youtu.be/x53LTtHRWMg?t=1287>.

2. Segundo a série histórica da Pesquisa Nacional por Amostra de Domicílios Contínua (Pnad Contínua). Disponível em: <www.ibge.gov.br/estatisticas/sociais/trabalho/9171-pesquisa-nacional-por-amostra-de-domicilios-continua-mensal.html?edicao=20652&t=series-historicas>.

3. *Estudo da imagem do Judiciário brasileiro*. Brasília: AMB; Rio de Janeiro: FGV/Ipespe, 2019. Disponível em: <www.amb.com.br/wp-content/uploads/2020/04/ESTUDO_DA_IMAGEM_.pdf>.

4. Constituição da República Federativa do Brasil de 1988, art. 37, XI. Disponível em: <www.planalto.gov.br/ccivil_03/constituicao/Constituicao.htm#art37xi>.

5. Lei nº 14520, de 9 de janeiro de 2023. Disponível em: <www.planalto.gov.br/ccivil_03/_ato2023-2026/2023/lei/L14520.htm>.

6. Os dados sobre remuneração dos magistrados dos tribunais brasileiros estão compilados num painel disponibilizado pelo Conselho Nacional de Justiça em: <paineis.cnj.jus.br/QvAJAXzfc/opendoc.htm?document=qvw_l%2FPainelCNJ.qvw&host=QVS%40neodimio03&anonymous=true&sheet=shPORT63Relatorios>.

7. À época em que este livro foi finalizado, em fevereiro de 2024, no painel do CNJ os seguintes tribunais não haviam cumprido a sua obrigação de compartilhar as planilhas consolidadas com as remunerações dos magistrados referentes aos meses de 2023 discriminados entre parênteses: TJAL (out., nov. e dez.), TJAM (dez.), TJAP (mar.), TJDFT (dez.), TJMRS (jun. e out.), TJMT (nov.), TJPA (jul. e out.), TJPB (jul., set. e nov.), TJRJ (out.), TRF1 (jun.), TRF2 (nov.), TRF3 (nov.), TRF5 (nov.), TRF6 (todos os meses, exceto out.), TRT6 (fev. e dez.), TRT7 (só informou os meses de jun., ago. e set.), TRT8 (dez.), TRT9 (abr.), TRT11 (out.), TRT12 (mar.), TRT13 (jul., set., out., nov., dez.), TRT14 (jul., ago., set., out., nov., dez.), TRT17 (nov.), TRT18 (maio a dez.), TRT21 (ago. a dez.), TRT22 (jun. e dez.), TRT23 (ago.) e TRT24 (fev.).

8. Os contracheques dos ministros e dos demais servidores do Supremo Tribunal Federal constam em: <egesp-portal.stf.jus.br/transparencia/rendimento_folha>.

9. Constituição da República Federativa do Brasil de 1988, art. 95. Disponível em: <www.planalto.gov.br/ccivil_03/constituicao/Constituicao.htm#art95>.

10. Lei complementar nº 35, de 14 de março de 1979, art. 65. Disponível em: <www.planalto.gov.br/ccivil_03/leis/lcp/Lcp35.htm#art65>.

11. Assembleia Legislativa do Estado de Mato Grosso, lei nº 4964, de 26 de dezembro de 1985, art. 197. Disponível em: <www.al.mt.gov.br/storage/webdisco/leis/lei-4964-1985.pdf>.

12. Mandado de Segurança nº 37700. Disponível em: <portal.stf.jus.br/processos/detalhe.asp?incidente=6116069>.

13. Lei estadual nº 4191, de 18 de novembro de 1980. Disponível em: <sapl.al.pb.leg.br/sapl/sapl_documentos/norma_juridica/3674_texto_integral>.

14. Lei estadual nº 4650, de 29 de novembro de 1984. Disponível em: <sapl.al.pb.leg.br/sapl/sapl_documentos/norma_juridica/4180_texto_integral>.

15. Supremo Tribunal Federal, ADPF nº 793/PB, Acórdão, 4 de novembro de 2021. Disponível em: <portal.stf.jus.br/processos/downloadPeca.asp?id=15348713114&ext=.pdf>.

16. Lei estadual nº 5535, de 10 de setembro de 2009. Disponível em: <alerjln1.alerj.rj.gov.br/CONTLEI.NSF/b24a2da5a077847c032564f4005d4bf2/bd423d2ae6677ffc8325762e0067b6f4?OpenDocument>.

17. Disponível em: <www.tjrj.jus.br/web/guest/institucional/dgpes/deaps/informacoes-sobre-beneficios>. Consulta realizada em 18 de janeiro de 2023.

18. Resolução TJAL nº 09, de 20 de julho de 2021. Disponível em: <www.tjal.jus.br/procuradoria/arquivos/c30248a712170479bfcc594725c66519.pdf>.

19. Tribunal de Justiça de Minas Gerais, Estrutura Remuneratória — Membros da Magistratura. Disponível em: <www8.tjmg.jus.br/transparencia/relatorios/membrosMagistratura.jsf>.

20. Assembleia Legislativa de Minas Gerais, lei complementar nº 135, de 25 de junho de 2014, art. 46. Disponível em: <www.almg.gov.br/legislacao-mineira/texto/LCP/135/2014/>.

21. Supremo Tribunal Federal, Ação Direta de Inconstitucionalidade nº 5407, Minas Gerais, Plenário, relator ministro Alexandre de Moraes, Acórdão, 3 de julho de 2023. Disponível em: <portal.stf.jus.br/processos/downloadPeca.asp?id=15359693832&ext=.pdf>. Justiça seja feita, o auxílio-livro do Tribunal de Justiça de Minas Gerais nunca chegou a ser pago, por falta de regulamentação após a proposição da ADI no STF.

22. "Posse administrativa do CSM e da diretoria da EPM é realizada no Palácio da Justiça". Tribunal de Justiça de São Paulo, Notícias, 7 jan. 2022. Disponível em: <www.tjsp.jus.br/Noticias/Noticia?codigoNoticia=79274&pagina=1>.

23. Tribunal de Justiça de São Paulo, posse administrativa do Conselho Superior da Magistratura e da Diretoria da EPM — Biênio 2022/2023. Disponível em: <youtu.be/woyrgnRImyo>. O discurso do desembargador Guilherme Gonçalves Strenger está compreendido entre os 49 e os sessenta minutos do vídeo.

24. Conselho Nacional de Justiça, *Justiça em Números 2023*. Brasília: CNJ,

2024, p. 41. Disponível em: <https://www.cnj.jus.br/wp-content/uploads/2024/02/justica-em-numeros-2023-16022024.pdf>.

25. Lei complementar nº 35, de 14 de março de 1979, art. 66. Disponível em: <www.planalto.gov.br/ccivil_03/leis/lcp/Lcp35.htm#art66>.

26. Os dados sobre remuneração de todos os magistrados brasileiros estão compilados num painel disponibilizado pelo Conselho Nacional de Justiça em: <paineis.cnj.jus.br/Qvajaxzfc/opendoc.htm?document=qvw_l%2FPainelCNJ.qvw&host=qvs%40neodimio03&anonymous=true&sheet=shPORT63Relatorios>.

27. Conselho Nacional de Justiça, Resolução nº 293, de 27 de agosto de 2019. Disponível em: <atos.cnj.jus.br/files/resolucao_293_27082019_03092019121101.pdf>.

28. Tribunal de Contas da União, Acórdão 2331/2020 — Plenário, relator Ministro Aroldo Cedraz. Disponível em: <pesquisa.apps.tcu.gov.br/documento/acordao-completo/2331%252F2020/%2520/DTRELEVANCIA%2520desc%252C%2520NUMACORDAOINT%2520desc/0>.

29. Conselho Nacional de Justiça, Portaria SG nº 52, de 10 de maio de 2021. Disponível em: <atos.cnj.jus.br/atos/detalhar/3919>.

30. Id., Portaria Conjunta nº 4, de 31 de agosto de 2021. Disponível em: <atos.cnj.jus.br/atos/detalhar/4165>.

31. Ibid., Anexo. Disponível em: <atos.cnj.jus.br/files/compilado141537202110086160528 97e7dd.pdf>.

32. Matheus Teixeira, "Mais de 8 mil juízes receberam acima de R$ 100 mil mensais ao menos uma vez desde 2017". *Folha de S.Paulo*, 12 jul. 2020. Disponível em: <www1.folha.uol.com.br/poder/2020/07/mais-de-8000-juizes-receberam-acima-de-r-100-mil-mensais-ao-menos-uma-vez-desde-2017.shtml>.

33. Secretaria do Tesouro Nacional, Secretaria do Orçamento Federal e Instituto Brasileiro de Geografia e Estatística, *Despesa por Função do Governo Central 2023*, janeiro de 2024. Disponível em: <https://sisweb.tesouro.gov.br/apex/f?p=2501:9::::9:P9_ID_PUBLICACAO:48752>, p. 54.

34. Luciano Da Ros, "O custo da Justiça no Brasil: Uma análise comparativa exploratória". *Newsletter — Observatório de Elites Políticas e Sociais do Brasil*, Curitiba, v. 2, n. 9, jul. 2015. Disponível em: <observatory-elites.org/wp-content/uploads/2012/06/newsletter-Observatorio-v.-2-n.-9.pdf>.

35. Luciano Da Ros e Matthew MacLeod Taylor, "Juízes eficientes, Judiciário ineficiente no Brasil pós-1988". *BIB*, São Paulo, n. 89, pp. 1-31, ago. 2019. Disponível em: <https://bibanpocs.emnuvens.com.br/revista/article/view/478>.

36. Conselho Nacional de Justiça, Procedimento de Controle Administrativo nº 0010724-92.2020.2.00.0000. Para acessar o documento é preciso acessar o link <https://www.cnj.jus.br/pjecnj/Processo/ConsultaDocumento/listView.seam> e utilizar o seguinte número do documento: 21122415312551600000004146576.

37. Emenda constitucional nº 45, de 30 de dezembro de 2004. Disponível em: <www.planalto.gov.br/ccivil_03/constituicao/emendas/emc/emc45.htm>.

38. Constituição da República Federativa do Brasil de 1988, art. 103-B. Disponível em: <www.planalto.gov.br/ccivil_03/constituicao/Constituicao.htm#art103b>.

39. Fábio Kerche, Vanessa Elias Oliveira e Cláudio Gonçalves Couto, "Os Conselhos Nacionais de Justiça e do Ministério Público no Brasil: Instrumentos de *accountability*?". *Revista de Administração Pública*, Rio de Janeiro, v. 54, n. 5, pp. 1334-60, set./out. 2020. Disponível em: <bibliotecadigital.fgv.br/ojs/index.php/rap/article/view/82214/78304>.

40. Conselho Nacional de Justiça, Procedimento de Controle Administrativo n. 0010724-92.2020.2.00.0000. O documento pode ser acessado no link: <https://www.cnj.jus.br/pjecnj/Processo/ConsultaDocumento/listView.seam> e utilizar o seguinte número do documento: 230502201158594000000004655338.

41. Constituição da República Federativa do Brasil de 1988, art. 37, XI. Disponível em: <www.planalto.gov.br/ccivil_03/constituicao/Constituicao.htm#art37xi>.

42. Supremo Tribunal Federal, ADI nº 3854/DF. Disponível em: <portal.stf.jus.br/processos/detalhe.asp?incidente=2489702>.

43. Id., ADI nº 4014/DF. Disponível em: <portal.stf.jus.br/processos/detalhe.asp?incidente=2592461>.

44. Os dados sobre os processos de controle constitucional concentrado estão no painel Corte Aberta, do Supremo Tribunal Federal. Disponível em: <transparencia.stf.jus.br/extensions/controle_concentrado/controle_concentrado.html>.

2. PRIVILEGIADOS DO PARQUET: MEMBROS DO MINISTÉRIO PÚBLICO [pp. 55-84]

1. Parquet designava o local onde se realizavam as audiências dos procuradores franceses com o rei, durante o Antigo Regime. Desde então o termo passou a ser utilizado como sinônimo informal de Ministério Público.

2. Ministério Público do Estado de Minas Gerais, Conselho Superior do Ministério Público, 5ª Reunião Extraordinária de 2019, pauta. Disponível em: <www.mpmg.mp.br/data/files/D7/27/30/84/3744A7109CEB34A7760849A8/5_%20Sess_0%20Extraordin_ria-2019.doc>.

3. Ver Resolução CAPJ nº 10, de 16 de dezembro de 2021, em especial os artigos 7º, 8º e 9º. Disponível em: <www.mpmg.mp.br/data/files/94/51/D3/13/5AAEE710086F8CD7760849a8/Regimento-Interno-dez-2021-CAPJ-REVISADO-republicado-12-02-2022.pdf>.

4. Ministério Público do Estado de Minas Gerais, Câmara de Procuradores de Justiça, 5ª Reunião Extraordinária, 12 de agosto de 2019. Disponível em: <www.mpmg.mp.br/data/files/5D/81/CC/1C/3744A7109CEB34A7760849A8/5%C2%AA-Extr-CAPJ-2019.mp3>. A fala do procurador Leonardo Azeredo dos Santos está localizada entre os 31 e os 37 minutos do áudio.

5. "Em reunião, procurador reclama do salário de R$ 24 mil: 'vamos ficar nesse miserê'". Rádio Itatiaia, 9 set. 2019. Disponível em: <www.itatiaia.com.br/noticia/em-reuniao-procurador-reclama-do-salario-de-r?fbclid=IwAR2c6sQt3ff6fzVWsxUqMeBoLSrRnanFv6GfA8xHIjB1SkorrGPst9aoOw>.

6. Os dados foram calculados a partir das diversas tabelas mensais de rendimentos, disponíveis em: <transparencia.mpmg.mp.br/nav/contracheque>.

7. Unidade Real de Valor, indexador de referência de reajuste de preços adotado na implantação do Plano Real, entre 1º de março e 1º de julho de 1994.

8. Ministério Público de Minas Gerais, Câmara de Procuradores de Justiça, Recurso Administrativo nº 19.16.2237.0058220/2020-43, IDE 3081144, pedido de desistência homologado na 8ª Sessão Ordinária, 15 de setembro de 2021, item 3.4 da pauta. Disponível em: <mpnormas.mpmg.mp.br/files/1/1/1-1-D370-28-ata_capj_08ord_2021.pdf>.

9. Assembleia Legislativa de Minas Gerais, lei complementar nº 34, de 12 de setembro de 1994, art. 208. Disponível em: <www.almg.gov.br/atividade-parlamentar/leis/legislacao-mineira/lei/min/?tipo=LCP&num=34&ano=1994&comp =&cons=0>.

10. "Procuradora do Ministério Público de Goiás critica salários de promotores que ganham cerca de R$ 30 mil: 'Tenho dó'". Portal g1, 1 jun. 2023. Disponível em: <https://g1.globo.com/go/goias/noticia/2023/06/01/procuradora-do-ministerio-publico-de-goias-critica-salarios-de-promotores-que-ganham-cerca-de-r30-mil-tenho-do.ghtml>.

11. "Após procuradora do MP-GO dizer ter 'dó' de salário de R$ 30 mil, outra reclama: 'Estamos com o pires na mão'". Portal g1, 2 jun. 2023. Disponível em: <https://g1.globo.com/go/goias/noticia/2023/06/02/apos-procuradora-do-mp-go-dizer-ter-do-de-salario-de-r-30-mil-outra-reclama-estamos-com-o-pires-na-mao.ghtml>.

12. Disponível em: <www.rankingdatransparencia.mpf.mp.br/>.

13. Transparência Brasil, *Índice de Transparência da Remuneração de MPs*, maio 2022. Disponível em: <https://www.transparencia.org.br/downloads/publicacoes/relatorioindicedetransparenciadosmps.pdf>.

14. A plataforma DadosJusBr é uma realização da Transparência Brasil, em parceria com os departamentos de computação da Universidade Federal de Campina Grande e do Instituto Federal de Alagoas. Os dados estão disponíveis em <https://dadosjusbr.org/>.

15. Luciano Da Ros, op. cit., p. 6.

16. Rogério Bastos Arantes, *Ministério Público e política no Brasil*. São Paulo: FFLCH-USP, 2000. 252 pp. Tese (Doutorado em Ciência Política).

17. Lei nº 5869, de 11 de janeiro de 1973. Disponível em: <www.planalto.gov.br/ccivil_03/leis/l5869.htm#art82>.

18. Lei nº 6938, de 31 de agosto de 1981, art. 14, §1º. Disponível em: <www.planalto.gov.br/ccivil_03/leis/l6938.htm#art14%C2%A71>.

19. Lei nº 7347, de 24 de julho de 1985, art. 5º. Disponível em: <www.planalto.gov.br/ccivil_03/leis/l7347orig.htm#art5>.

20. Constituição da República Federativa do Brasil de 1988, Capítulo IV — Das Funções Essenciais à Justiça, Seção I — Do Ministério Público. Disponível em: <www.planalto.gov.br/ccivil_03/constituicao/constituicao.htm#art127>.

21. Lei nº 8429, de 2 de junho de 1992. Disponível em: <www.planalto.gov.br/ccivil_03/leis/l8429.htm>.

22. Lei nº 12 846, de 1º de agosto de 2013. Disponível em: <www.planalto.gov.br/ccivil_03/_ato2011-2014/2013/lei/l12846.htm>.

23. Rogério Bastos Arantes e Thiago M. Q. Moreira, "Democracia, instituições de controle e justiça sob a ótica do pluralismo estatal". *Opinião Pública*, Campinas, v. 25, n. 1, pp. 97-135, jan./abr. 2019.

24. Ibid., p. 129.

25. Rafael Rodrigues Viegas, *Caminhos da política no Ministério Público Federal*. São Paulo: Amanuense, 2023, em especial o capítulo 3.

26. Lei nº 9.527, de 10 de dezembro de 1997. Disponível em: <https://www.planalto.gov.br/ccivil_03/leis/L9527.htm#se%C3%A7%C3%A3ovi>.

27. Lei complementar nº 75, de 20 de maio de 1993, art. 222, III, e § 3º, a. Disponível em <https://www.planalto.gov.br/ccivil_03/leis/lcp/lcp75.htm#art222>.

28. Conselho Nacional do Ministério Público, Processo nº 0.00.000. 000652/2006-48, Acórdão, 1º de outubro de 2007. Disponível em: <https://ojs.cnmp.mp.br/index.php/revistacnmp/article/view/43/63>.

29. Portaria PGR/MPU nº 122, de 24 de fevereiro de 2014. Disponível em: <https://biblioteca.mpf.mp.br/server/api/core/bitstreams/898a13b1-4b1b-4f44-be32-69145e914abf/content>.

30. Portaria PGR/MPU nº 143, de 22 de novembro de 2017. Disponível em: <https://biblioteca.mpf.mp.br/server/api/core/bitstreams/2182a1ec-7a8a-4306-870d-45d22880d0a1/content>.

31. Procuradoria-Geral da República, Edital PGR/MPU nº 01, de 10 de novembro de 2021. Disponível em: <bibliotecadigital.mpf.mp.br/bdmpf/bitstream/handle/11549/231997/ED_PGR_MPU_2021_1.pdf?sequence=1&isAllowed=y>.

32. Transparência Brasil, relatório *MPU infla salários com licenças-prêmio pagas em dinheiro*, dez. 2023. Disponível em <https://www.transparencia.org.br/

downloads/publicacoes/relatriompuinflasalrioscomlicenasprmiopagasem dinheiro.pdf>.

33. Supremo Tribunal Federal, Curriculum vitae do ministro Luiz Fux, ago. 2022. Disponível em: <https://www.stf.jus.br/arquivo/cms/sobreStfComposicao ComposicaoPlenariaApresentacao/anexo/CV_Min_LuizFux_2022_agosto_09.pdf>.

34. Mônica Bergamo, "Em campanha para o STF, Luiz Fux procurou José Dirceu". *Folha de S.Paulo*, 2 dez. 2012. Disponível em: <m.folha.uol.com.br/poder/2012/12/1194617-em-campanha-para-o-stf-luiz-fux-procurou-jose-dirceu.shtml>.

35. Lei complementar nº 35, de 14 de março de 1979, art. 65, II. Disponível em: <www.planalto.gov.br/ccivil_03/leis/lcp/lcp35.htm#art65ii>.

36. Medida Cautelar na Ação Originária nº 630/DF, relator ministro Nelson Jobim, decisão monocrática, 27 de fevereiro de 2000. Disponível em: <juris prudencia.stf.jus.br/pages/search/despacho79803/false>.

37. Ação Originária nº 630/DF, relator ministro Nelson Jobim, decisão monocrática, 16 de agosto de 2002. Disponível em: <jurisprudencia.stf.jus.br/pages/search/despacho67309/false>.

38. Constituição da República Federativa do Brasil de 1988, art. 127, caput. Disponível em: <www.planalto.gov.br/ccivil_03/constituicao/constituicao.htm#art127>.

39. Lei nº 8625, de 12 de fevereiro de 1993, art. 50, II. Disponível em: <www.planalto.gov.br/ccivil_03/leis/l8625.htm#art50>.

40. Supremo Tribunal Federal, Ação Originária nº 1773/DF. Disponível em: <portal.stf.jus.br/processos/detalhe.asp?incidente=4395214>, seção "Partes".

41. Ibid., seção "Decisões".

42. Conselho Nacional de Justiça, Resolução nº 199, de 7 de outubro de 2014. Disponível em: <atos.cnj.jus.br/files/resolucao_199_07102014_08102014140043.pdf>.

43. Conselho Nacional do Ministério Público, Resolução nº 117, de 7 de outubro de 2014. Disponível em: <www.cnmp.mp.br/portal/images/Resolucoes/Resoluo-117.pdf>.

44. Conselho Nacional de Justiça, *Justiça em Números 2015*, op. cit., p. 32. Disponível em: <https://bibliotecadigital.cnj.jus.br/jspui/bitstream/123456789/49/1/Justi%c3%a7a%20em%20n%c3%bameros%202015.pdf>.

45. Conselho Nacional do Ministério Público, *Ministério Público: Um Retrato 2015*. Brasília: CNMP, 2015, pp. 33 e 275. Disponível em: <www.cnmp.mp.br/portal/images/MP_Um_retrato_WEB_FINAL.pdf>.

46. Supremo Tribunal Federal, Ação Originária nº 1773/DF. Disponível em: <portal.stf.jus.br/processos/detalhe.asp?incidente=4395214>, seção "Andamentos".

47. Lei nº 13 091, de 12 de janeiro de 2015, art. 1º. Disponível em: <www.planalto.gov.br/ccivil_03/_Ato2015-2018/2015/Lei/L13091.htm>.

48. Lei nº 13 752, de 26 de novembro de 2018. Disponível em: <www.planalto.gov.br/ccivil_03/_ato2015-2018/2018/lei/l13752.htm>.

49. A tramitação do projeto de lei do Senado nº 449, de 2016, está disponível em: <www25.senado.leg.br/web/atividade/materias/-/materia/127753>.

50. Na Câmara dos Deputados o projeto recebeu o número PL nº 6726/2016, e a tramitação está disponível em: <www.camara.leg.br/proposicoesWeb/fichadetramitacao?idProposicao=2121442>.

51. "PEC 32/2020 (Reforma Administrativa) — Não abrangência dos agentes políticos no escopo da proposta". Frente Associativa da Magistratura e do Ministério Público, 25 mar. 2021. Disponível em: <https://www.conamp.org.br/images/notas_publicas/2021/FRENTAS_PEC_32-2020_Reforma_Administrativa_Impossibilidade_de_abrang%C3%AAncia_dos_Membros_de_Poder.pdf>.

52. "Frentas continua a lutar pelas prerrogativas das carreiras de Estado no Congresso Nacional". Frente Associativa da Magistratura e do Ministério Público, 1 abr. 2021. Disponível em: <https://amagis.com.br/posts/frentas-continua-a-lutar-pelas-prerrogativas-das-carreiras-de-estado-no-congresso-nacional>.

53. "Renata Gil defende que 1/3 das vagas do STF sejam ocupadas por juízes de carreira". Associação dos Magistrados Brasileiros, 28 jun. 2021. Disponível em: <www.amb.com.br/renata-gil-defende-que-%E2%85%93-das-vagas-do-stf-sejam-ocupadas-por-juizes-de-carreira/>.

54. Lei nº 8448, de 21 de julho de 1992, art. 1º, parágrafo único. Disponível em: <www.planalto.gov.br/ccivil_03/leis/L8448.htm#art1p>.

55. Lei nº 13 093, de 12 de janeiro de 2015. Disponível em: <www.planalto.gov.br/ccivil_03/_ato2015-2018/2015/lei/l13093.htm>.

56. Lei nº 13 095, de 12 de janeiro de 2015. Disponível em: <www.planalto.gov.br/ccivil_03/_ato2015-2018/2015/lei/l13095.htm>.

57. Conselho Nacional de Justiça, Recomendação nº 75, de 10 de setembro de 2020. Disponível em: <atos.cnj.jus.br/files/original170516202009255f6e234cd2867.pdf>.

58. Conselho Nacional do Ministério Público, Recomendação nº 91, de 24 de maio de 2022. Disponível em: <www.cnmp.mp.br/portal/images/Recomendacoes/Recomendao-n-91-2022.pdf>.

59. Ministério Público da União, Ato Conjunto PGR/CASMPU nº 1, de 17 de maio de 2023. Disponível em: <www.in.gov.br/web/dou/-/ato-conjunto-pgr/casmpu-n-1-de-17-de-maio-de-2023-484561228>.

60. Conselho Nacional de Justiça, Resolução nº 528, de 20 de outubro de 2023. Disponível em: <https://atos.cnj.jus.br/atos/detalhar/5298>.

3. PRIVILEGIADOS DE TERNO E GRAVATA: A ELITE DOS PODERES EXECUTIVO E LEGISLATIVO [pp. 85-109]

1. *Plano diretor da reforma do aparelho do Estado*. Brasília: Presidência da República, Câmara da Reforma do Estado, Ministério da Administração Federal e Reforma do Estado, 1995, p. 38. Disponível em: <http://www.biblioteca.presidencia.gov.br/publicacoes-oficiais/catalogo/fhc/plano-diretor-da-reforma-do-aparelho-do-estado-1995.pdf>.

2. Emenda constitucional nº 19, de 4 de junho de 1998, art. 5º. Disponível em: <www.planalto.gov.br/ccivil_03/constituicao/Emendas/Emc/emc19.htm#art5>.

3. *Plano diretor da reforma do aparelho do Estado*, op. cit., p. 63. Disponível em: <bresserpereira.org.br/documents/mare/PlanoDiretor/planodiretor.pdf>.

4. Supremo Tribunal Federal, Ação Direta de Inconstitucionalidade nº 2135, redatora do Acórdão ministra Ellen Gracie, julgamento em 2 de agosto de 2007, publicado em 7 de março de 2008. Disponível em: <jurisprudencia.stf.jus.br/pages/search/sjur90617/false>.

5. Constituição da República Federativa do Brasil, art. 37, XI. Disponível em: <www.planalto.gov.br/ccivil_03/constituicao/Constituicao.htm#art37xi>.

6. Dan Ariely, *Previsivelmente irracional: As forças invisíveis que nos levam a tomar decisões erradas*. Rio de Janeiro: Sextante, 2020.

7. Emenda constitucional nº 41, de 19 de dezembro de 2003. Disponível em: <www.planalto.gov.br/ccivil_03/constituicao/Emendas/Emc/emc41.htm>.

8. Presidência da República, Decreto nº 5.347, de 19 de janeiro de 2005. Disponível em: <www.planalto.gov.br/ccivil_03/_ato2004-2006/2005/Decreto/D5347.htm#art33>.

9. Desde 2006 as entidades representativas das principais carreiras dos poderes Executivo, Legislativo e Judiciário federais se organizam numa associação, hoje denominada Fórum Nacional Permanente de Carreiras Típicas de Estado (Fonacate), que tem o propósito de promover seus interesses comuns. Mais informações disponíveis em: <fonacate.org.br/o-fonacate/>.

10. A *Tabela de Remuneração dos Servidores Públicos Federais Civis e dos Ex-Territórios* é um levantamento atualmente a cargo do Ministério da Gestão e da Inovação em Serviços Públicos e é publicada desde junho de 1998. A coleção completa de suas edições está disponível em: <www.gov.br/servidor/pt-br/observatorio-de-pessoal-govbr/tabela-de-remuneracao-dos-servidores-publicos-federais-civis-e-dos-ex-territorios>.

11. O *Boletim Estatístico de Pessoal e Informações Organizacionais* era uma série de estatísticas produzidas pelo Ministério do Planejamento que foi interrompida em janeiro de 2017. O histórico de suas edições está disponível em: <www.gov.br/economia/pt-br/assuntos/gestao/outros/gestao-publica/arquivos-e-publica

coes/bep>. Em substituição ao boletim, foi criado o Painel Estatístico de Pessoal. Disponível em: <www.gov.br/economia/pt-br/acesso-a-informacao/servidores/servidores-publicos/painel-estatistico-de-pessoal>.

12. A título de esclarecimento, o autor ingressou no serviço público federal nesse período, por meio de concurso público realizado em 1998, na carreira de especialista em políticas públicas e gestão governamental, tendo tomado posse do cargo em janeiro de 2000, justamente quando se inicia o processo de valorização dessa carreira.

13. Lima Barreto, "Três gênios de secretaria". *Brás Cubas*, v. II, n. 47, 1919. Apud Lilia Moritz Schwarcz (Org.), *Contos completos de Lima Barreto*. São Paulo: Companhia das Letras, 2015. (Penguin Classics). Disponível em: <http://www.dominiopublico.gov.br/download/texto/ua000172.pdf>.

14. *Dicionário Houaiss da língua portuguesa*. Rio de Janeiro: Objetiva, 2001, p. 404.

15. Lei nº 284, de 28 de outubro de 1936. Disponível em: <www2.camara.leg.br/legin/fed/lei/1930-1939/lei-284-28-outubro-1936-503510-publicacao original-1-pl.html>.

16. O Dasp foi criado pelo decreto-lei nº 579, de 30 de julho de 1938. Disponível em: <www2.camara.leg.br/legin/fed/declei/1930-1939/decreto-lei-579-30-julho-1938-350919-publicacaooriginal-126972-pe.html>.

17. Decreto-lei nº 1713, de 28 de outubro de 1939. Disponível em: <www.planalto.gov.br/ccivil_03/Decreto-Lei/1937-1946/Del1713.htm>.

18. Fernando Luiz Abrucio e Maria Rita Loureiro, "Burocracia e ordem democrática: Desafios contemporâneos e experiência brasileira", em Roberto Pires, Gabriela Lotta e Vanessa E. de Oliveira, *Burocracia e políticas públicas no Brasil: Interseções analíticas*. Brasília: Ipea; Enap, 2018, pp. 23-57.

19. Decreto-lei nº 200, de 25 de fevereiro de 1967. Disponível em: <www.planalto.gov.br/ccivil_03/decreto-lei/del0200.htm>.

20. Wellington Nunes, "A elite salarial do funcionalismo público federal: Identificação conceitual e dimensionamento empírico". *Nota Técnica*, Brasília, n. 17, 2021.

21. Wellington Nunes e José Teles, "A elite salarial do funcionalismo público federal: Sugestões para uma reforma administrativa mais eficiente". *Cadernos Gestão Pública e Cidadania*, São Paulo, v. 26, n. 84, pp. 1-24, 2001.

22. Cespe, "Concorrência para Concurso de Delegado da Polícia Federal", 1998. Disponível em: <www.cespe.unb.br/concursos/_antigos/anteriores_2002/1998/Policia_Federal/Arquivos/Delegado_98/concdeleg.zip>.

23. Cebraspe, comunicado de 18 de maio de 2021. Disponível em: <cdn.cebraspe.org.br/concursos/pf_21/arquivos/PF_21____DEMANDA_CANDIDATOS_POR_VAGA.pdf.

24. Tribunal de Contas da União, Estrutura Remuneratória — Plano 2023.

Disponível em: <https://contas.tcu.gov.br/ords/f?p=ANEXO_SGT:ANEXOS:0::NO:1:P1_COD_ITEM:344>.

25. Câmara dos Deputados, Anexo II — Remuneração/Subsídio de Cargo Efetivo/Posto/Graduação. Disponível em: <https://www2.camara.leg.br/transparencia/recursos-humanos/remuneracao/tabelas-de-remuneracao/tabelacargoefetivo-1>.

26. Câmara dos Deputados, Anexo IV — Remuneração de Cargos em Comissão e Função de Confiança. Disponível em: <https://www2.camara.leg.br/transparencia/recursos-humanos/remuneracao/tabelas-de-remuneracao/tabelafuncaocomissionada-1>.

27. Senado Federal, Composição Remuneratória dos Cargos Efetivos do Quadro de Pessoal do Senado Federal — Vigência 1 fev. 2023. Disponível em: <https://www12.senado.leg.br/transparencia/rh/segp/arquivos/estrutura-remuneratoria/estrutura-remuneratoria.pdf>.

28. Câmara dos Deputados, Contratos de Terceirização, posição em 9 mar. 2024. Disponível em: <https://www.camara.leg.br/transparencia/recursos-humanos/contratos-terceirizacao?search=>.

29. O mapa com a distribuição de cargos por categoria funcional na Câmara dos Deputados pode ser obtido em: <https://www2.camara.leg.br/transparencia/recursos-humanos/servidores/quantitativos/posicao-atual/Cargos-ocupados-e-vagos-por-categoria-funcional>. Já as remunerações relativas estão previstas em: <https://www2.camara.leg.br/transparencia/recursos-humanos/remuneracao/tabelas-de-remuneracao/tabelacargoefetivo-1>.

30. Senado Federal, Quadro de Cargos Efetivos do Senado Federal, dia de referência: 3 mar. 2024. Disponível em: <https://www.senado.leg.br/transparencia/LAI/secrh/quadro_efetivos.pdf>.

31. Câmara dos Deputados, Entenda a Remuneração dos Servidores. Disponível em <https://www2.camara.leg.br/transparencia/recursos-humanos/remuneracao/relatorios-consolidados-por-ano-e-mes/esclarecimentos-consulta-remuneracao>.

32. Os relatórios mensais consolidados dos pagamentos aos servidores, comissionados e deputados da Câmara dos Deputados, a partir de 2012, podem ser obtidos em: <https://www2.camara.leg.br/transparencia/recursos-humanos/remuneracao/relatorios-consolidados-por-ano-e-mes>.

4. ADVOGADOS PÚBLICOS NO MELHOR DOS MUNDOS: HONORÁRIOS PRIVADOS, MAS COM GARANTIAS ESTATAIS [pp. 110-27]

1. O inventário das pesquisas realizadas no âmbito do projeto Pensando o Direito está disponível em: <pensando.mj.gov.br/publicacoes/>.

2. Pedro Abramovay e Gabriela Lotta, *A democracia equilibrista: Políticos e burocratas no Brasil*. São Paulo: Companhia das Letras, 2022, pp. 107-21.

3. "Sarney cria comissão para reformar Código de Processo Civil". Agência Senado, 14 out. 2009. Disponível em: <www12.senado.leg.br/noticias/materias/2009/10/14/sarney-cria-comissao-para-reformar-codigo-de-processo-civil>.

4. Além de Luiz Fux, a comissão de juristas foi composta de Teresa Wambier (relatora), Adroaldo Fabrício, Benedito Pereira Filho, Bruno Dantas, Elpídio Nunes, Humberto Theodoro Júnior, Jansen Almeida, José Miguel Medina, José Roberto Bedaque, Marcus Vinícius Coelho e Paulo Cezar Carneiro.

5. O texto original do projeto de lei do Senado nº 166, de 2010, está disponível em: <legis.senado.leg.br/sdleg-getter/documento?dm= 4550297&ts =1630412442152&disposition=inline&_gl=1*a42dxr*_ga*NzMwOTQzODYuMTY2NDcyODEzOA..*_ga_CW3ZH25XMK*MTY4NjQwOTE1Ny40LjEuMTY4NjQxMDA1Ni4wLjAuMA...>.

6. Lei nº 5869, de 11 de janeiro de 1973, art. 20. Disponível em: <www.planalto.gov.br/ccivil_03/leis/L5869.htm#art20>.

7. Lei nº 8906, de 4 de julho de 1994, arts. 22 e 23. Disponível em: <www.planalto.gov.br/ccivil_03/leis/l8906.htm#art22>.

8. Senado Federal, Projeto de lei nº 166, de 2010, "Emendas", Emenda nº 10, p. 17. Disponível em: <legis.senado.leg.br/sdleg-getter/documento?dm=4550414&ts =1630412443155&disposition=inline&_gl=1*l2qyxg*_ga*NzMwOTQzODYuMTY2NDcyODEzOA..*_ga_CW3ZH25XMK*MTY4ODQ3MDY0OS44LjEuMTY4ODQ3MDg0OS4wLjAuMA>.

9. Senado Federal, Projeto de lei nº 166, de 2010, Parecer nº 1624, de 2010, p. 197. Disponível em: <legis.senado.leg.br/sdleg-getter/documento?dm=4550666&ts=1630412445178&disposition=inline&_gl=1*kxtyir*_ga*NzMwOTQzODYuMTY2NDcyODEzOA..*_ga_CW3ZH25XMK*MTY4ODQ3MzA3Ny45LjEuMTY4ODQ3MzEyNi4wLjAuMA>.

10. Câmara dos Deputados, Projeto de lei nº 8046/2010, Emenda nº 893/2011. Disponível em: <www.camara.leg.br/proposicoesWeb/prop_ mostrarintegra?codteor=955776&filename=EMC+893/2011+PL602505+% 3D%3E+PL+8046/2010>.

11. Câmara dos Deputados, Projeto de lei nº 8046/2010, Emenda nº 190/2011. Disponível em: <www.camara.leg.br/proposicoesWeb/prop_mostrarintegra?codteor=931834&filename=EMC+190/2011+PL602505+%3D%3E+PL+8046/2010>.

12. Câmara dos Deputados, Projeto de lei nº 6025/2005, "Histórico de Pareceres, Substitutivos e Votos", "Comissão Especial destinada a proferir parecer ao Projeto de lei nº 6025, de 2005, ao Projeto de lei nº 8046, de 2010, ambos do Senado Federal, e outros, que tratam do 'Código de Processo Civil'". Disponível

em: <www.camara.leg.br/proposicoesWeb/prop_pareceres_substitutivos_votos?idProposicao =302638>.

13. Câmara dos Deputados, Projeto de lei nº 6025/2005, Emenda Aglutinativa Substitutiva Global nº 2. Disponível em: <www.camara.leg.br/proposicoesWeb/prop_mostrarintegra?codteor=1174670&filename=Tramitacao-PL%20 6025/2005>.

14. "Novo CPC: Destaque que incluiria honorários advocatícios no Código é rejeitado na Câmara". Anafe, [s.d.]. Disponível em: <anafe.org.br/novo-cpc-destaque-que-incluiria-honorarios-advocaticios-no-codigo-e-rejeitado-na-camara/>.

15. "Movimento Pró-Honorários: Veja lista de parlamentares que ainda não foram visitados nos estados e em Brasília". Anafe, [s.d.]. Disponível em: <anafe.org.br/movimento-pro-honorarios-veja-lista-de-parlamentares-que-ainda-nao-foram-visitados-nos-estados-e-em-brasilia/>.

16. "Falta de acordo adia votação de honorários de advogados públicos". *Jornal da Câmara*, 18 dez. 2013, p. 4.

17. Câmara dos Deputados, PL nº 6025/2005 — DVS — PP — §19 do art. 85 da emenda aglutinativa — Nominal Eletrônica. Disponível em: <www2.camara.leg.br/atividade-legislativa/plenario/chamadaExterna.html?link=http://www.camara.gov.br/internet/votacao/mostraVotacao.asp?ideVotacao=5746>.

18. Lei nº 13105, de 16 de março de 2015. Disponível em: <www.planalto.gov.br/ccivil_03/_ato2015-2018/2015/lei/l13105.htm#art85%C2%A719>.

19. Luseni Aquino, "Carreiras jurídicas, profissionalismo e Estado: Um olhar a partir do cenário federal", em Felix G. Lopez e José Celso Cardoso Júnior (Orgs.), *Trajetórias da burocracia na Nova República: Heterogeneidades, desigualdades e perspectivas (1985-2020)*. Brasília: Ipea, 2023, pp. 129-67.

20. Lei nº 14673, de 14 de setembro de 2023, Anexo CL. Disponível em: <www.planalto.gov.br/ccivil_03/_ato2023-2026/2023/lei/L14673anexo4.htm#anexo150>.

21. Luseni Aquino, op. cit., p. 154.

22. Integravam o Movimento Pró-Honorários a Associação Nacional dos Membros das Carreiras da Advocacia-Geral da União (Anajur), a Associação Nacional dos Advogados da União (Anauni), a Associação Nacional dos Advogados Públicos Federais (Anafe), a Associação Nacional dos Procuradores e Advogados Públicos Federais (Anpprev), a Associação Nacional dos Procuradores do Banco Central do Brasil, o Sindicato Nacional dos Procuradores da Fazenda Nacional (Sinprofaz) e a União dos Advogados Públicos Federais do Brasil (Unafe).

23. Lei nº 8906, de 4 de julho de 1994, art. 22. Disponível em: <www.planalto.gov.br/ccivil_03/leis/l8906.htm#art22>.

24. Advocacia-Geral da União, Parecer nº 1/2013/OLRJ/CGU/AGU. Dis-

ponível em: <https://www.conjur.com.br/dl/pa/parecer-agu-encaminhado-oab-implantacao.pdf>.

25. Movimento Pró-Honorários pelo Fortalecimento da Advocacia Pública, "10 razões para a manutenção do §19 do art. 85 do Projeto do Novo CPC — Honorários para Advogados Públicos". Disponível em: <www.sinprofaz.org.br/pdfs/panfleto-movimento-pro-honorarios.pdf>.

26. Os valores dos honorários sucumbenciais pagos a cada servidor podem ser consultados no Portal da Transparência, seção "Detalhamento dos Servidores e Pensionistas", selecionando-se o filtro "Recebe Honorários Advocatícios?", em: <portaldatransparencia.gov.br/servidores/consulta?ordenarPor=nome&dircao=asc>.

27. Lei nº 13 327, de 29 de julho de 2016, art. 30, II e III. Disponível em: <www.planalto.gov.br/ccivil_03/_ato2015-2018/2016/lei/l13327.htm#art30>.

28. Lei nº 13 327, de 29 de julho de 2016, art. 33. Disponível em: <www.planalto.gov.br/ccivil_03/_ato2015-2018/2016/lei/l13327.htm#art33>.

29. As informações constam na página do Conselho Curador dos Honorários Advocatícios. Disponível em: <www.conselhocurador.com.br/>.

30. Ministério Público Federal, Procuradoria-Geral da República, Petição Inicial, Ação Direta de Inconstitucionalidade nº 6053. Disponível em: <https://redir.stf.jus.br/estfvisualizadorpub/jsp/consultarprocessoeletronico/ConsultarProcessoEletronico.jsf?seqobjetoincidente=5613457>.

31. Constituição da República Federativa do Brasil de 1988, art. 39, §4º. Disponível em: <www.planalto.gov.br/ccivil_03/constituicao/constituicao.htm#art39%C2%A74>.

32. Supremo Tribunal Federal, ADI nº 6053/DF, relator ministro Marco Aurélio, redator do acórdão ministro Alexandre de Moraes, inteiro teor do acórdão. Disponível em: <jurisprudencia.stf.jus.br/pages/search/sjur428560/false#:~:text=view_list-,picture_as_pdf,-library_books>.

33. Tribunal de Contas da União, Acórdão nº 307/2021 Plenário, relator Raimundo Carreiro. Disponível em: <pesquisa.apps.tcu.gov.br/documento/acordao-completo/*/PROC%253A00474520183/DTRELEVANCIA%2520desc%252C%2520NUMACORDAOINT%2520desc/3>.

34. Thiago de Miranda Queiroz Moreira, "A constitucionalização da Defensoria Pública: Disputas por espaço no sistema de justiça". *Opinião Pública*, Campinas, v. 23, n. 3, pp. 647-81, set./dez. 2017.

35. Constituição da República Federativa do Brasil de 1988, art. 134. Disponível em: <www.planalto.gov.br/ccivil_03/constituicao/constituicao.htm#art134>.

36. Emenda constitucional nº 74, de 6 de agosto de 2013. Disponível em: <www.planalto.gov.br/ccivil_03/constituicao/Emendas/Emc/emc74.htm>.

37. Supremo Tribunal Federal, Recurso Extraordinário nº 1 140 005, relator

ministro Roberto Barroso. Disponível em: <portal.stf.jus.br/processos/detalhe.asp?incidente=5487108>.

5. OS EFICIENTES FISCAIS DA RECEITA FEDERAL E A COBIÇA DE OUTRAS CARREIRAS [pp. 128-51]

1. Adriana Fernandes e André Borges, "Gestão Bolsonaro agiu para liberar joias de R$ 16,5 mi para presidente e Michelle". *O Estado de S. Paulo*, 4 mar. 2023, p. A8. Disponível em: <www.estadao.com.br/politica/diamantes-para-michelle-bolsonaro-tentou-trazer-ilegalmente-com-joias-de-r-165-milhoes/>.

2. Id., "Diamantes: Governo Bolsonaro fez 8 tentativas para ex-presidente ficar com joias de R$ 16,5 milhões". *O Estado de S. Paulo*, 4 mar. 2023. Disponível em: <www.estadao.com.br/politica/diamantes-todos-os-passos-de-bolsonaro-para-ficar-com-as-joias-de-r-165-milhoes/>.

3. "Auditor de série sobre apreensões em Guarulhos foi decisivo para barrar liberação ilegal de joias". *O Estado de S. Paulo*, 7 mar. 2023. Disponível em: <www.estadao.com.br/politica/auditor-de-serie-sobre-apreensoes-em-guarulhos-foi-decisivo-para-barrar-liberacao-ilegal-de-joias/>.

4. Sindifisco Nacional, "Comunicado à sociedade". *Correio Braziliense*, 14 ago. 2015. Disponível em: <www.sindifisconacional.org.br/sindifisco-comunica-a-administracao-sobre-paralisacao/>.

5. "Termo de Acordo nº 01/2016". *Agente Fiscal*, p. 5, jan./abr. 2016. Disponível em: <old.sindifisconacional-rj.org.br/AF/AF_201604.pdf>.

6. "Termo de Acordo nº 02/2016". *Agente Fiscal*, p. 6, jan./abr. 2016. Disponível em: <old.sindifisconacional-rj.org.br/AF/AF_201604.pdf> Ibid.

7. Medida provisória nº 765, de 29 de dezembro de 2016, capítulo II. Disponível em: <www.planalto.gov.br/ccivil_03/_ato2015-2018/2016/Mpv/mpv765.htm>.

8. Os vencimentos em vigor durante o ano de 2016 foram extraídos da *Tabela de Remuneração dos Servidos Públicos Federais Civis e dos Ex-Territórios* (Brasília, n. 68, p. 42, ago. 2016). Disponível em: <www.gov.br/servidor/pt-br/observatorio-de-pessoal-govbr/arquivos/tabela-de-remuneracao-68-ago-2016.pdf>. A nova tabela de vencimentos, válida até janeiro de 2019, consta no Anexo VII da lei nº 13464/2017. Disponível em: <www.planalto.gov.br/ccivil_03/_ato2015-2018/2017/lei/l13464.htm#anexo7>.

9. Ver, por exemplo, as emendas 37, 38, 52 e 53 propostas à medida provisória nº 1154/2023. Disponível em: <www.camara.leg.br/proposicoesWeb/prop_emendas?idProposicao=2345493&subst=>.

10. Projeto de lei nº 8023/2017. Disponível em: <www.camara.leg.br/proposicoesWeb/fichadetramitacao?idProposicao=2143732>.

11. O deputado Júlio César (PSD-PI) apresentou em 2022 três sugestões de emendas orçamentárias para aumentar o volume de recursos destinado ao pagamento do Bônus de Eficiência e Produtividade: SOR 10/2022, SOR 12/2022 e SOR 13/2022. Elas estão disponíveis em: <www.camara.leg.br/busca-portal?contextoBusca=BuscaProposicoes&pagina=1&order=data&abaEspecifica=true&filtros=%5B%7B%22ano%22%3A%222022%22%7D,%7B%22autores.nome%22%3A%22J%C3%BAlio%20Cesar%22%7D,%7B%22descricaoProposicao %22%3A%22Sugest%C3%A3o%20de%20Emenda%20ao%20Or%C3%A7amento %20-%20Comiss%C3%B5es%22%7D%5D&q=%2a>.

12. Sugestão de Emenda ao Orçamento nº 19/2022. Disponível em: <www.camara.leg.br/proposicoesWeb/fichadetramitacao?idProposicao=2336705>.

13. Tribunal de Contas da União, Acórdão nº 1921/2019, Plenário, relator ministro Bruno Dantas. Disponível em: <https://pesquisa.apps.tcu.gov.br/documento/acordao-completo/*/NUMACORDAO%253A1921%2520ANOACORDAO%253A2019%2520COLEGIADO%253A%2522Plen%25C3%25A1rio%2522/DTRELEVANCIA%2520desc%252C%2520NUMACORDAOINT%2520desc/0>.

14. Procuradoria-Geral da República, Petição Inicial AJCONST nº 299982/2020, Ação Direta de Inconstitucionalidade nº 6562. Disponível em: <redir.stf.jus.br/estfvisualizadorpub/jsp/consultarprocessoeletronico/ConsultarProcessoEletronico.jsf?seqobjetoincidente=6008972>.

15. A figura do *amicus curiae* foi admitida no processo constitucional brasileiro no art. 7º, §2º, da lei nº 9868/1999. Mais tarde, o novo Código de Processo Civil (lei nº 13105/2015) estendeu a possibilidade de sua atuação em todos os processos judiciais, por meio do art. 138.

16. Supremo Tribunal Federal, Ação Direta de Inconstitucionalidade nº 6562, relator ministro Gilmar Mendes, Acórdão, 9 de março de 2022. Disponível em: <portal.stf.jus.br/processos/downloadPeca.asp?id=15350375773&ext=.pdf>.

17. "Bônus de Eficiência finalmente é regulamentado!". Unafisco, 16 jun. 2023. Disponível em: <unafisconacional.org.br/bonus-de-eficiencia-finalmente-e-regulamentado/>.

18. *Bom Dia 247 Especial*, com Fernando Haddad. TV 247, 3 jan. 2023. Disponível em: <www.youtube.com/watch?v=YxoEsy4RjKI>.

19. Decreto nº 11 545, de 5 de junho de 2023. Disponível em: <www.planalto.gov.br/ccivil_03/_ato2023-2026/2023/decreto/D11545.htm>.

20. Decreto-lei nº 1437, de 17 de dezembro de 1975. Disponível em: <www.planalto.gov.br/ccivil_03/decreto-lei/del1437.htm>.

21. Ministério da Fazenda, Portaria MF nº 727, de 12 de julho de 2023. Disponível em: <www.in.gov.br/en/web/dou/-/portaria-mf-n-727-de-12-de-julho-de-2023-496077895>.

22. Lei nº 14 673, de 14 de setembro de 2023, Anexo CXXVII. Disponível em: <www.planalto.gov.br/ccivil_03/_ato2023-2026/2023/lei/L14673anexo3.htm#anexo127>.

23. Lei nº 14 520, de 9 de janeiro de 2023. Disponível em: <www.planalto.gov.br/ccivil_03/_ato2023-2026/2023/lei/L14520.htm>.

24. "Estudo do Sindifisco mostra abismo entre a remuneração dos auditores fiscais da RFB e a dos auditores estaduais". Sindifisco Nacional, 18 mar. 2022. Disponível em: <www.sindifisconacional.org.br/estudo-do-sindifisco-mostra-abismo-entre-a-remuneracao-dos-auditores-fiscais-da-rfb-e-a-dos-auditores-estaduais/>.

25. Ministério da Gestão e Inovação em Serviços Públicos, "Governo fecha acordo com servidores da Receita Federal", 14 fev. 2024. Disponível em: <https://www.gov.br/gestao/pt-br/assuntos/noticias/2024/fevereiro/governo-fecha-acordo-com-servidores-da-receita-federal>.

26. Decreto nº 11 938, de 6 de março de 2024. Disponível em: <http://www.planalto.gov.br/ccivil_03/_Ato2023-2026/2024/Decreto/D11938.htm>.

27. Lei nº 11 890, de 24 de dezembro de 2008, Anexo VII. Disponível em: <www.planalto.gov.br/ccivil_03/_Ato2007-2010/2008/Lei/L11890.htm#anexo 7.0>.

28. Lei nº 5809, de 10 de outubro de 1972, art. 8º. Disponível em: <www.planalto.gov.br/ccivil_03/leis/L5809.htm#art8>.

29. O cálculo da retribuição básica dos diplomatas no exterior, conforme art. 14, parágrafo único, da lei nº 5809/1972, é definido, em dólares, pela multiplicação do índice da Tabela de Escalonamento Vertical (presente no Anexo I da lei e equivalente a 94, no caso do ministro de primeira classe) pelo fator de conversão do posto em que se atua (definido no Anexo II, e igual a 76,7 para o exemplo de Washington).

30. A indenização de representação no exterior (Irex) é definida pelo decreto nº 71 733, de 18 de janeiro de 1973, e definida, em dólares, pelo produto do Índice de Representação no Exterior (oitenta, para o caso de ministro de primeira classe, conforme Anexo I do decreto) pelo fator de conversão do posto (76,7 no exemplo de Washington, segundo o Anexo II do decreto).

31. Lei nº 5809, de 10 de outubro de 1972, art. 21. Disponível em: <www.planalto.gov.br/ccivil_03/leis/L5809.htm#art21>.

32. O auxílio-moradia no exterior é definido pelo art. 17-A do decreto nº 71 733, de 18 de janeiro de 1973, e definido, em dólares, pela multiplicação do índice da Tabela de Escalonamento Vertical para fins do Auxílio-Moradia no Exterior (150, para o caso de ministro de primeira classe, conforme Anexo VI do decreto) pelo fator de conversão do posto (76,7 no exemplo de Washington, segundo o Anexo II do decreto), podendo ser acrescido de 5% a 10%, conforme o número e a condição dos dependentes.

33. Lei nº 9250, de 26 de dezembro de 1995, art. 5º, §3º. Disponível em: <www.planalto.gov.br/ccivil_03/leis/l9250.htm#art5%C2%A73>.

34. United States Department of State, "Foreign State Base Salary Schedule 2023". Disponível em: <www.state.gov/wp-content/uploads/2023/01/FS-Salary-Schedules-2023.xlsx>.

35. United Kingdom Foreign and Commonwealth Office, "Senior Staff and Salary Data, September 2019". Disponível em: <https://assets-origin.publishing.service.gov.uk/media/5fd90055d3bf7f40ccb335cd/September_2019_FCO_Senior_Staff_and_Salary_Details.csv/preview>.

36. Banco Nacional de Desenvolvimento Econômico e Social, "Plano estratégico de cargos e salários". Última atualização 17 mar. 2023. Disponível em: <www.bndes.gov.br/wps/wcm/connect/site/0e0e3a68-396d-4601-b470-866c49df2943/PECS_2022+vers%C3%A30+site-+atualizada+tabela+2022.docx?MOD=AJPERES&CVID=orN5sUV>.

37. Banco Nacional de Desenvolvimento Econômico e Social, "Valores dos benefícios por empregado". Última atualização 14 jun. 2023. Disponível em: <www.bndes.gov.br/wps/wcm/connect/site/8503e1bd-afa8-46a3-a85d-ae2801260904/beneficios+-+31.05.2023.pdf?MOD=AJPERES&CVID=oyW7Y5J>.

38. Ministério da Economia, Secretaria de Coordenação das Estatais (Sest), Anexo V — Informação de Transparência Ativa PLR 2021. Disponível em: <www.gov.br/economia/pt-br/assuntos/empresas-estatais-federais/transparencia/politica-de-pessoal-1/programas-de-plr-2021-1/bndes-plr-2021-anexo-v.pdf>.

39. Tribunal de Contas da União, *Estrutura remuneratória do TCU*, 2023. Disponível em: <https://contas.tcu.gov.br/ords/apex_util.get_blob?s=115743182492519&a=706946&c=7612135420735652885&p=1&k1=7634&k2=&ck=m1R-rk86pBDJ7ff3AZZn54mTm2pg&rt=CR>.

40. Tribunal de Contas da União, ministro Bruno Dantas, Aviso nº 449 GP/TCU, 6 de junho de 2023. Disponível em: <sindilegis.org.br/wp-content/uploads/2023/06/Aviso-no-449-GP-TCU-de-6-6-2023_230606_095119.pdf>.

41. Larissa Garcia e Lu Aiko Otta, "Servidores do BC e Tesouro também querem remuneração adicional". *Valor Econômico*, 18 maio 2023. Disponível em: <valor.globo.com/brasil/noticia/2023/05/18/servidores-do-bc-e-tesouro-tambem-querem-remuneracao-adicional.ghtml>.

42. Lei nº 14 673, de 14 de setembro de 2023, anexos CXLIX (Banco Central) e CXXXIV (Tesouro Nacional e demais carreiras do Ciclo de Gestão Governamental). Disponível em: <www.planalto.gov.br/ccivil_03/_Ato2023-2026/2023/Mpv/mpv1170anexo2.htm#anexo134>.

43. "Conselho de Delegados Sindicais elege membros para a comissão de acompanhamento do bônus". Unacon Sindical, 22 jun. 2023. Disponível em:

<unacon.org.br/2023/04/13/conselho-de-delegados-sindicais-elege-membros-para-a-comissao-de-acompanhamento-do-bonus/>.

44. Sinal — Sindicato Nacional dos Funcionários do Banco Central, "Servidores indicam fortalecimento da mobilização". *Apito Brasil*, n. 141, 4 ago. 2023. Disponível em: <portal.sinal.org.br/publicacoes/servidores-indicam-fortalecimento-da-mobilizacao/>.

45. Lei nº 13 846, de 18 de junho de 2019. Disponível em: <www.planalto.gov.br/ccivil_03/_ato2019-2022/2019/Lei/L13846.htm>.

46. Lei nº 14 441, de 2 de setembro de 2022, art. 7º. Disponível em: <www.planalto.gov.br/ccivil_03/_Ato2019-2022/2022/Lei/L14441.htm#art7>.

47. Controladoria-Geral da União, Relatório de Avaliação nº 1 205 146 — Avaliação do bônus instituído pela lei nº 13 846/2019, 2 de agosto de 2023. Disponível em: <eaud.cgu.gov.br/relatorios/download/1253737>.

6. NEM MARAJÁS, NEM PARASITAS: A NECESSIDADE DE UMA DISCUSSÃO SEM PRECONCEITOS SOBRE REFORMA ADMINISTRATIVA [pp. 152-78]

1. *Veja*, São Paulo, 12 ago. 1987, capa e pp. 22-8.

2. *Veja*, São Paulo, 23 mar. 1988, capa; *Jornal do Brasil*, Rio de Janeiro, 6 jun. 1988, p. 14; *Correio Braziliense*, Brasília, 7 jun. 1989, p. 3.

3. Tribunal Superior Eleitoral. Disponível em: <app.powerbi.com/view?r=eyJrIjoiNDQyZjllMjItZDFlNC00NmIxLWJlMzgtMjQ5OGZkMzY2Y2NiIiwidCI6ImFiNzcyYzYzLWViMzgtNGIxZS1iZWY3LTdiNjBlZDhhY2RmMSJ9>.

4. Discurso pronunciado por Fernando Collor, presidente da República Federativa do Brasil, na reunião ministerial realizada no Palácio do Planalto, no dia 16 de março de 1990. Disponível em: <www.biblioteca.presidencia.gov.br/presidencia/ex-presidentes/fernando-collor/discursos/1990/03.pdf>.

5. Frederico Lustosa da Costa, "História das reformas administrativas no Brasil: Narrativas, teorizações e representações". *Revista do Serviço Público*, Brasília, v. 59, n. 3, p. 278, jul./set. 2008.

6. *Plano Diretor da reforma do aparelho do Estado*, op. cit., 1995. Disponível em: <http://www.biblioteca.presidencia.gov.br/publicacoes-oficiais/catalogo/fhc/plano-diretor-da-reforma-do-aparelho-do-estado-1995.pdf>.

7. A plataforma Atlas do Estado Brasileiro, mantida pelo Instituto de Pesquisa Econômica Aplicada (Ipea), está disponível em: <www.ipea.gov.br/atlasestado/>.

8. Felix Lopez e Erivelton Guedes, "Três décadas de evolução do funcionalismo público no Brasil (1986-2017)". *Texto para Discussão n. 2579*. Rio de Janeiro: Ipea, p. 14, ago. 2020.

9. Organization for Economic Cooperation and Development (OECD), *Government at a Glance 2021*. Paris: OECD Publishing, 2012, pp. 100-1. Disponível em: <www.oecd-ilibrary.org/docserver/1c258f55-en.pdf>.

10. Dados obtidos no Sistema Ipeadata, do Ipea, dividindo-se o número de pessoas ocupadas como empregadas no setor público (inclusive servidor estatutário e militar) pelo total de pessoas de catorze anos ou mais, na força de trabalho, ambas as séries na mesma semana de referência.

11. O GFS está disponível em: <https://data.imf.org/?sk=a0867067-d23c-4ebc-ad23-d3b015045405>.

12. A emenda constitucional nº 19, de 4 de junho de 1998, deu nova redação ao art. 41 da Constituição Federal. Disponível em: <www.planalto.gov.br/ccivil_03/constituicao/Constituicao.htm#art41>.

13. Lei complementar nº 101, de 4 de maio de 2000, mais conhecida como Lei de Responsabilidade Fiscal, art. 23. Disponível em: <www.planalto.gov.br/ccivil_03/leis/lcp/lcp101.htm#art23>.

14. Ver emenda constitucional nº 20, de 15 de dezembro de 1998. Disponível em: <www.planalto.gov.br/ccivil_03/constituicao/Emendas/Emc/emc20.htm>.

15. Emenda constitucional nº 41, de 19 de dezembro de 2003. Disponível em: <www.planalto.gov.br/ccivil_03/constituicao/Emendas/Emc/emc41.htm>.

16. Lei nº 12 618, de 30 de abril de 2012. Disponível em: <www.planalto.gov.br/ccivil_03/_ato2011-2014/2012/lei/l12618.htm>.

17. Decreto nº 7808, de 20 de setembro de 2012. Disponível em: <www.planalto.gov.br/ccivil_03/_ato2011-2014/2012/decreto/d7808.htm>.

18. Discurso do presidente da República, Michel Temer, durante jantar de homenagem oferecido por entidades líbano-brasileiras, 10 de abril de 2017. Disponível em: <www.biblioteca.presidencia.gov.br/presidencia/ex-presidentes/michel-temer/discursos-do-presidente-da-republica/discurso-do-presidente-da-republica-michel-temer-durante-jantar-de-homenagem-oferecido-pelas-entidades-libano-brasileiras-sao-paulo-sp>.

19. Emenda constitucional nº 103, de 12 de novembro de 2019. Disponível em: <www.planalto.gov.br/ccivil_03/constituicao/Emendas/Emc/emc103.htm>.

20. Controladoria-Geral da União, Cadastro de Expulsões da Administração Federal (Ceaf), dados compilados até 5 de março de 2024. Disponível em: <portaldatransparencia.gov.br/download-de-dados/ceaf>.

21. Ver projeto de lei complementar (PLP) nº 248/1998, de autoria do Poder Executivo, apresentada ao Congresso Nacional em 28 de outubro de 1998. O inteiro teor da proposta e sua tramitação estão disponíveis em: <www.camara.leg.br/proposicoesWeb/fichadetramitacao?idProposicao=21616>.

22. O andamento processual e o inteiro teor das decisões da Ação Direta de

Inconstitucionalidade nº 2238 estão disponíveis em: <portal.stf.jus.br/processos/detalhe.asp?incidente=1829732>.

23. Constituição da República Federativa do Brasil de 1988, art. 37, XV. Disponível em: <www.planalto.gov.br/ccivil_03/constituicao/Constituicao.htm#art37xv>.

24. Banco Mundial, *Gestão de pessoas e folha de pagamentos no setor público brasileiro: O que os dados dizem?*. Washington, DC: World Bank, 2019. Disponível em: <documents1.worldbank.org/curated/en/449951570645821631/pdf/Gest%c3%a3o-de-Pessoas-e-Folha-de-Pagamentos-no-Setor-P%c3%bablico-Brasileiro-o-Que-Os-Dados-Dizem.pdf>.

25. "Paulo Guedes compara servidores públicos com parasitas". *Jornal Nacional*, 7 fev. 2020. Disponível em: <g1.globo.com/jornal-nacional/noticia/2020/02/07/paulo-guedes-compara-servidores-publicos-com-parasitas.ghtml>.

26. Exposição de Motivos nº 0047/ME à Proposta de Emenda à Constituição nº 32 de 2020. Disponível em: <www.camara.leg.br/proposicoesWeb/prop_mostrarintegra?codteor=1928147&filename=PEC+32/2020>.

27. Mancur Olson, *A lógica da ação coletiva*. São Paulo: Edusp, 1999.

28. Documentos disponíveis em: <static1.squarespace.com/static /52a23eaae4b0a695ee3d229c/t/613a50e73c7b475dee22d81f/1631211751912/apresentacao_ag_festa_qeq_09.09.2021.pdf> e <static1.squarespace.com/static/52a23eaae4b0a695ee3d229c/t/613a5047e0a7a36a888a1de4/1631211596569/apresentacao_QEQ_2021.09.09.pdf>. Acesso em: 21/12/2021.

29. Câmara dos Deputados, Frente Parlamentar Mista em Defesa do Serviço Público. Disponível em: <www.camara.leg.br/internet/deputado/frenteDetalhe.asp?id=54311>.

30. Roberto Macedo, "Diferenciais de salários entre empresas privadas e estatais no Brasil". *Revista Brasileira de Economia* (*RBE*), Rio de Janeiro, v. 39, n. 4, pp. 437-48, out./dez. 1985.

31. Ana Luiza Neves de Holanda, "Diferencial de salários entre os setores público e privado: Uma resenha da literatura". *Texto para Discussão n. 1457*. Rio de Janeiro: Ipea, dez. 2009.

32. Ana Luiza Neves de Holanda Barbosa e Pedro Herculano G. F. de Souza, "Diferencial salarial público-privado e desigualdade dos rendimentos do trabalho no Brasil". *Boletim Mercado de Trabalho: Conjuntura e Análise*, Brasília, n. 53, pp. 29-36, nov. 2012.

33. Gabriel Nemer Tenoury e Naercio Menezes-Filho, "A evolução do diferencial salarial público-privado no Brasil". *Policy Paper*, São Paulo, n. 29, nov. 2017.

34. Michel Lipsky, *Burocracia em nível de rua: Dilemas do indivíduo nos serviços públicos*. Brasília: Escola Nacional de Administração Pública, 2019.

35. Gabriela Spanghero Lotta, *Implementação de políticas públicas: O impacto dos fatores relacionais e organizacionais sobre a atuação dos burocratas de nível de*

rua no Programa Saúde da Família. São Paulo: FFLCH-USP, 2010. Tese (Doutorado em Ciência Política).

36. O conjunto de publicações de Gabriela Lotta está disponível em: <pesquisa-eaesp.fgv.br/professor/gabriela-spanghero-lotta>.

37. Gabriela Lotta, João Nunes, Michelle Fernandez e Marcela Garcia Correa, "The Impact of the Covid-19 Pandemic in the Frontline Health Workforce: Perceptions of Vulnerability of Brazil's Community Health Workers". Health Policy Open, [S.l.], v. 3, n. 100065, 2020.

38. Gabriela Lotta, Iana Alves de Lima, Mariana Costa Silveira, Michelle Fernandez, João Paschoal Pedote e Olívia Landi Corrales Guaranha, "The Procedural Politicking Tug of War: Law-Versus-Management Disputes in Contexts of Democratic Backsliding". *Perspectives on Public Management and Governance*, Lawrence, 2023. Disponível em: <doi.org/10.1093/ppmgov/gvad008>.

39. Sandro Sacchet de Carvalho, "Qualificando o debate sobre os diferenciais de remuneração entre setores público e privado no Brasil". *Cadernos da Reforma Administrativa*, Brasília, n. 5, jul. 2020. Disponível em: <fonacate.org.br/wp-content/uploads/2020/07/Cadernos-Reforma-Administrativa-N.-5.pdf>.

40. Fernando Augusto Mansor de Mattos e José Celso Cardoso Jr., "O Brasil no mundo: Emprego público, escolarização, remunerações e desempenho estatal em perspectiva internacional comparada", em Rudinei Marques e José Celso Cardoso Jr. (Orgs.), *Rumo ao Estado necessário: Críticas à proposta de governo para a reforma administrativa e alternativas para um Brasil republicano, democrático e desenvolvido.* Brasília: Fonacate, 2021, pp. 89-122. Disponível em: <fonacate.org.br/wp-content/uploads/2021/03/Livro-Fonacate-2021-V8.pdf>.

41. Max Weber, *Economia e sociedade: Fundamentos da sociologia compreensiva*. 4. ed. Brasília: Ed. UnB, 2015. v. 2.

42. Fernando Augusto Mansor de Mattos e José Celso Cardoso Jr., "O Brasil no mundo", op. cit., p. 98.

43. Ana Carla Abrão, Armínio Fraga Neto e Carlos Ari Sundfeld, *A reforma do RH do governo federal*. São Paulo: Oliver Wyman, 2019. pp. 5-6. (Série Panorama Brasil). Disponível em: <iepecdg.com.br/wp-content/uploads/2019/09/A-Reforma-Do-Rh-Do-Governo-Federal.pdf>.

44. Antônio Augusto de Queiroz e Luiz Alberto dos Santos, "O ciclo laboral no setor público brasileiro". *Cadernos da Reforma Administrativa*, Brasília, n. 2, jul. 2020. Disponível em: <fonacate.org.br/wp-content/uploads/2020/07/Cadernos-Reforma-Administrativa-N.-2.pdf>.

45. Essas ideias estão sistematizadas no quadro às páginas 19 a 21 do documento.

7. PRIVILEGIADOS DE FARDA: A VELHA E A NOVA ELITE MILITAR [pp. 179-207]

1. Instituto Militar de Engenharia, Concluintes de 2002, turma "Vice-Almirante Álvaro Alberto". Disponível em: <www.ime.eb.mil.br/2000-a-2004.html>. O destaque conferido ao primeiro-tenente Tarcísio Gomes de Freitas foi confirmado por consulta à Lei de Acesso à Informação, no processo nº 60110.002127/2022-61.

2. Ministério da Fazenda, Escola de Administração Fazendária, Edital Esaf nº 30, de 4 de julho de 2008, Concurso público para analista de finanças e controle da Controladoria-Geral da União. Disponível em: <repositorio.enap.gov.br/bitstream/1/5504/14/edital-30.pdf>.

3. Lei nº 11 784, de 22 de setembro de 2008, Anexo LXXXVII. Disponível em: <www.planalto.gov.br/ccivil_03/_ato2007-2010/2008/lei/anexos/ANL11784/ANL11784-LXXXVII-LXXXVIII.htm>.

4. José Murilo de Carvalho, *Forças Armadas e política no Brasil*. São Paulo: Todavia, 2019.

5. Ibid., pp. 183-4.

6. Fernando Luiz Abrucio e Maria Rita Loureiro, op. cit., p. 41.

7. José Murilo de Carvalho, op. cit., p. 207.

8. Adriana Barreto de Souza e Angela Moreira Domingues da Silva, "A organização da justiça militar no Brasil: Império e República". *Estudos Históricos*, Rio de Janeiro, v. 29, n. 58, pp. 361-80, maio/ago. 2016.

9. Constituição da República Federativa do Brasil de 1988, art. 123. Disponível em: <www.planalto.gov.br/ccivil_03/constituicao/constituicao.htm#art123>.

10. Lei complementar nº 136, de 25 de agosto de 2010. Disponível em: <www.planalto.gov.br/ccivil_03/leis/lcp/Lcp136.htm#art1>.

11. Procuradoria-Geral da República, Petição Inicial, Ação Direta de Inconstitucionalidade nº 5032. Disponível em: <redir.stf.jus.br/estfvisualizadorpub/jsp/consultarprocessoeletronico/ConsultarProcessoEletronico.jsf?seqobjetoincidente=4451226>.

12. O andamento processual da Ação Direta de Inconstitucionalidade nº 5032 está disponível em: <portal.stf.jus.br/processos/detalhe.asp?incidente=4451226>.

13. "Após voto de relator e revisor, ministra pede vista no 'Caso Guadalupe'". Superior Tribunal Militar, 1 mar. 2024. Disponível em: <https://www.stm.jus.br/informacao/agencia-de-noticias/item/13517-ministra-maria-elizabeth-rocha-pede-vistas-e-adia-decisao-do-caso-guadalupe>.

14. Os dados foram obtidos na Base de Nacional de Dados do Poder Judiciário, mantida pelo CNJ. Disponível em: <https://justica-em-numeros.cnj.jus.br/>.

15. Lei nº 3765, de 4 de maio de 1960, art. 7º. Disponível em: <www.planalto.gov.br/ccivil_03/LEIS/L3765.htm#art7>.

16. Lei nº 3373, de 12 de março de 1958, art. 5º, parágrafo único. Disponível em: <www.planalto.gov.br/ccivil_03/leis/1950-1969/l3373.htm>. É desse benefício, relativo a filhas de servidores civis que não se casam, que usufrui outra famosa atriz brasileira, Maitê Proença, filha de um procurador falecido em 1989, antes da mudança da lei.

17. Lei nº 8112, de 11 de dezembro de 1990, art. 217, III. Disponível em: <www.planalto.gov.br/ccivil_03/LEIS/L8112cons.htm#art217iii>.

18. Medida provisória nº 2215-10, de 31 de agosto de 2001, arts. 27 e 31. Disponível em: <www.planalto.gov.br/ccivil_03/MPV/2215-10.htm>.

19. "Nova denúncia da Fiquem Sabendo obriga governo a abrir 'caixa-preta' de pensões a militares". Fiquem Sabendo, 5 jul. 2021. Disponível em: <fiquemsabendo.com.br/gastos-publicos/denuncia-fiquem-sabendo-tcu-pensoes-militares/>.

20. A remuneração de qualquer servidor público federal, civil ou militar, ativo ou aposentado, bem como de seus pensionistas, pode ser consultada no Portal da Transparência, disponível em: <portaldatransparencia.gov.br/servidores/consulta?ordenarPor=nome&direcao=asc>.

21. *Boletim Estatístico da Previdência Social*, Brasília, v. 27, n. 12, dez. 2022. Disponível em: <www.gov.br/previdencia/pt-br/assuntos/previdencia-social/arquivos/beps122022_final.pdf>.

22. Projeto de lei do Congresso Nacional nº 4, de 2023 (Projeto de lei de Diretrizes Orçamentárias 2024), "Avaliação atuarial dos proventos de militares veteranos e dos benefícios de pensionistas de militares", pp. 495-6. Disponível em: <legis.senado.leg.br/sdleg-getter/documento?dm=9322179&ts=1686026572139& disposition=inline>.

23. Jair Messias Bolsonaro, "O salário está baixo". *Veja*, São Paulo, 3 set. 1986, p. 154.

24. "Pôr bombas nos quartéis, um plano na Esao [Escola de Aperfeiçoamento de Oficiais]". *Veja*, São Paulo, 28 out. 1987, pp. 40-1.

25. Superior Tribunal Militar, Processo do Conselho de Justificação nº 129-9 Distrito Federal, relator Ministro Sérgio de Ary Pires, 16 de junho de 1988, ata de julgamento. Disponível em: <dspace.stm.jus.br/xmlui/bitstream/handle/123456789/67875/ATA041.pdf?sequence=1&isAllowed=y>.

26. Aziz Ahmed e Roberto Hillas, "Bolsonaro-88". *Jornal do Commercio*, Rio de Janeiro, 4 out. 1988. Informação Confidencial, p. 2. Disponível em: <memoria.bn.br/DocReader/364568_17/82938>.

27. "Os novos vereadores do Rio". *Tribuna da Imprensa*, Rio de Janeiro, 28 nov. 1988, p. 5. Disponível em: <memoria.bn.br/DocReader/154083_04/37967>. Como nem o Tribunal Superior Eleitoral nem o Tribunal Regional Eleitoral do Rio de Janeiro divulgam os dados da votação para a Câmara Municipal do Rio de Janeiro de 1988, recorreu-se ao resultado publicado na imprensa da época.

28. Dados extraídos da seção "Resultados das Eleições", na página do Tribunal Superior Eleitoral. Disponível em: <www.tse.jus.br/eleicoes/resultados-eleicoes>.

29. A relação completa dos projetos de lei de autoria do então deputado Jair Bolsonaro pode ser obtida no sistema de buscas por proposições legislativas da Câmara dos Deputados. Disponível em: <www.camara.leg.br/busca-portal?contextoBusca=BuscaProposicoes&pagina=1&order=data&abaEspecifica=true&filtros=%5B%7B%22autores.nome%22%3A%22JAIR%20BOLSONARO%22%7D,%7B%22descricaoProposicao%22%3A%22Projeto%20de%20Lei%22%7D%5D&q=%2a>.

30. Octavio Amorim Neto e Igor Acácio, "De volta ao centro da arena: Causas e consequências do papel político dos militares sob Bolsonaro". *Journal of Democracy em Português*, São Paulo, v. 9, n. 2, pp. 1-29, 2020. Disponível em: <medium.com/funda%C3%A7%C3%A3o-fhc/de-volta-ao-centro-da-arena-causas-e-consequ%C3%AAncias-do-papel-pol%C3%ADtico-dos-militares-sob-bolsonaro-b21e4ac8991e>.

31. No cômputo dos candidatos militares foram incluídos aqueles que utilizaram as seguintes descrições em seu nome de urna: bombeiro(a) militar, cabo, capitã(o), comandante, coronel, delegado(a), escrivã(o), general, guarda, inspetor(a), major, policial, sargento(a), soldado(a), subtenente, tenente e tenente-coronel, assim como todas as siglas relativas a esses descritores.

32. Lucas M. Novaes, "The Violence of Law-and-Order Politics: The Case of Law Enforcement Candidates in Brazil". *Insper Working Papers*, São Paulo, n. 391, 2020. Disponível em: <www.insper.edu.br/wp-content/uploads/2020/10/The_Violence_of_Law_and_order_Politics-4.pdf>.

33. Ibid., p. 15.

34. Fabio Victor, *Poder camuflado: Os militares e a política, do fim da ditadura à aliança com Bolsonaro*. São Paulo: Companhia das Letras, 2022, cap. 14.

35. Entre eles estavam os generais Augusto Heleno (Gabinete da Segurança Institucional), Carlos Alberto dos Santos Cruz (Secretaria de Governo) e Fernando Azevedo e Silva (Defesa), o almirante Bento Albuquerque (Minas e Energia) e o tenente-coronel da Aeronáutica Marcos Pontes (Ciência e Tecnologia) — todos da reserva. Também compuseram o primeiro ministério os ministros Tarcísio Gomes de Freitas (Infraestrutura) e Wagner Rosário (Controladoria-Geral da União), que no passado já haviam pedido baixa das Forças Armadas e passado à reserva não remunerada, tendo depois seguido carreira no funcionalismo civil.

36. Em meados de 2020, onze dos 26 ministros já haviam envergado uniforme militar no passado, nas Forças Armadas ou na Polícia Militar: Walter Souza Braga Netto (Casa Civil), Augusto Heleno (Segurança Institucional), Fernando Azevedo e Silva (Defesa), Tarcísio Gomes de Freitas (Infraestrutura), Luiz

Eduardo Ramos (Secretaria de Governo), Marcos Pontes (Ciência e Tecnologia), Wagner Rosário (CGU), Bento Albuquerque (Minas e Energia), Jorge Oliveira (Secretaria-Geral da Presidência), Eduardo Pazuello (Saúde) e Milton Ribeiro (Educação).

37. Flávia de Holanda Schmidt, "Presença de militares em cargos e funções comissionados do Executivo federal". *Nota Técnica Diest* [Diretoria de Estudos e Políticas do Estado, das Instituições e da Democracia], Brasília, n. 58, set. 2022. Disponível em: <repositorio.ipea.gov.br/bitstream/11058/11211/2/NT_58_Diest_Presenca_Militares.pdf>.

38. Ministério da Economia, Secretaria Especial de Desburocratização, Gestão e Governo Digital, Portaria nº 10736, de 27 de abril de 2020. Disponível em: <www.in.gov.br/web/dou/-/portaria-n-10.736-de-27-de-abril-de-2020-254215694>.

39. Tribunal de Contas da União, Acórdão nº 515/2023 Plenário, relator ministro Bruno Dantas, julgado em 22 de março de 2023. Disponível em: <pesquisa.apps.tcu.gov.br/redireciona/acordao-completo/%22ACORDAO-COMPLETO-2565336%22>.

40. Decreto nº 10004, de 5 de setembro de 2019. Disponível em: <www.planalto.gov.br/ccivil_03/_ato2019-2022/2019/decreto/d10004.htm>.

41. Ministério da Educação, Nota Técnica nº 60/2023/DPDI/SEB/SEB, de 24 de março de 2023. Disponível em: <https://educacaointegral.org.br/wp-content/uploads/2023/07/notatecnicaescolascivicomilitares-1.pdf>.

42. Ministério da Defesa, Resposta à Solicitação nº 60110.001931/2023-12, 6 de julho de 2023.

43. Ministério da Economia, Portaria SGP/SEDGG/ME nº 4975, de 29 de abril de 2021. Disponível em: <legis.sigepe.gov.br/sigepe-bgp-ws-legis/legis-service/download/?id=0005033811-ALPDF/2021>.

44. Decreto nº 10171, de 11 de dezembro de 2019, art. 5º e seguintes. Disponível em: <www.planalto.gov.br/ccivil_03/_ato2019-2022/2019/decreto/D10171.htm#art5>.

45. Decreto nº 10727, de 22 de junho de 2021. Disponível em: <www.planalto.gov.br/ccivil_03/_ato2019-2022/2021/decreto/D10727.htm>.

46. Ministério da Defesa, Despacho nº 29/GM-MD, de 17 de setembro de 2019. Disponível em: <www.in.gov.br/web/dou/-/despacho-n-29/gm-md-de-17-de-setembro-de-2019-*-217530494>.

47. Ministério da Economia, Exposição de Motivos nº 29/2019, 20 de fevereiro de 2019, anexo à Proposta de Emenda à Constituição nº 06/2019, item 19. Disponível em: <www.camara.leg.br/proposicoesWeb/prop_mostrarintegra?codteor=1712459&filename=PEC%206/2019>.

48. Projeto de lei nº 1645/2019, inteiro teor. Disponível em: <www.camara.leg.br/proposicoesWeb/prop_mostrarintegra?codteor=1721716&filename=Tramitacao-PL%201645/2019>.

49. “Governo deverá economizar R$ 10,45 bilhões em dez anos com reestruturação das Forças Armadas”. Ministério da Economia, Notícias, 20 mar. 2019. Disponível em: <www.gov.br/economia/pt-br/assuntos/noticias/2019/03/governo-devera-economizar-r-10-45-bilhoes-em-dez-anos-com-reestruturacao-das-forcas-armadas>.

50. Ministério da Economia, Exposição de Motivos nº 29/2019, de 20 de fevereiro de 2019, p. 19. Disponível em: <www.camara.leg.br/proposicoesWeb/prop_mostrarintegra?codteor=1712467&filename=Tramitacao-PEC%206/2019>.

51. Senado Federal, Ofício nº 1026 (SF), de 10 de dezembro de 2019. Disponível em: <legis.senado.leg.br/sdleg-getter/documento?dm=8052501&ts=1630439791540&disposition=inline&_gl=1*1h9cl3t*_ga*NzMwOTQzODYuMTY2NDcyODEzOA..*_ga_CW3ZH25XMK*MTY5MTY3NjA5O-C4xMS4x LjE2OTE2NzcyNjcuMC4wLjA>.

52. Constituição da República Federativa do Brasil de 1988, art. 66, §1º. Disponível em: <www.planalto.gov.br/ccivil_03/constituicao/constituicao.htm#art66%C2%A71>.

53. Lei nº 13954, de 16 de dezembro de 2019. Disponível em: <www.planalto.gov.br/ccivil_03/_ato2019-2022/2019/lei/l13954.htm>.

54. Proposta de Emenda à Constituição nº 32/2020. Disponível em: <www.camara.leg.br/proposicoesWeb/fichadetramitacao?idProposicao=2262083>.

55. Medida provisória nº 1070, de 13 de setembro de 2021. Disponível em: <www.planalto.gov.br/ccivil_03/_Ato2019-2022/2021/Mpv/mpv1070.htm>.

56. Exposição de Motivos Interministerial EMI nº 162/2021 MJSP ME MDR, de 26 de agosto de 2021. Disponível em: <www.planalto.gov.br/ccivil_03/_Ato2019-2022/2021/Exm/Exm-MP-1070-21.pdf>.

57. “Na Uerj, Lula pede ‘indignação’ aos brasileiros”. Instituto Lula, 31 mar. 2022. Disponível em: <https://youtu.be/vLCoFadmb28>.

58. “Ao vivo 04/04 — Lula participa do lançamento da plataforma da CUT para eleições 2022”. Partido dos Trabalhadores, 4 abr. 2022. Disponível em: <www.youtube.com/watch?v=YrGtcqGdroU>.

8. PRIVILEGIADOS NO PALANQUE: OS POLÍTICOS [pp. 208-41]

1. Carlos Alberto Libânio Christo [Frei Betto], *A mosca azul: Reflexão sobre o poder*. Rio de Janeiro: Rocco, 2006.

2. Joaquim Maria Machado de Assis, “A mosca azul”, em *Poesias completas*. Rio de Janeiro: Garnier, 1901. Disponível em: <https://machado.mec.gov.br/obra-completa-lista/item/download/35_9d0bb1ba15355a7d94bf60884c45f621>.

3. Decreto legislativo nº 172, de 21 de dezembro de 2022, art. 1º, II. Disponível em: <legis.senado.leg.br/norma/36621431/publicacao/36635487>.

4. As regras com os limites para os subsídios desses agentes públicos estão previstas nos seguintes dispositivos da Constituição: deputados estaduais (art. 27, §2º), governadores (art. 28, §2º), prefeitos (art. 29, V) e vereadores (art. 29, VI).

5. Instituto Brasileiro de Geografia e Estatística, Pesquisa Nacional por Amostra de Domicílios Contínua, abril de 2023. Disponível em: <biblioteca.ibge.gov.br/visualizacao/periodicos/3086/pnacm_2023_abr.pdf>.

6. Blake Hounshell e Leah Askarinam, "You Can Be Mitch McConnell for a Day". *New York Times*, 9 fev. 2022. Disponível em: <www.nytimes.com/2022/02/09/us/politics/video-game-political-arena.html>.

7. Ato da Mesa nº 43, de 21 de maio de 2009, versão atualizada. Disponível em: <www2.camara.leg.br/legin/int/atomes/2009/atodamesa-43-21-maio-2009-588364-normaatualizada-cd-mesa.doc>.

8. Os dados sobre a utilização da cota parlamentar podem ser obtidos no portal de transparência da Câmara dos Deputados. Disponível em: <www.camara.leg.br/cota-parlamentar/>.

9. Ação Direta de Inconstitucionalidade nº 4650, requerente Conselho Federal da Ordem dos Advogados do Brasil, relator ministro Luiz Fux. Disponível em: <portal.stf.jus.br/processos/detalhe.asp?incidente=4136819>.

10. Bruno Carazza, *Dinheiro, eleições e poder: As engrenagens do sistema político brasileiro*. São Paulo: Companhia das Letras, 2018, p. 50.

11. O Fundo Partidário foi criado ainda no regime militar, por meio da lei nº 4740/1965, e hoje é regulado pela lei nº 9096/1995. O Tribunal Superior Eleitoral divulga os valores atribuídos anualmente a cada partido no seguinte endereço: <https://www.tse.jus.br/partidos/contas-partidarias/fundo-partidario-1>.

12. O Fundo Especial de Financiamento de Campanha foi instituído pela lei nº 13488/2017. Os valores do Fundo Especial de Financiamento de Campanha estão disponíveis em: <https://www.tse.jus.br/eleicoes/eleicoes-2020/prestacao-de-contas/fundo-especial-de-financiamento-de-campanha-fefc>.

13. Proposta de Emenda à Constituição nº 9/2023. Disponível em: <www.camara.leg.br/propostas-legislativas/2352476>.

14. Nas eleições de 2018, 413 deputados federais tentaram um novo mandato no mesmo cargo, tendo sido eleitos 242, o que resultou numa taxa de reeleição de 58,6%. Já em 2022, 453 deputados se candidataram almejando permanecer mais quatro anos na Câmara e 284 foram bem-sucedidos, representando uma taxa de reeleição de 62,7%.

15. Os dados individuais da prestação de contas de todos os candidatos nas eleições de 2022 podem ser consultados na página especial "Divulgação de

Candidaturas e Contas Eleitorais" (Divulgacand), do Tribunal Superior Eleitoral. Disponível em: <divulgacandcontas.tse.jus.br/divulga/#/>.

16. Chico Otavio e Daniel Biasetto, "O quinto do ouro: STJ manda prender cinco dos sete conselheiros do TCE-RJ". *O Globo*, 29 mar. 2017. Disponível em: <oglobo.globo.com/politica/o-quinto-do-ouro-stj-manda-prender-5-dos-7-conselheiros-do-tce-rj-picciani-vai-depor-forca-21128038>.

17. "Compraram o tribunal: Documentos revelam que conselheiros do TCE do Rio de Janeiro vendiam decisões a prefeituras". *Veja*, São Paulo, 2 jul. 2008, pp. 62-5.

18. André Feliciano Lino e André Carlos Busanelli Aquino, "Práticas não adequadas nos tribunais de contas". *Revista de Administração Pública*, Rio de Janeiro, v. 54, n. 2, pp. 220-42, mar./abr. 2020.

19. Rogério Bastos Arantes, Fernando Luiz Abrucio e Marco Antonio Carvalho Teixeira, "A imagem dos Tribunais de Contas subnacionais". *Revista do Serviço Público*, Brasília, v. 56, n. 1, pp. 57-83, jan./mar. 2005.

20. Constituição da República Federativa do Brasil de 1988, art. 73. Disponível em: <www.planalto.gov.br/ccivil_03/constituicao/constituicao.htm>.

21. Juliana Sakai e Natália Paiva, *Quem são os conselheiros dos Tribunais de Contas?*. São Paulo: Transparência Brasil, 2016. Disponível em: <www.transparencia.org.br/downloads/publicacoes/tbrasiltribunaisdecontas2016.pdf>.

22. Ministério Público Federal, Procuradoria-Geral da República, Petição 6323 (nº 6474/2017-GTLJ/PGR). Disponível em: <www.mpf.mp.br/pgr/documentos/PET6323.pdf/at_download/file>.

23. Constituição da República Federativa do Brasil de 1988, art. 102, I, b. Disponível em: <www.planalto.gov.br/ccivil_03/constituicao/constituicao.htm#art102I>.

24. João Trindade Cavalcante Filho e Frederico Retes Lima, "Foro, prerrogativa e privilégio (Parte 1): Quais e quantas autoridades têm foro no Brasil?". *Texto para Discussão n. 233*. Brasília: Núcleo de Estudos e Pesquisas; Conleg; Senado Federal, abr. 2017. Disponível em: <www12.senado.leg.br/publicacoes/estudos-legislativos/tipos-de-estudos/textos-para-discussao/td233?_gl=1*1i9r31w*_ga*NzMwOTQzODYuMTY2NDcyODEzOA..*_ga_CW3ZH25XMK*MTY5MjMyNDY2OS4xNi4xLjE2OTIzMjQ3NTUuMC4wLjA>.

25. Newton Tavares Filho, "Foro privilegiado: Pontos positivos e negativos". *Estudo Técnico*. Brasília: Consultoria Legislativa da Câmara dos Deputados, jul. 2016. Disponível em: <bd.camara.leg.br/bd/handle/bdcamara/28740>.

26. Supremo Tribunal Federal, HC 189844 AgR/DF, relator ministro Nunes Marques, julgamento em 23 de novembro de 2021 e publicação em 30 de março de 2022, Segunda Turma. Disponível em: <https://jurisprudencia.stf.jus.br/pages/search/sjur461550/false>.

27. Superior Tribunal de Justiça, Ação Penal nº 897 DF, relatora ministra

Maria Isabel Gallotti, decisão monocrática de 6 de dezembro de 2021. Disponível em: <processo.stj.jus.br/processo/dj/documento/mediado/?tipo_documento=documento&componente=MON&sequencial=141876522&tipo_documento=documento&num_registro=201702135303&data=20211209&formato=PDF>.

28. Tribunal de Contas do Estado do Rio de Janeiro, Sessão Ordinária do Conselho Superior de Administração, 24 de janeiro de 2024. O vídeo com os julgamentos pode ser assistido em: <https://youtu.be/ZAoa88B5zgk>.

29. Dados extraídos do *Painel Estatístico de Pessoal* do governo federal. Disponível em: <painel.pep.planejamento.gov.br>.

30. Felix Lopez e Sérgio Praça, "Cargos de confiança, partidos políticos e burocracia federal". *Revista Ibero-Americana de Estudos Legislativos*, Rio de Janeiro, n. 4, pp. 33-42, maio 2015.

31. Sérgio Praça, Fernanda Odilla e João Victor Guedes-Neto, "Patronage Appointments in Brazil, 2011-2019, em Francisco Pannizza, Guy Peters e Conrado Ramos (Orgs.), *The Politics of Patronage Appointments in Latin American Central Administrations*. Pittsburgh: University of Pittsburgh Press, 2022, pp. 62-89.

32. Até 2021, os cargos em comissão no Poder Executivo federal eram denominados cargos de Direção e Assessoramento Superior (DAS) e se distribuíam numa escala de 1 (mais baixo) a 6 (mais alto), podendo ser preenchidos tanto por servidores de carreira quanto por pessoas sem vínculo com a administração pública. A partir da medida provisória nº 1042, de 14 de abril de 2021, os DAS deram lugar aos Cargos Comissionados Executivos (CCE), de livre nomeação, e às Funções Comissionadas Executivas (FCE), privativas de servidores públicos concursados.

33. Felix Lopez e Sérgio Praça, "Cargos de confiança e políticas públicas no Executivo federal", em Roberto Pires, Gabriela Lotta e Vanessa Elias de Oliveira, *Burocracia e políticas públicas no Brasil: Interseções analíticas*. Brasília: Ipea; Enap, 2018, cap. 5, pp. 141-60.

34. Constituição da República Federativa do Brasil de 1988, arts. 165 a 169. Disponível em: <www.planalto.gov.br/ccivil_03/constituicao/constituicao.htm#art165>.

35. Victor Nunes Leal, *Coronelismo, enxada e voto: O município e o regime representativo no Brasil*. São Paulo: Companhia das Letras, 2012.

36. Fernando Meireles, *A política distributiva da coalizão*. Belo Horizonte: FFCH-UFMG, 2019. 174 pp. Tese (Doutorado em Ciência Política).

37. Rodrigo Oliveira de Faria, *Emendas parlamentares e processo orçamentário no presidencialismo de coalizão*. São Paulo: Blucher, 2023, p. 414.

38. Proposta de emenda à Constituição nº 358/2013. Disponível em: <https://www.camara.leg.br/proposicoesWeb/fichadetramitacao?idProposicao=602633>.

39. Câmara dos Deputados, *Diário da Câmara dos Deputados*, 7 maio 2014,

nº 64, p. 182. Disponível em: <https://imagem.camara.gov.br/Imagem/d/pdf/DCD0020140507000640000.PDF#page=182>.

40. Emenda constitucional nº 86, de 17 de março de 2015. Disponível em: <www.planalto.gov.br/ccivil_03/constituicao/emendas/emc/emc86.htm>.

41. Emenda constitucional nº 100, de 26 de junho de 2019. Disponível em: <www.planalto.gov.br/ccivil_03/constituicao/emendas/emc/emc100.htm>.

42. Congresso Nacional, Resolução nº 1, de 2006, art. 144. Disponível em: <www.planalto.gov.br/ccivil_03/_Ato2004-2006/2006/Congresso/ResCN1-06.htm#art144>.

43. Supremo Tribunal Federal, Arguição de Descumprimento de Preceito Fundamental nº 854, Memorial, 7 dez. 2022. Disponível em: <redir.stf.jus.br/paginadorpub/paginador.jsp?docTP=TP&docID=764824678&prcID=6199750#>.

44. Controladoria-Geral da União, "Relatório de avaliação da eficiência na alocação de recursos por meio de emendas parlamentares", 8 de fevereiro de 2019. Disponível em: <eaud.cgu.gov.br/relatorios/download/856554>.

45. Supremo Tribunal Federal, Arguição de Descumprimento de Preceito Fundamental 850 Distrito Federal, relatora ministra Rosa Weber, Acórdão, Plenário, 19 de dezembro de 2022. Disponível em: <portal.stf.jus.br/processos/downloadPeca.asp?id=15357616601&ext=.pdf>.

46. Emenda constitucional nº 126, de 21 de dezembro de 2022. Disponível em: <www.planalto.gov.br/ccivil_03/constituicao/emendas/emc/emc126.htm>.

47. Rodrigo Oliveira de Faria, op. cit., p. 331.

9. PRIVILEGIADOS DE BALCÃO: AS MINAS DE OURO DOS CARTÓRIOS BRASILEIROS [pp. 242-62]

1. Os dados estão disponíveis em: <sidra.ibge.gov.br/tabela/200>.

2. <cidades.ibge.gov.br/brasil/sp/praia-grande/panorama>.

3. "Cartório fatura 80 milhões". *O Estado de S. Paulo*, 14 jul. 1988, p. 5. Disponível em: <acervo.estadao.com.br/pagina/#!/19880714-34780-nac-0005-999-5-not>.

4. *O Estado de S. Paulo*, 19 out. 1990, p. 7. Disponível em: <acervo.estadao.com.br/pagina/#!/19901019-35485-nac-0007-999-7-not>.

5. "Nomeação leva dúvidas a Praia Grande." *O Estado de S. Paulo*, 25 ago. 1989, p. 23. Disponível em: <acervo.estadao.com.br/pagina/#!/19890825-35128-nac-0023-999-23-not>.

6. Supremo Tribunal Federal, HC nº 738-SP, Relatório. Disponível em: <processo.stj.jus.br/processo/ita/documento/mediado/?num_registro =199100083518&dt_publicacao=05-08-1991&cod_tipo_documento=2&formato =PDF>.

7. Conselho Nacional de Justiça, Justiça Aberta, Extrajudicial, Relatório — Ranking da Arrecadação por UF. Disponível em: <www.cnj.jus.br/corregedoria/justica_aberta/?>.

8. Disponível em: <www.9rgirj.com.br/csp/web/site/NovoSite/freguesia.html#>.

9. *Valor 1000 Maiores Empresas*. São Paulo: Globo, 2023. Disponível em: <valor.globo.com/revistas/#/edition/187645>.

10. Disponível em: <https://www.cnj.jus.br/corregedoria/justica_aberta/>.

11. Lei nº 6015, de 31 de dezembro de 1973. Disponível em: <www.planalto.gov.br/ccivil_03/leis/L6015original.htm>.

12. Bernardo Sá Nogueira, "Tabelionado e elites urbanas no Portugal ducentista (1212-1279)", em Filipe Themudo Barata (Org.), *Elites e redes clientelares na Idade Média*. Évora: Cidehus, 2001, pp. 211-20.

13. Ana Maria Fernandes, *O arquivo notarial no Estado Novo*. Lisboa: Faculdade de Letras-Universidade de Lisboa, 2011, p. 19. Dissertação (Mestrado em Ciências da Documentação e Informação). Disponível em: <repositorio.ul.pt/bitstream/10451/5435/9/ulfl110001_tm.pdf>.

14. Decreto-lei nº 37 666, de 19 de dezembro de 1949. Disponível em: <dre.pt/application/conteudo/268041>.

15. Decreto-lei nº 26, de 4 de fevereiro de 2004. Disponível em: <dre.pt/application/conteudo/592339>.

16. Decreto-lei nº 116, de 4 de julho de 2008. Disponível em: <dre.pt/application/conteudo/456492>.

17. World Bank, *Doing Business in 2004*. Washington, DC: World Bank; Oxford University Press, 2004, p. 120. Disponível em: <www.doingbusiness.org/content/dam/doingBusiness/media/Annual-Reports/English/DB04-FullReport.pdf>.

18. Id., *Doing Business in 2005*. Washington, DC: World Bank; Oxford University Press, 2005, p. 122. Disponível em: <www.doingbusiness.org/content/dam/doingBusiness/media/Annual-Reports/English/DB05-FullReport.pdf>.

19. Id., *Doing Business in 2020 — Portugal*. Washington, DC: World Bank, 2020. Disponível em: <www.doingbusiness.org/content/dam/doingBusiness/country/p/portugal/PRT.pdf>.

20. Essa história é contada pelo jornalista João de Scantimburgo, membro da Academia Brasileira de Letras falecido em 2013, na crônica "Homem de caráter", publicada no jornal paulistano *Diário do Comércio* em 21 de outubro de 2004. Disponível em: <www.academia.org.br/artigos/homem-de-carater>.

21. Lucas Lopes, *Memórias do desenvolvimento*. Rio de Janeiro: Centro da Memória da Eletricidade no Brasil, 1991, p. 265.

22. <www.planalto.gov.br/ccivil_03/Constituicao/Constituicao.htm#art236>.

23. Vanderlei Hermes Machado, *Do berço ao túmulo: Família e cartórios no*

Paraná. Curitiba: Programa de Pós-Graduação em Sociologia-UFPR, 2015. Tese (Doutorado em Sociologia). Disponível em: <www.educadores.diaadia.pr.gov.br/arquivos/File/dissertacoes_teses/tese_vanderlei_hermes_machado.pdf>.

24. Disponível em: <www.weforum.org/agenda/2019/01/your-day-by-day-guide-to-davos-2019/>.

25. Disponível em: <www.youtube.com/watch?v=wx5WuUyKcQo>.

26. World Bank, *Doing Business in 2019*. Washington, DC: World Bank, 2019, p. 159. Disponível em: <portugues.doingbusiness.org/content/dam/doingBusiness/media/Annual-Reports/English/DB2019-report_web-version.pdf>.

27. Id., *Doing Business in 2020*. Washington, DC: World Bank, 2020. Disponível em: <portugues.doingbusiness.org/content/dam/doingBusiness/country/b/brazil/BRA.pdf>.

28. Medida provisória nº 881, de 30 de abril de 2019. <www.planalto.gov.br/ccivil_03/_ato2019-2022/2019/Mpv/mpv881.htm>.

29. Lei nº 13 874, de 20 de setembro de 2019. Disponível em: <www.planalto.gov.br/ccivil_03/_ato2019-2022/2019/Lei/L13874.htm>.

30. Douglass North, *Instituições, mudança institucional e desempenho econômico*. São Paulo: Três Estrelas, 2018.

31. Lei nº 11 441, de 4 de janeiro de 2007. <www.planalto.gov.br/ccivil_03/_ato2007-2010/2007/lei/l11441.htm>.

32. Lei nº 12 767, de 27 de dezembro de 2012, art. 25. Disponível em: <www.planalto.gov.br/ccivil_03/_Ato2011-2014/2012/Lei/L12767.htm#art25>.

33. World Bank, relatório *Doing Business in 2020*. Disponível em <https://archive.doingbusiness.org/content/dam/doingBusiness/country/b/brazil/BRA.pdf>.

34. A propósito, os boletins legislativos da Anoreg estão disponíveis em: <www.anoreg.org.br/site/boletim-legislativo/>.

35. Lei nº 12 414, de 9 de junho de 2011. Disponível em: <www.planalto.gov.br/ccivil_03/_ato2011-2014/2011/lei/l12414.htm>.

36. Lei nº 10 931, de 2 de agosto de 2004. Disponível em: <www.planalto.gov.br/ccivil_03/_ato2004-2006/2004/lei/l10.931.htm>.

37. Anoreg, *Cartório em números*. 2. ed. Brasília: Anoreg, 2020, pp. 146-57. Disponível em: <www.anoreg.org.br/site/wp-content/uploads/2020/11/Cart%C3%B3rios-em-N%C3%BAmeros-2-edi%C3%A7%C3%A3o-2020.pdf>.

38. Disponível em: <https://dados.gov.br/dados/conjuntos-dados/grandes-nmeros-do-imposto-de-renda-da-pessoa-fsica>.

39. Disponível em: <unstats.un.org/unsd/demographic-social/census/COVID-19-SurveyT2-1/>.

40. Georg Eder, "Digital Transformation: Blockchain and Land Titles", em OECD Global Anti-Corruption & Integrity Forum, 2019, Paris.

41. Sobre as ações do Banco Central do Brasil para a implantação do Drex, vale consultar <https://www.bcb.gov.br/estabilidadefinanceira/drex>.

42. Tabela de Emolumentos do Foro Extrajudicial do Estado do Paraná 2021. Disponível em: <extrajudicial.tjpr.jus.br/documents/14930420/33713065/Tabela+de+Emolumentos+-+Correta/49e07f25-92bf-34b2-6b6e-a38fd2ecc318>.

43. Resolução do Conselho da Magistratura do Tribunal de Justiça do Estado de Santa Catarina nº 10, de 14 de setembro de 2020. Disponível em: <busca.tjsc.jus.br/buscatextual/integra.do?cdSistema=1&cdDocumento=177297&cdCategoria=1&doc=origem>.

44. As tabelas de custas no estado de São Paulo estão disponíveis em: <extrajudicial.tjsp.jus.br/pexPtl/listaLinksPortal.do>.

45. Valores vigentes em 2023 em São Paulo (SP), conforme tabela disponível em: <cnbsp.org.br/wp-content/uploads/2023/01/CNB_TABELA_2023_2C.pdf>.

46. Disponível em: <https://www.gov.br/governodigital/pt-br>.

47. Decreto-lei nº 13609, de 21 de outubro de 1943. Disponível em: <www.planalto.gov.br/ccivil_03/decreto/1930-1949/d13609.htm>.

48. A regulação dos serviços de praticagem se fundamenta, hoje em dia, na lei nº 9537, de 11 de dezembro de 1997. Disponível em: <www.planalto.gov.br/ccivil_03/leis/l9537.htm>.

CONCLUSÃO DO VOLUME 1 [pp. 263-74]

1. Conselho Nacional de Justiça, Resolução nº 13, de 21 de março de 2006. Disponível em <https://atos.cnj.jus.br/atos/detalhar/177>.

2. Conselho da Justiça Federal, Acórdão nº 0406293, cuja íntegra pode ser obtida em: <https://www.cjf.jus.br/jurisprudencia/colegiado/index.xhtml>.

3. Supremo Tribunal Federal, Ação Direta de Inconstitucionalidade nº 4580. Disponível em <https://portal.stf.jus.br/processos/downloadPeca.asp?id=15341024350&ext=.pdf>.

4. Tribunal de Contas da União, Acórdão nº 800/2023 — Plenário, 26/04/2023. Disponível em <https://pesquisa.apps.tcu.gov.br/redireciona/acordao-completo/ACORDAO-COMPLETO-2587265>.

5. Supremo Tribunal Federal, Mandado de Segurança nº 39 264/DF, relator ministro Dias Toffoli, decisão monocrática de 19 de dezembro de 2023. Disponível em: <https://www.stf.jus.br/arquivo/cms/noticiaNoticiaStf/anexo/MS_39264.pdf>.

6. Conselho Superior da Justiça do Trabalho, pauta da Sessão Extraordinária de 11/01/2024. Disponível em: <https://www.csjt.jus.br/documents/955023/12200528/1a+Sessão+Extraordinária+Telepresencial+-+11.1.2024.pdf/7f65a196-5ec1-7f45-a0ff-7dd73631b210?t=1704742966410>.

7. Conselho Nacional do Ministério Público, Resolução nº 194, de 18 de dezembro de 2018, art. 4º. Disponível em: <https://www.cnmp.mp.br/portal/images/CALJ/outros/Resoluo-194-verso-completa-3.pdf>.

8. Conselho Nacional do Ministério Público, Resolução nº 284, de 5 de fevereiro de 2024. Disponível em: <https://www.cnmp.mp.br/portal/images/CALJ/outros/Proposio-1.01129.2023-20-verso-limpa.pdf>.

9. Ministério da Gestão e Inovação em Serviços Públicos, "Governo e servidores assinam proposta de reestruturação de carreiras da segurança pública", 28 dez. 2023. Disponível em: <https://www.gov.br/gestao/pt-br/assuntos/noticias/2023/dezembro/governo-e-servidores-assinam-proposta-de-reestruturacao-de-carreiras-de-seguranca-publica>.

10. Proposta de Emenda à Constituição nº 65, de 2023, cuja tramitação pode ser acompanhada em <https://www25.senado.leg.br/web/atividade/materias/-/materia/161269>.

11. "Adicional de especialização do TCU segue para sanção". Senado Notícias, 6 mar. 2023. Disponível em: <https://www12.senado.leg.br/noticias/materias/2024/03/06/adicional-de-especializacao-do-tcu-segue-para-sancao?utm_medium=email&utm_source=resumo-agencia&utm_campaign=2024-03-06>.

12. PEC nº 45/2019, emenda nº 807, do senador Plínio Valério (PSDB-AM).

13. A previsão de despesas com o Fundo Especial de Financiamento de Campanhas encontra-se no Quadro 5 do Volume I da lei nº 14.822, de 22 de janeiro de 2024, sob o código 71906 (p. 223). Disponível em: <https://www.planalto.gov.br/ccivil_03/_ato2023-2026/2024/lei/Anexo/L14822-Volume1.pdf>.

14. A distribuição dos recursos do Fundo Eleitoral em 2020 foi regulada pelo Tribunal Superior Eleitoral da seguinte forma: <https://www.tse.jus.br/comunicacao/noticias/2020/Junho/divulgada-nova-tabela-com-a-divisao-dos-recursos-do-fundo-eleitoral-para-2020>.

15. "Orçamento de 2024 é sancionado com veto a R$ 5,6 bilhões em emendas parlamentares". Câmara dos Deputados, 22 jan. 2024. Disponível em: <https://www.camara.leg.br/noticias/1033119-orcamento-de-2024-e-sancionado-com-veto-a-r-56-bilhoes-em-emendas-parlamentares>.

Referências bibliográficas

ABRAMOVAY, Pedro; LOTTA, Gabriela. *A democracia equilibrista: Políticos e burocratas no Brasil.* São Paulo: Companhia das Letras, 2022.

ABRÃO, Ana Carla; FRAGA NETO, Armínio; SUNDFELD, Carlos Ari. *A reforma do RH do governo federal.* São Paulo: Oliver Wyman, 2019. (Série Panorama Brasil).

ABRUCIO, Fernando Luiz; LOUREIRO, Maria Rita. "Burocracia e ordem democrática: Desafios contemporâneos e experiência brasileira". In: PIRES, Roberto; LOTTA, Gabriela; OLIVEIRA, Vanessa E. de. *Burocracia e políticas públicas no Brasil: Interseções analíticas.* Brasília: Ipea; Enap, 2018. pp. 23-57.

ACEMOGLU, Daron; ROBINSON, James. *Por que as nações fracassam: As origens do poder, da prosperidade e da pobreza.* Rio de Janeiro: Intrínseca, 2022.

AMORIM NETO, Octavio; ACÁCIO, Igor. "De volta ao centro da arena: Causas e consequências do papel político dos miliares sob Bolsonaro". *Journal of Democracy em Português*, São Paulo, v. 9, n. 2, pp. 1-29, nov. 2020.

AQUINO, Luseni. "Carreiras jurídicas, profissionalismo e Estado: Um olhar a partir do cenário federal". In: LOPEZ, Felix G.; CARDOSO JUNIOR, José Celso (Orgs.). *Trajetórias da burocracia na Nova República: Heterogeneidades, desigualdades e perspectivas (1985-2020).* Brasília: Ipea, 2023. pp. 129-67.

ARANTES, Rogério Bastos. *Ministério Público e política no Brasil.* São Paulo: FFLCH-USP, 2000, 252 pp. Tese (Doutorado em Ciência Política).

ARANTES, Rogério Bastos; ABRUCIO, Fernando Luiz; TEIXEIRA, Marco Antonio Carvalho. "A imagem dos Tribunais de Contas subnacionais". *Revista do Serviço Público*, Brasília, v. 56, n. 1, pp. 57-83, jan./mar. 2005.

ARANTES, Rogério Bastos; MOREIRA, Thiago M. Q. "Democracia, instituições de controle e justiça sob a ótica do pluralismo estatal". *Opinião Pública*, Campinas, v. 25, n. 1, pp. 97-135, jan./abr. 2019.

ARIELY, Dan. *Previsivelmente irracional: As forças invisíveis que nos levam a tomar decisões erradas*. Rio de Janeiro: Sextante, 2020.

BANCO MUNDIAL. *Gestão de pessoas e folha de pagamentos no setor público brasileiro: O que os dados dizem?*. Washington, DC: World Bank, 2019.

BARBOSA, Ana Luiza Neves de Holanda; SOUZA, Pedro Herculano G. F. de. "Diferencial salarial público-privado e desigualdade dos rendimentos do trabalho no Brasil". *Boletim Mercado de Trabalho: Conjuntura e Análise*, Brasília, n. 53, pp. 29-36, nov. 2012.

BARRETO, Lima. "Três gênios de secretaria". *Brás Cubas*, v. II, n. 47, 1919. Apud: SCHWARCZ, Lilia Moritz (Org.). *Contos completos de Lima Barreto*. São Paulo: Companhia das Letras, 2015. (Penguin Classics).

CARAZZA, Bruno. *Dinheiro, eleições e poder: As engrenagens do sistema político brasileiro*. São Paulo: Companhia das Letras, 2018.

CARVALHO, José Murilo de. *Forças Armadas e política no Brasil*. São Paulo: Todavia, 2019.

CARVALHO, Sandro Sacchet de. "Qualificando o debate sobre os diferenciais de remuneração entre setores público e privado no Brasil". *Cadernos da Reforma Administrativa*, Brasília, n. 5, jul. 2020.

CAVALCANTE FILHO, João Trindade; LIMA, Frederico Retes. "Foro, prerrogativa e privilégio (Parte 1): Quais e quantas autoridades têm foro no Brasil?". *Texto para Discussão n. 233*. Brasília: Núcleo de Estudos e Pesquisas; Conleg; Senado Federal, abr. 2017.

CHRISTO, Carlos Alberto Libânio [Frei Betto]. *A mosca azul: Reflexão sobre o poder*. Rio de Janeiro: Rocco, 2006.

COSTA, Frederico Lustosa da. "História das reformas administrativas no Brasil: Narrativas, teorizações e representações". *Revista do Serviço Público*, Brasília, v. 59, n. 3, pp. 271-288, jul./set. 2008.

DA ROS, Luciano. "O custo da Justiça no Brasil: Uma análise comparativa exploratória". *Newsletter — Observatório de Elites Políticas e Sociais do Brasil*, Curitiba, v. 2, n. 9, jul. 2015.

DA ROS, Luciano; TAYLOR, Matthew MacLeod. "Juízes eficientes, Judiciário ineficiente no Brasil pós-1988". *BIB*, São Paulo, n. 89, pp. 1-31, ago. 2019.

EDER, Georg. "Digital Transformation: Blockchain and Land Titles". In: OECD Global Anti-Corruption & Integrity Forum, 2019, Paris.

FAORO, Raymundo. *Os donos do poder: Formação do patronato político brasileiro*. São Paulo: Companhia das Letras, 2021.

FARIA, Rodrigo Oliveira de Faria. *Emendas parlamentares e processo orçamentário no presidencialismo de coalizão*. São Paulo: Blucher, 2023.

FERNANDES, Ana Maria. *O arquivo notarial no Estado Novo*. Lisboa: Faculdade de Letras-Universidade de Lisboa, 2011. Dissertação (Mestrado em Ciências da Documentação e Informação).

HOLANDA, Ana Luiza Neves de. "Diferencial de salários entre os setores público e privado: Uma resenha da literatura". *Texto para Discussão n. 1457*. Rio de Janeiro: Ipea, dez. 2009.

KERCHE, Fábio; OLIVEIRA, Vanessa Elias; COUTO, Cláudio Gonçalves. "Os Conselhos Nacionais de Justiça e do Ministério Público no Brasil: Instrumentos de *accountability*?". *Revista de Administração Pública*, Rio de Janeiro, v. 54, n. 5, pp. 1334-60, set./out. 2020.

KRUEGER, Anne. "The Political Economy of the Rent-Seeking Society". *American Economic Review*, Nashville, v. 64, n. 3, pp. 291-303, 1974.

LEAL, Victor Nunes. *Coronelismo, enxada e voto: O município e o regime representativo no Brasil*. São Paulo: Companhia das Letras, 2012.

LINO, André Feliciano; AQUINO, André Carlos Busanelli. "Práticas não adequadas nos Tribunais de Contas". *Revista de Administração Pública*, Rio de Janeiro, v. 54, n. 2, pp. 220-42, mar./abr. 2020.

LIPSKY, Michael. *Burocracia no nível de rua: Dilemas do indivíduo nos serviços públicos*. Brasília: Escola Nacional de Administração Pública, 2019.

LOPES, Lucas. *Memórias do desenvolvimento*. Rio de Janeiro: Centro da Memória da Eletricidade no Brasil, 1991.

LOPEZ, Felix; GUEDES, Erivelton. "Três décadas de evolução do funcionalismo público no Brasil (1986-2017)". *Texto para Discussão n. 2579*. Rio de Janeiro: Ipea, ago. 2020.

LOPEZ, Felix; PRAÇA, Sérgio. "Cargos de confiança, partidos políticos e burocracia federal". *Revista Ibero-Americana de Estudos Legislativos*, Rio de Janeiro, n. 4, pp. 33-42, maio 2015.

LOPEZ, Felix; PRAÇA, Sérgio. "Cargos de confiança e políticas públicas no Executivo federal". In: PIRES, Roberto; LOTTA, Gabriela; OLIVEIRA, Vanessa Elias de. *Burocracia e políticas públicas no Brasil: Interseções analíticas*. Brasília: Ipea; Enap, 2018. pp. 141-60.

LOTTA, Gabriela Spanghero. *Implementação de políticas públicas: O impacto dos fatores relacionais e organizacionais sobre a atuação dos burocratas de nível de rua no Programa Saúde da Família*. São Paulo: FFLCH-USP, 2010. Tese (Doutorado em Ciência Política).

LOTTA, Gabriela; LIMA, Iana Alves de; SILVEIRA, Mariana Costa; FERNANDEZ, Michelle; PEDOTE, João Paschoal; GUARANHA, Olívia Landi Corrales. "The Procedural Politicking Tug of War: Law-Versus-Management Disputes in Contexts of Democratic Backsliding". *Perspectives on Public Management and Governance*, Lawrence, 2023. Disponível em: <doi.org/10.1093/ppmgov/gvad008>.

LOTTA, Gabriela; NUNES, João; FERNANDEZ, Michelle; GARCIA CORREA, Marcela. "The Impact of the COVID-19 Pandemic in the Frontline Health Workforce: Perceptions of Vulnerability of Brazil's Community Health Workers". *Health Policy Open*, [S.l.], v. 3, n. 100065, 2020.

MACEDO, Roberto. "Diferenciais de salários entre empresas privadas e estatais no Brasil". *Revista Brasileira de Economia*, Rio de Janeiro, v. 39, n. 4, pp. 437-48, out./dez. 1985.

MACHADO, Vanderlei Hermes. *Do berço ao túmulo: Família e cartórios no Paraná*. Curitiba: Programa de Pós-Graduação em Sociologia-UFPR, 2015. Tese (Doutorado em Sociologia).

MACHADO DE ASSIS, Joaquim Maria. "A mosca azul". In: ______. *Poesias completas*. Rio de Janeiro: Garnier, 1901. pp. 314-6.

MATTOS, Fernando Augusto Mansor de; CARDOSO JR., José Celso. "O Brasil no mundo: Emprego público, escolarização, remunerações e desempenho estatal em perspectiva internacional comparada". In: MARQUES, Rudinei; CARDOSO JR., José Celso (Orgs.). *Rumo ao Estado necessário: Críticas à proposta de governo para a reforma administrativa e alternativas para um Brasil republicano, democrático e desenvolvido*. Brasília: Fonacate, 2021. pp. 89-122.

MEIRELES, Fernando. *A política distributiva da coalizão*. Belo Horizonte: FFCH-UFMG, 2019. 174 p. Tese (Doutorado em Ciência Política).

MORAIS, Fernando. *Chatô: O rei do Brasil*. São Paulo: Companhia das Letras, 2011.

MOREIRA, Thiago de Miranda Queiroz. "A constitucionalização da Defensoria Pública: Disputas por espaço no sistema de justiça". *Opinião Pública*, Campinas, v. 23, n. 3, pp. 647-81, set./dez. 2017.

NOGUEIRA, Bernardo Sá. "Tabelionado e elites urbanas no Portugal ducentista (1212-1279)". In: BARATA, Filipe Themudo (Org.). *Elites e redes clientelares na Idade Média*. Évora: Cidehus, 2001. pp. 211-20.

NORTH, Douglass. *Instituições, mudança institucional e desempenho econômico*. São Paulo: Três Estrelas, 2018.

NOVAES, Lucas M. "The Violence of Law-and-Order Politics: The Case of Law Enforcement Candidates in Brazil". *Insper Working Papers*, São Paulo, n. 391, 2020.

NUNES, Wellington. "A elite salarial do funcionalismo público federal: Identificação conceitual e dimensionamento empírico". *Nota Técnica*, Brasília, n. 17, 2021.

NUNES, Wellingon; TELES, José. "A elite salarial do funcionalismo público federal: Sugestões para uma reforma administrativa mais eficiente". *Cadernos Gestão Pública e Cidadania*, São Paulo, v. 26, n. 84, pp. 1-24, 2001.

OLSON, Mancur. *A lógica da ação coletiva*. São Paulo: Edusp, 1999.

ORGANIZATION FOR ECONOMIC COOPERATION AND DEVELOPMENT (OECD). *government at a Glance 2021*. Paris: OECD Publishing, 2021.

PRAÇA, Sérgio; ODILLA, Fernanda; GUEDES-NETO, João Victor. "Patronage Appointments in Brazil, 2011-2019". In: PANNIZZA, Francisco; PETERS, Guy; RAMOS, Conrado (Orgs.). *The Politics of Patronage Appointments in Latin American Central Administrations*. Pittsburgh: University of Pittsburgh Press, 2022. pp. 62-89.

QUEIROZ, Antônio Augusto de; SANTOS, Luiz Alberto dos. "O ciclo laboral no setor público brasileiro". *Cadernos da Reforma Administrativa*, Brasília, n. 2, jul. 2020.

SAKAI, Juliana; PAIVA, Natália. *Quem são os conselheiros dos Tribunais de Contas?*. São Paulo: Transparência Brasil, 2016.

SCHMIDT, Flávia de Holanda. "Presença de militares em cargos e funções comissionados do Executivo federal". Nota Técnica Diest [Diretoria de Estudos e Políticas do Estado, das Instituições e da Democracia], Brasília, n. 58, set. 2022.

SOUZA, Adriana Barreto de; SILVA, Angela Moreira Domingues da. "A organização da justiça militar no Brasil: Império e República". *Estudos Históricos*, Rio de Janeiro, v. 29, n. 58, pp. 361-80, maio/ago. 2016.

STIGLER, George J. "The Theory of Economic Regulation". *The Bell Journal of Economics and Management Science*, Santa Monica, v. 2, n. 1, pp. 3-21, primavera 1971.

TAVARES FILHO, Newton. "Foro privilegiado: Pontos positivos e negativos". *Estudo Técnico*, Brasília: Consultoria Legislativa da Câmara dos Deputados, jul. 2016.

TENOURY, Gabriel Nemer; MENEZES-FILHO, Naercio. "A evolução do diferencial salarial público-privado no Brasil". *Policy Paper*, São Paulo, n. 29, nov. 2017.

TULLOCK, Gordon. "The Welfare Costs of Tariffs, Monopolies and Theft". *Western Economic Journal*, Long Beach, v. 5, n. 3, pp. 224-32, 1967.

VICTOR, Fabio. *Poder camuflado: Os militares e a política, do fim da ditadura à aliança com Bolsonaro.* São Paulo: Companhia das Letras, 2022.

VIEGAS, Rafael Rodrigues. *Caminhos da política no Ministério Público Federal.* São Paulo: Amanuense, 2023.

WEBER, Max. *Economia e sociedade: Fundamentos da sociologia compreensiva.* 4. ed. Brasília: Ed. UnB, 2015. v. 2.

Índice remissivo

Números de páginas em *itálico* referem-se a gráficos e tabelas

ESTA OBRA FOI COMPOSTA PELA SPRESS EM MINION E IMPRESSA
EM OFSETE PELA GRÁFICA PAYM SOBRE PAPEL PÓLEN NATURAL
DA SUZANO S.A. PARA EDITORA SCHWARCZ EM MAIO DE 2024

A marca FSC® é a garantia de que a madeira utilizada na fabricação do papel deste livro provém de florestas que foram gerenciadas de maneira ambientalmente correta, socialmente justa e economicamente viável, além de outras fontes de origem controlada.